市域社会治理现代化问题研究

辛全龙　主编

山东大学出版社
·济南·

图书在版编目(CIP)数据

市域社会治理现代化问题研究 / 辛全龙主编. —济南:山东大学出版社,2021.5

ISBN 978-7-5607-6995-0

Ⅰ.①市… Ⅱ.①辛… Ⅲ.①社会管理—现代化管理—研究—中国 Ⅳ.①D63

中国版本图书馆 CIP 数据核字(2021)第 092430 号

策划编辑 张韶明
责任编辑 张韶明
文案编辑 刘晓燕
封面设计 杜 婕

出版发行 山东大学出版社
社 址 山东省济南市山大南路 20 号
邮政编码 250100
发行热线 (0531)88363008
经 销 新华书店
印 刷 济南华林彩印有限公司
规 格 720 毫米×1000 毫米 1/16
20.75 印张 356 千字
版 次 2021 年 5 月第 1 版
印 次 2021 年 5 月第 1 次印刷
定 价 60.00 元

《市域社会治理现代化问题研究》
编委会

序

以习近平同志为核心的党中央高度重视社会治理工作。党的十九届四中全会从党和国家事业发展全局的战略高度，对“推进国家治理体系和治理能力现代化”作出战略部署，对“加快推进市域社会治理现代化”提出明确要求，为建设更高水平的平安中国指明了前进方向。从中央政法工作会议到全国市域社会治理现代化工作会议，从新时代政法工作创新交流会到全国市域社会治理现代化试点工作交流会，中央政法委统筹推进市域社会治理工作蹄疾步稳、步步为营、成效初显。2021 年 1 月，中央政法工作会议再次强调“推进市域社会治理现代化试点，努力把重大矛盾隐患解决在市域”，对试点工作进一步作出安排。

突如其来的新冠肺炎疫情，给城市治理体系带来严峻考验。作为社会治理的“前线指挥部”，市域层级关键、地位重要、作用独特，在国家治理体系中发挥着承上启下、起承转合、系统集成的重要作用。实践证明，只有把突出矛盾和重大风险控制在市域、化解在市域，确保矛盾风险不外溢、不扩散、不上行，才能以有效社会治理保障城市安全发展，才能以市域平安夯实全国平安，才能“一子落而满盘活”。做好市域社会治理现代化工作，使命光荣、责任重大，影响深远、意义非凡。

近年来，济南市坚持以习近平中国特色社会主义思想为指导，深入贯彻落实中央决策部署和省委工作要求，抢抓三大国家战略机遇，瞄定新时代现代化强省会建设目标，紧抓全国市域社会治理现代化首批试点城市契机，科学制定试点“任务书”“路线图”“时间表”，坚持政治、自治、法治、德治、智治“五治”并举，推行一个项目、一个专班、一套方案、一本台账“四个一”模式，用心画好共建共治共享“同心圆”，倾力打造人人有责、人人尽责、人人享有社会治理“共同体”，积极探索具有时代特征、省会特点、泉城特色的市域社会治理新路径。济南市成功进入“GDP 万亿元俱乐部”，先后获得全国文明城市年度测评第一名、全国最具幸福感城市等荣誉桂冠，连续 4 年在中科院公共安全满意度调查中进入前十名，是全国唯一连续 10 年实现命案全破的省会城市，人民群众的获得感、幸福感、安全感持续提升，“平安济南”“幸福济南”这张城市新名片愈发靓丽！

市域社会治理是国家治理的基石之一。为推动市域社会治理现代化理论和实践创新，济南市委政法委、济南市法学会紧紧围绕市域社会治理现代化过程中的热点难点问题，组织开展“疫情防控与市域社会治理现代化”课题研究，征集形成优秀论文成果 455 篇，从中精选 27 篇结集出版。本书收录的论文均经中国法学会组织专家匿名评审并荣获奖项，其中，第三十二届全国副省级城市法治论坛获奖论文 24 篇、第十五届环渤海区域法治论坛获奖论文 3 篇。论文作者既有法学理论功底深厚的专家学者，又有实践经验丰富的一线干警和法律实务界青年才俊，他们在“全民抗疫”战果中汲取真理力量，彰显了“中国之治”的强大制度优势；他们在社会发展演变中探究治理底层逻辑，展现了基层治理到市域治理的融合联动；他们在司法执法实践中探索智慧路径，为社会治理插上了科技“翅膀”。希望本书的出版，能够为市域社会治理现代化提供有益学术参考和实践指导，更能有助于推动国家治理顶层设计落地见效，有助于加快市域社会治理现代化进程，有助于实现经济行稳致远、社会安定和谐。

弄潮儿向涛头立，风好正是扬帆时。

当前的济南，正乘黄河流域生态保护和高质量发展重大国家战略、济南新旧动能转换起步区之东风，有序构建“东强、西兴、南美、北起、中优”城市发展新格局，全力推进新时代现代化强省会建设。发展强音已铿然奏响，“黄河时代”正奔涌而来！希望济南市政法战线的广大干警和法学法律工作者，牢记习近平总书记关于政法工作的重要指示批示精神，深入学习贯彻习近平法治思想，在“十四五”规划开局之年，披荆斩棘、乘风破浪，勠力同心、攻坚克难，坚决维护国家政治安全，全力推动扫黑除恶常态化，持续优化法治营商环境，继续推进政法领域全面深化改革，全面提升市域社会治理现代化水平，为推动全市政法事业高质量发展、为开创新时代现代化强省会建设新局面提供优质法治服务和坚强政法保障，以优异成绩庆祝建党100周年！

中共济南市委常委、政法委书记，济南市法学会会长

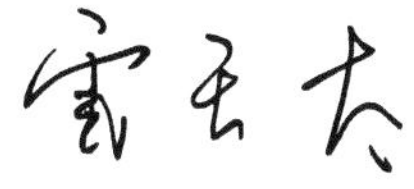

目 录

论大数据时代我国社会治理面临的挑战与法理应对

——以《2018中国数据保护年度报告》为例*

钱继磊**

摘要:人类似乎进入了大数据时代,这可能会对整个人类产生前所未有的深刻影响,带来颠覆性巨变。然而我们是否做好了准备?这对我们意味着什么?当下中国如何应对?诸多问题需要我们进行开放式讨论。我国发布的《2018中国数据保护年度报告》客观全面地展示出当前我国个人信息数据保护现状及其不足。面对大数据时代给我国带来的挑战,除了通过法律法规政策等措施外,从长远看还需要全面提升民族的现代法律意识和法律素养,通过实施法治教育战略,在未成年人中持续开展规范的法律意识教育,强调公共权力部门及其人员规则意识、依法服务意识和责任意识,培植相关企业及人员的规则意识、契约意识和责任意识,利用多种方式和途径,培植民众的现代公民意识、平等意识、契约意识和责任意识,从根本上提升我国对大数据时代可能风险的应对能力。

关键词:大数据时代;挑战与应对;法律意识

一、问题的提出

似乎在一夜之间,以大数据、互联网、云计算、区块链、人工智能等一波又一波的新科技浪潮仿佛将整个人类带入了大数据时代。这一时代如同一场新的革命,对整个人类可能会产生前所未有的深刻影响,带来颠覆性巨变。如今,不仅在英国、美国、德国、日本等发达国家,而且在很多新型工业国家或发展中国

---

* 第三十二届全国副省级城市法治论坛获奖论文一等奖。

** 钱继磊,齐鲁工业大学政法学院副教授、法律系主任,法学博士、博士后。

家如韩国、爱沙尼亚、沙特等都对这一时代的到来开始出台政策法律、发展规划，一方面积极应对可能带来的挑战，另一方面试图在未来人类制高点上占有主导权和话语权或能够拥有一席之地。在这一新的时代浪潮中，我国也不例外，及时地跟踪这一前沿，做了大量工作，除了出台了相关法律法规外，学界也迅速展开暴风雨式的研究。比如，诸多国内知名高校分别设立了专门研究机构，举办专门学术研讨会，众多学术期刊开辟专栏甚至出版专刊为学者提供研究讨论的平台和空间。[①] 有人认为，面对这一新科技浪潮，我们不仅仅面对的是新的挑战，更是一个前所未有的机遇。新的科技革命浪潮可能给一些国家带来赶超的难得机遇，实现经济社会发展的"弯道超越"。对于我国法治建设，是否也意味着这样一个"弯道超越"的难得机遇，"以更好地讲述法治建设的中国故事，掌握中国法治建设在国际舞台上的话语权"[②]呢？

对于这一问题，需要我们进行更为审慎的学术讨论。从既有研究来看，学界研究主要集中在以下方面：一是如何通过大数据、人工智能服务于司法实践；二是如何有效应对大数据、人工智能带来的新挑战；三是如何就大数据、互联网、人工智能的具体案件作出适妥判决；四是针对人工智能、大数据新时代进行的理论性反思和前瞻。[③] 既有研究使我们及时理解和把握这一科技新时代的特点，给我们已经和即将带来的挑战提出了警告，启发我们应当在心理和行动上提前做好如何应对这一新时代可能的危险、风险的尽可能准备。这些无疑都具有颇为重要的学术价值和实践意义，然而，既有研究却是建立在这样一个前设之上的，即我们中国社会同世界主要发达国家一道进入或即将进入大数据、

---

① 中国法理学研究会 2017 年年会就以"人工智能与法律发展"为主题。2017 年 9 月，中国人民大学法学院成立了未来法治研究院，同年 12 月 23 日，清华大学法学院成立了法律与大数据研究中心，北京大学法学院则在 12 月 29 日成立了法律人工智能实验室和北京大学法律人工智能研究中心。就学术期刊而言，尤以《东方法学》和《中国法律评论》最具代表性，其分别在 2018 年第 3 期和 2018 年第 2 期出版了大数据与人工智能专刊，这在法学期刊史上实属罕见。

② 程金华：《未来还未来：反思中国法律大数据的基础建设》，《中国法律评论》2018 年第 2 期。

③ 如《东方法学》2018 年第 3 期"人工智能与大数据规制"专刊分为"智能法治""数据规制""未来管理""智慧司法""知产新论"几个栏目；《中国法律评论》2018 年第 2 期人工智能、大数据专刊除了卷首语和"影像：昭昭千载——碑石上的法律（下）"外，其他栏目有"对话：人工智能对知识产权法律保护的挑战""专论：大数据与人工智能的司法实践""思想""判解：互联网新型刑事案例评析""策略"。

人工智能新时代。① 需要思考的是，对于当下中国社会，这一大数据时代真的到来或即将到来了吗？是否上述如火如荼的学术活动、雨后春笋般地学术论文等就意味着我们与发达国家一道也进入了大数据、人工智能的新时代了呢？详言之，我们需要追问的是：第一，学界、企业、政府及职能部门的风起云涌般的显性活动是否等同于整个社会或者说普通社会公民的意识？第二，学界、企业跟踪世界前沿的讨论或运行是否就意味着中国社会与其他发达国家同时或者几乎同时进入了这个新时代？第三，科技新时代就如同习近平总书记所言“敲锣打鼓”②如此轻轻松松到来了吗？第四，即便是中国与主要发达国家几乎同时进入了这一新时代这是否意味着将给中国和发达国家带来相同或相似的结果？进言之，这些问题关涉到更为根本的前设问题，即科技新时代具有科技的客观中立性和工具价值属性，这将导致无须考虑或无视中国的法治现实与西方国家的巨大差异。

对于这一问题，有学者似乎已意识到，以中国法律大数据的基础建设现状为例，从法律量化实证研究角度，就中国当前法律大数据建设的现状进行了较为客观翔实的梳理和总结，并指出，当前中国“官员、学者和商人意识到法律大数据的重要性仅是‘科学启蒙’，而法律大数据的基础性建设才算迈向‘工业革命’的第一步”③。他至少意识到对于当下中国，我们离法律大数据时代还有相当距离，中国法律大数据时代不会自发地到来。不过，令人遗憾的是，他更多是看到了中国大数据基础建设的客观方面的不足，而对于阻碍其进程的更为深层次因素却被有意无意搁置了。我们知道，人的因素却是最为关键的，即便是在大数据、人工智能这一科技新时代，至少在当下和可预见的未来，人依然具有决定性、主导性和关键性作用。在西方，自苏格拉底将人类的视野从天上宇宙拉到人间，人便成了万物的尺度。经过了中世纪的神学一统天下，自达芬奇笔下“蒙娜丽莎”幸福满足的笑，但丁再次提出《论世界帝国》那“上帝的归上帝，凯撒

---

① 王利明在《中国法律评论》2018 年第 2 期卷首语中就指出：“人工智能时代已经来临，它不仅改变人类世界，也会深刻改变人类的法律制度。”（王利明：《人工智能时代提出的法学新课题》，《中国法律评论》2018 年第 2 期）

② 就中国“两个一百年”战略目标实现的艰巨性问题，习近平总书记在十九大报告中指出：“中华民族伟大复兴，绝不是轻轻松松、会敲锣打鼓就能实现的。”（习近平：《决胜全面建成小康社会夺取新时代中国特色社会主义伟大胜利——在中国共产党第十九次全国代表大会上的报告》，人民出版社 2017 年版，第 15 页）

③ 程金华：《未来还未来：反思中国法律大数据的基础建设》，《中国法律评论》2018 年第 2 期。

的归凯撒”的时刻起，人又重新成为了自己的主人和中心。启蒙运动思想家们无不将人置于最为基本和关键的地位，于是才会诞生人权理论。康德提出了道德实践的绝对命令“你的行动，要把你自己人身中的人性，和其他人身中的人性，在任何时候都同样看作是目的，永远不能只看作是手段”[①]，无不如此。中国哲学则自古强调人的主体性和根本性，从《易经・序卦传》的“有天地然后有万物，有万物然后有男女，有男女然后有夫妇，有夫妇然后有父子……”到《中庸》的“人一能之，己百之；人十能之，己千之。果能此道矣，虽愚必明，虽柔必强”；从老子的“故道大，天大，地大，人亦大，域中有四大，而人居其一焉”，到墨子的“天必欲人之相爱相利，而不欲人之相恶相贼也”等，无不体现了这一精神和原则。法律大数据仅是其中的一个个例，如果从整个大数据社会时代，可能存在着相似的问题。由此，本文试图以《中国数据保护年度报告(2018)》为例，反思和讨论中国大数据时代是否真的要到来，我们是否做好了准备，这对我们意味着什么等问题，并对当下中国的应对进行开放式讨论。

二、我国个人信息数据保护现状

2018年2月24日，元达数据中心联合律商联讯(LexisNexis)共同发布了《中国数据保护年度报告(2018)》。这是2016年6月1日我国《网络安全法》正式生效后发布的首份年度报告。该报告对2017年中国数据保护情况进行了充分调研，并对中国数据合规所涉监管部门、处罚案例与相关法规进行了梳理，较为客观真实地反映出目前中国数据保护的现实状况。具体调研主要包括如下部分：

第一，数据合规应对情况。根据《网络安全法》规定，几乎所有企业都是被调整和监管的对象，因此应该采取对应措施以达到法律要求，比如开展全面的数据合规审查、在相关项目中引入数据合规审查、针对有关数据合规问题向第三方进行专业咨询、企业制定或更新相关安全管理制度和操作规程、开展相关培训、升级隐私政策等。然而，调查的结果是，竟然有25.46%的受访对象不清楚其所在企业是否进行过调整，还有7.41%的受访对象明确表示其所在企业根本没有进行任何调整。企业制定或更新了相关安全管理制度和操作规程的

① [德]伊曼努尔・康德：《道德形而上学原理》，苗力田译，上海人民出版社2012年版，第37页。

仅为11.11%。即便是表现较好的开展培训和升级隐私政策方面，也仅分别占比为28.7%和29.17%。在相关项目引入了数据合规审查的为0.93%，针对有关数据合规问题咨询过第三方人士的为1.39%，采取了防止员工盗窃数据技术措施的最低，仅为0.46%。[①] 可见，企业对用户的信息数据保护处于一种严重失控状态，存在重大泄露风险。

而在企业是否遭受网络安全威胁方面，情况不容乐观。其中曾遭受过网络攻击导致瘫痪的占受访者的7.87%，感染过计算机病毒的企业占比为15.74%，发生过数据泄露的企业为6.02%，遭遇过网站篡改的企业为4.61%。曾接到过用户关于个人信息投诉的为4.17%，而对于是否遭受过网络攻击、遭受过用户投诉情况，有37.04%的受访对象表示不清楚。[②] 可见，系统感染计算机病毒较为常见，而曾遭受过网络攻击导致瘫痪的也达到了近8%。对于个人信息泄露情况，虽然仅有4.17%受访客户接到过投诉，但实际受到侵害的用户比例会大大高于这一数值，因为由于信息不对称导致有的用户不知道其信息被侵权，有的则由于维权意识不强，或者维权的时间、经济等成本过高而放弃投诉等维权。

此外，数据报告还调研了企业与有关部门的接洽情况。根据《网络安全法》第8条的规定，网络安全的主管部门主要网信部门、公安部门和通信管理部门等，各部门依据职责分工履行网络安全监管职责。企业与有关监管部门的接洽情况，在一定程度上反映出主管部门的执法力度，以及对网络安全问题的重视程度。调研结果显示，受访对象所在企业曾与网信部门有过接洽的为18.98%，与公安部门（网管）有过接洽的为9.26%，与其他部门有过接洽的为8.8%。这样所有与监管部门有过接洽的仅为37.04%，而以上部门都没有接洽的多达39.35%，不清楚的为36.11%。[③] 这反映出了受访对象所在企业的执法力度和执法现状也不太令人满意。

第二，网络安全基础义务的履行情况。依据我国《网络安全法》，网络所有

---

① 参见元达律师事务所与律商联讯（LexisNexis）：《中国数据保护年度报告（2018）》，“律商观点”微信公众号，2018年4月13日。

② 参见元达律师事务所与律商联讯（LexisNexis）：《中国数据保护年度报告（2018）》，“律商观点”微信公众号，2018年4月13日。

③ 参见元达律师事务所与律商联讯（LexisNexis）：《中国数据保护年度报告（2018）》，“律商观点”微信公众号，2018年4月13日。

者、管理者和服务提供者，都属于网络运营者，均负有网络安全保护义务。就网络安全等级保护测试义务而言，调研结果显示，测评结果为一级或二级的占受访企业的 6.94%，结果为三级、四级、五级的分别为 5.09%、2.78%和 0.93%。共计仅为 15.74%。而未测试受访企业多达 31.02%，不清楚的多达 53.24%。[①] 这显示出相当多企业尚未履行网络安全等级测试基本义务，也没有充分意识到定期等级测试的重要性和必要性。

在安全保护义务方面，有 51.85%的受访企业确定了网络安全负责人，有 57.41%采取了防范计算机病毒和网络攻击、网络侵入等危害网络安全行为的技术措施，有 52.78%的受访企业采取了数据分类，重要数据备份和加密等措施，有 33.33%的受访企业制定了网络安全事件应急预案。然而，制定内部安全管理制度和操作规程的仅有 3.24%，对重要系统和数据进行容灾备份的仅有 0.93%，定期对从业人员进行网络安全教育、技术培训和技能考核的却是 0。此外，还有 14.81%的受访企业不清楚。[②] 这说明有相当多企业对于一般网络运营者义务的履行不到位，普遍缺乏网络安全意识和安全教育，导致具有较高的网络安全风险和违法风险。此外，根据《网络安全法》，网络运营者应当采取监测、记录网络运行状态、网络安全事件的技术措施，并按照规定留存相关日志不少于 6 个月。而调研结果显示，完全依法履行留存义务的占 40.28%，而留存不足 6 个月的为 9.72%，尚有 3.70%未留存日志，46.30%不清楚。[③] 这显然远没有达到法律的基本要求。

在用户信息审核义务方面。依据《网络安全法》，网络经营者在提供网络接入、域名注册、固定电话和移动接入手续时，要求用户提供真实身份信息，否则不予提供相关服务。统计结果显示，除了 0.93%的受访企业明确表示不提供此项服务外，其他绝大多数企业均不要求用户必须提交真实身份信息。这一方面使得用户的信息真实性难以保证，另一方面也使得数据信息存在更大的泄露隐患和更大追责难度。

---

① 参见元达律师事务所与律商联讯(LexisNexis):《中国数据保护年度报告(2018)》，“律商观点”微信公众号，2018 年 4 月 13 日。

② 参见元达律师事务所与律商联讯(LexisNexis):《中国数据保护年度报告(2018)》，“律商观点”微信公众号，2018 年 4 月 13 日。

③ 参见元达律师事务所与律商联讯(LexisNexis):《中国数据保护年度报告(2018)》，“律商观点”微信公众号，2018 年 4 月 13 日。

《网络安全法》还规定了网络运营者在公共信息巡查方面的义务，要求网络运营者切实加强对用户信息发布的管理。调研结果显示，有人工巡查措施的为0，先审后发的为0.46%，采用机器屏蔽关键词措施的为0.93%，开放用户举报通道的为0.46%，采取隐蔽操作的为0，仅处于计划中的为0.46%，还有多达98.15%的受访企业表示不清楚此项义务。[①] 这足以表明此项义务形同虚设，没有引起普遍重视。

如果前述还属于事前义务的话，对于违法信息的处置义务则属于事后义务了。调研结果显示，有33.8%的受访企业表示发现违法违规信息后会立即停止传输、采取删除等措施，防止信息扩散。有20.83%的企业表示会保存有关记录并向主管部门报告。采取其他措施的为2.31%，暂无应对措施的为1.39%，还有高达57.41%的受访企业表示不知情。[②] 从这也可反映出受访企业的法律意识的不足。

在第三方安全保密义务方面，我国《网络安全法》也作了规定，要求关键信息基础设施运营者在采购网络产品和服务时，应按照规定与提供者签订安全保密协议。从调研数据看，不进行采购的受访企业为0，采购时会签订安全保密协议的仅为1.39%，明确表示采购时不会签订安全保密协议的为0.93%，而高达97.69%的受访企业表示对此协议的签订与否不清楚。[③] 这反映出网络运营企业对第三方安全保密义务的不意识和不重视，使得数据信息处于严重泄露风险之中。

第三，数据的保护情况。数据显示，在受访企业中，有58.33%在生产或经营中会对个人信息进行数据收集和利用，有37.96%从注册用户对个人信息进行收集，有19.44%从第三方直接购买个人信息数据，有16.67%从网络抓取公开的个人信息数据，有29.17%通过与第三方合作获取个人信息数据，还有2.31%通过其他途径获取个人信息。表示不清楚的为18.98%。[④] 针对企业是

---

① 参见元达律师事务所与律商联讯(LexisNexis)：《中国数据保护年度报告(2018)》，“律商观点”微信公众号，2018年4月13日。

② 参见元达律师事务所与律商联讯(LexisNexis)：《中国数据保护年度报告(2018)》，“律商观点”微信公众号，2018年4月13日。

③ 参见元达律师事务所与律商联讯(LexisNexis)：《中国数据保护年度报告(2018)》，“律商观点”微信公众号，2018年4月13日。

④ 参见元达律师事务所与律商联讯(LexisNexis)：《中国数据保护年度报告(2018)》，“律商观点”微信公众号，2018年4月13日。

否会收集个人信息，可以从以下调研数据得到进一步证实。明确表示会收集个人信息的受访企业为 54.63%，产生、收集重要数据的为 34.26%，以上均为否的为 17.59%，表示不清楚的为 15.28%。[①] 可见，尽管企业收集个人信息数据的途径多种多样，但仅有少量企业表示既未收集个人信息数据，也未产生、收集重要数据，企业普遍收集个人信息数据已是一个不争的事实。

用户的个人信息是其重要权利，由此收集的信息数据，其网络运营者负有向用户告知的义务。为此，我国《网络安全法》规定，网络运营者收集个人信息数据时应“公开收集、使用规则”，即必须向用户明示个人信息的收集、使用规则，然后还须征得用户的明确同意。就企业在收集用户个人信息过程中，是否向用户展示个人信息收集、使用的规则和展示的方式方面，调研受访企业的情况是，用户注册时有相关链接展示，其可以进入单独的规则页面的为 21.3%，用户注册时会通过弹窗等增强式告知方式，直接向用户展示有关规则内容的为 23.61%，用户注册界面直接显示相关规则，但是无增强式弹窗告知的为 11.11%，这样共计为 56.02%。此外，其他情况的为 6.48%，不向用户展示相应规则的为 4.17%，不清楚的为 39.81%。不过，不收集用户个人信息的受访企业是 0，即所有受访企业均收集个人信息数据。[②] 这就意味着，尚有 43.98%的受访企业不告知或者不能保证告知用户收集其个人信息。从上述《网络安全法》的规定看，采取“增强式”告知方式最符合“公开”和“明示”的本意。然而，采取此种方式的受访企业仅为 23.61%，即超过四分之三以上的企业没有采取此告知方式。

在用户使用受访企业网站或受访企业提供的网络服务、产品时，是否需要对有关收集、使用其个人信息的相关规则表示同意方面，统计结果为：用户需要再注册时，“点击同意”有关规则的仅为 48.15%，用户不需要再注册时“点击同意”有关规则的为 9.26%，表示不清楚的占到了 42.59%。[③] 可见，用户对其个人信息收集、使用同意权的享有情况还不到一半，也不容乐观。

我国《网络安全法》第 43 条赋予了用户对其个人信息的删除权和更正权。

---

① 参见元达律师事务所与律商联讯（LexisNexis）：《中国数据保护年度报告（2018）》，“律商观点”微信公众号，2018 年 4 月 13 日。

② 参见元达律师事务所与律商联讯（LexisNexis）：《中国数据保护年度报告（2018）》，“律商观点”微信公众号，2018 年 4 月 13 日。

③ 参见元达律师事务所与律商联讯（LexisNexis）：《中国数据保护年度报告（2018）》，“律商观点”微信公众号，2018 年 4 月 13 日。

对此的调研结果是：有 4.17％的受访企业不允许用户提出删除或更正要求，允许用户提出删除要求，并说明具体操作方法的为 30.09％，虽然允许用户提出删除请求，但并未说明具体操作方法的为 12.96％，允许用户提出更正要求，但并未说明具体操作方法的为 9.72％，而没有隐私政策的为 3.7％，对此项不清楚的高达 53.7％。① 可见，真正能够使用户行使删除权和更正权的网络运营者不超过三分之一。

数据跨境传输涉及国家利益乃至国家安全，由此我国《网络安全法》就数据的境内存储与跨境传输也作了相应规定。受访企业中，有 66.2％的企业将在中国境内运营所产生或收集的数据储存在中国大陆，有 14.81％的企业将其储存在境外，还有 5.09％的企业将其储存在我国港澳台地区，尚有 22.22％的企业表示不清楚。对于储存地的选择，主要考虑因素是成本、政策/法律和技术，其中成本因素占 62.96％，政策/法律因素占 68.98％，技术因素占 60.65％，其他为 9.26％。就企业对个人信息和重要数据跨境传输情况而言，只有 11.57％的受访企业存在跨境传输并进行数据出境安全评估，有 10.65％的受访企业存在跨境传输但未进行数据出境安全评估，另外有 44.44％的受访企业表示未存在数据跨境传输情形，还有 33.33％的受访企业表示不清楚。② 可以肯定的是，至少有 10.65％的企业在跨境数据传输中未进行数据出境安全评估。

三、对《中国数据保护年度报告(2018)》的剖析与反思

上述数据保护调研报告情况基本可以显示出我国当前的实际情况。尽管该报告主要是以我国《网络安全法》为依据，从企业角度对其履行义务情况、合规情况以及法律风险等进行的。但是，这也显示出中国对大数据时代机器风险等整体认识不深，个人信息数据保护程度不够，反映出中国社会面对新时代的法律意识和法律素养准备不足等问题。

第一，目前我国相关企业就网络信息数据识别、收集、传输、使用等所应履行的事前预防和风险控制方面的基本义务普遍不够。尽管我国的《网络安全

① 参见元达律师事务所与律商联讯(LexisNexis)：《中国数据保护年度报告(2018)》，“律商观点”微信公众号，2018 年 4 月 13 日。

② 参见元达律师事务所与律商联讯(LexisNexis)：《中国数据保护年度报告(2018)》，“律商观点”微信公众号，2018 年 4 月 13 日。

法》已经颁行并生效，但依然有较多企业既没有对照法律法规进行自我审查并采取安全升级等有效措施，也没有针对网络信息数据安全进行及时而有效的培训，更没有建立起普遍的网络安全等级测试制度，使得网络运行处于较大风险之中，网络信息泄露发生可能性较大。而网络安全等级测试制度是预防网络风险、确保网络运行安全的第一步和有效措施，也是最基本的义务。由此，如果把好这一关，就能构筑起一堵防火墙，能够将绝大多数网络风险拒之门外。如果说在前大数据时代“司法是维护社会公平正义的最后一道防线”的话，那么在大数据时代建立普遍有效的网络安全等级测试制度并形成有效的网络风险预防体系则是第一道却最为关键的防线，因为大数据时代网络信息数据风险预防比救济更重要、更有效。事实证明，在网络安全基本义务履行不到位的同时，已经有相当多企业遭受过来自网络的侵入和攻击，甚至导致企业网络瘫痪。即便是暂时抛开法律规定义务履行的强制性不谈，而因此给相关企业带来的损失并不会比建立起有效风险预防体系低，还会给其带来商业声誉上的损失。

第二，我国网络个人信息数据权利保障和维权意识不够强。大数据时代的确给人带来前所未有的便利和效率，享受到了之前无法想象的服务。然而，这种建立在个人信息为基本元素基础上的大数据时代给个人信息带来的风险也前所未有，因信息数据泄漏带来的损失也不可估量，而对其进行有效的补救和救济却更为困难。在此情形下，尽管在其权利性质、具体权能和保护途径和方式等方面尚存分歧，但个人信息权作为一个权利池或权利束已经得到普遍共识和认可。① 目前已经有其最基本的权利至少包括用户个人信息情况的知情权、同意权、查询权、更正权、删除权、报酬请求权等权能。② 有学者认为个人信息权不仅具有财产权属性，还具有人格权属性，“既存在人格利益，也存在财产利益”③。而在某种意义上讲，个人信息权不仅仅是部门法意义上的具体权利，而

① 近年来我国关于大数据时代个人信息权研究的文章颇多，有代表性的如张里安、韩旭至：《大数据时代下个人信息权的私权属性》，《法学论坛》2016 年第 3 期；陈奇伟、刘倩阳：《大数据时代的个人信息权及其法律保护》，《江西社会科学》2017 年第 9 期；陈星：《大数据时代个人信息权在我国民法典中的确立及其地位》，《北京行政学院学报》2016 年第 6 期；范为：《大数据时代个人信息保护的路径重构》，《环球法律评论》2016 年第 5 期；鞠晔、凌学东：《大数据背景下网络消费者个人侵权问题及法律救济》，《河北法学》2016 年第 6 期；敬力嘉：《大数据环境下侵犯公民个人信息罪法益的应然转向》，《法学评论》2018 年第 3 期；张平：《大数据时代个人信息保护的立法选择》，《北京大学学报》(哲学社会科学版)2017 年第 3 期。

② 参见刘品新：《网络法学》(第 2 版)，中国人民大学出版社 2015 年版，第 105 页。

③ 陈奇伟、刘倩阳：《大数据时代的个人信息权及其法律保护》，《江西社会科学》2017 年第 9 期。

其日益增强的重要性和保护的迫切性要求其应成为具有人权意义上的基本权利。从立法层面看，德国早在1970年便颁行了世界最早的个人信息保护立法——德国黑森州《1970年数据保护法》，据不完全统计，截至2012年，仅经合组织（OECD）就有29个成员国颁行了相关立法，其他国家和地区也有20个。[①]我国于2017年也颁行了《网络安全法》，并在《民法总则》中对个人信息保护作了专门规定。[②] 这一方面表明个人信息权受到的普遍侵害的程度，另一方面也表明对其保护越来越受到普遍而广泛地重视。

写入法律的权利只能是书本上的、静态的、死的权利，只能为人们实际享有此项权利提供重要的基础和前提，而权利的实际享有和保障状况才是一切法律的最终目的，即由书本上的静态法律规定转化为实际行动中的动态的"活法"[③]。耶林曾倡导人们应"为权利而斗争"，这是对自己和对社会集体应尽的义务。[④] 对于权利获得的途径不仅仅是通过斗争可能还有商榷的余地，限于本文论旨，笔者暂且搁置不论。然而这至少告诉我们，上述的这种转化并非靠法律自身就能完成和实现，任何法律的能动主体从来都是人本身。由此，作为法律主体的人本身所具有的意识和素养，其对法律的尊重乃至信仰才是法律具有生命力的关键因素。

第三，我国社会应对大数据时代的风险意识、法律意识和法律素养的缺乏。从上述统计看，不论是企业法律义务与责任履行情况，抑或是用户个人信息数据权利以及数据跨境传输的安全保障情况如何，看起来是企业基于成本收益的经济利益考虑以及用户个人维权成本不经济等因素所致，但进一步原因则是对大数据时代的风险意识认识的不足，更为深层的原因是不论是企业还是个人，法律意识不足，法律素养不够。

---

① 参见刘品新：《网络法学》（第2版），中国人民大学出版社2015年版，第106～107页。

② 我国《民法总则》第111条规定："自然人的个人信息受法律保护。任何组织和个人需要获取他人个人信息的，应当依法取得并确保信息安全，不得非法收集、使用、加工、传输他人个人信息，不得非法买卖、提供或者公开他人个人信息。"此条规定尽管还远远不够并受到质疑，但不得不承认这是我国此次民事立法的一大亮点和进步。

③ "活法"概念是由埃利希首次提出来的，他针对分析实证主义法学那里强调法是以国家强制力为后盾的主权的命令，是一种严密的规则体系提出来的，认为"法律发展的重心不在立法，不在法学，也不在司法判决，而在社会本身。社会是不断发展变化的。所以法也不应该一成不变，而应体现为'活法'"（[法]尤根·埃利希：《法律社会学基本原理》，转引自张文显：《二十世纪西方法哲学思潮研究》，法律出版社1996年版，第132页）。

④ 参见[德]鲁道夫·冯·耶林：《为权利而斗争》，胡海宝译，载梁慧星主编：《民商法论丛》第2卷，法律出版社1999年版，第13页。

大数据时代带给我们的绝不仅仅是丝路花雨，鲜花美酒，而伴随着暴风骤雨，荆棘丛生，其背后潜在着前所未有的危险和风险。可以说，自人类诞生伊始，就面临着来自各方面的危险和风险。有来自自然的，也有来自未知世界的，更有来自社会自身的。宗教之所以诞生，与人类对未知世界的不安全感、需求一种确定性的心理或灵魂的慰藉不无关系；人类社会之所以需要法律，除了发挥解决社会纠纷、维续社会秩序等功能外，至少还跟法律自身所具有的确定性能给人来带一种可预测的结果从而在世俗世界中具有一种安全感有关①。尽管人面临危险和风险在任何时期都存在，但是真正提出人类进入风险社会的则是德国的乌尔希里·贝克。他将无处不在的风险视为“一种新的现代性”，是对贝尔所谓的“后工业社会”的另一种质性把握。之所以将这种“后工业社会”的特征归纳为“风险”，是因为与以前社会相比，风险具有了不可控制性，而且，风险生产—分配的逻辑代替了财富生产—分配的逻辑已经成为社会分层和政治分化的基准。② 而且即便是在世界范围内，“世界范围内的平等的风险状况不会掩盖那些风险造成的苦痛中新的社会不平等。这些不平等特别集中地表现在那些风险地位和阶级地位相互交叠的地方——这同时也是国际范围内发生的”③。这种新的更具隐蔽性的风险也将会进一步加剧处于世界结构边缘弱势国家的依附性和贫困式增长。

可以预言，大数据时代将人类带入大数据社会。与工业社会相比，这种大数据社会将每个人作为信息集合体毫无保留置于公众面前，其实质是一种贝克所说的“风险社会”或贝尔所说的“后工业社会”的升级和加强版。因为通过信息技术、互联网、云计算、区块链等技术整合，个人信息会被广泛地在极短时间内且不间断地收集、识别、汇总、传输、利用等，其时间成本和经济成本大大下降。由此，个人的各种信息数据成为一种资源、一种生产要素、一种生产力乃至一种权力。对其支配和掌握能力如何正日益成为一种经济竞争、政治权力、国

---

① 美国现实主义法学创始者霍姆斯在《法律的道路》中提出“人们想要知道，在何种情况下并且在多大程度上，他们会冒险面对远比他们自身更为强大的东西，因此，揭示出何时将会担心出现这一危险，便成为了一项职业。所以，我们研究的目的就是预测，就是对于公共力量通过法院这一工具而产生的影响范围的预测”的法律预测说。后来的代表人物卢埃林和弗兰克对法律的确定性提出了质疑，前者着重探讨法律规则的不确定性，而后者将法律不确定性的根源确定在事实寻找之中，即“事实怀疑论”。然而，不可否认的是，与宗教、道德、习俗等其他社会控制方式相比，法律依然是具有较强的确定性和可预测性的。

② 参见[德]乌尔希里·贝克：《风险社会》，何博闻译，译林出版社 2004 年版，第 15～20 页。

③ [德]乌尔希里·贝克：《风险社会》，何博闻译，译林出版社 2004 年版，第 45 页。

家战略的关键要素。因此，在这种新时代社会，人所处的风险更是难以预测。而个人信息一旦泄露，造成的后果会更严重，救济起来更困难。

由此，大数据时代对人的法律意识和法律素养提出了更高的要求。在范围上，这种法律意识不仅具有传统法律意识的内容，而且还具有自身特点所要求的内容。在程度上，这种法律意识和法律素养要求达到更高的程度和水准。

四、大数据时代人们应具有的法律意识和法律素养

对于法律意识的研究实在太多。一般认为，法律意识是人们对于法(特别是现行法)和有关法律现象的观点、知识和心理态度的总称。它是一种观念的法律文化，对法的制定、实施非常重要。既有研究往往从学法、知法、懂法、用法、守法等方面来进行界定、阐述或调研。而法律意识本身确实涉及多层次结构的问题，它不仅关涉法律意识与其外部社会环境之间、法律意识内部各要素之间的关系，还关涉到法律意识的外部结构与法律意识的内部结构之间的互动关系。[①] 若从功能角度看，法律意识是架构起应然、法定与实有法律之间的重要中介和纽带，是法律制度产生的主观意识基础。也有学者认识到法律意识背后的深层次要素，不仅要清楚，中国人的法律服从的情况，还要知道其动机到底是工具性的还是规范性的；不仅要清楚，中国人对法律权威的支持情况，还要知道其是基于程序正义还是分配正义。其分析结论认为，“中国人的法律服从基本上是规范性的，但规范性服从背后蕴含着强烈的工具性动机；至于法律正义观，则基本上是重结果甚于重程序的分配正义”[②]。由此，对于法律意识的理解，除了包括法律知识、法律理想、法律感情等，还应当有法律认同、法律评价、法律信仰等要素。换言之，法律意识不仅包括知法、学法、懂法，而且还包括遵法、守法，更应包括理解、认同和尊尚法理，信仰和捍卫法律精神的意识。

有人认为，简言之，法律意识就是规则意识。这似乎正确。就实证法意义上的法律而言，任何国家地区、任何时代都存在。自然人们的法律意识也大都可能存在。有学者就对传统中国乡民的法律意识与诉讼心态进行研究，通过对谚语资料的梳理、考察与阐释，“解读出乡民视野中对于帝国法律和帝国衙门的

---

① 参见刘旺洪:《法律意识之结构分析》,《江苏社会科学》2001年第6期。

② 冯仕政:《法社会学:法律服从与法律正义——关于中国人法律意识的实证研究》,《江海学刊》2003年第4期。

基本态度，以及他们心目中的社会秩序与诉讼境遇”[1]。但这又不太妥当。因为现代社会的法律意识不仅是服从和遵守法律之规则意识，而且还要对法律自身的道德性有理性认识。与传统社会相比，现代社会的法律之合法性是建立在个人同意的基础之上。而个人之所以同意，则是基于对其个人自由的维续和扩展，对社会文明的提升和推进。因此，现代社会之法律不再应是仅仅为了某人或家族权力意志的命令和秩序的维续的工具，而应是建立在广大平等主体的合意之上的把“人永远作为目的”的规则。而由于每个人都应当拥有同样的自由和权利，因此法律规则只能将每个人的权利限定在与他人同样可以享有的范围以及公共所需的除外范围。这不仅是个人间所能享有的自由的范围和边界，也是公共权力进行社会控制的范围和边界。由此，密尔指出，“个人行为只要不涉及自身以外什么人的利害，个人就不必向社会负责交代，关于对他人利益有害的行为，个人则应当负责交代，并且还应当承受或是社会的或是法律的惩罚，假如社会的意见认为需要用这种或那种惩罚来保护它自己的话”[2]，即“最大不伤害”原则。从这一意义上讲，人之所以遵守法律规则，是因为这种规则可以最大程度地保护自身的自由和权利，是自己向同样拥有这种自由和权利的他人做出的承诺和应尽的义务和责任。由此，彼此相互平等尊重、信守承诺、权力有限、责任承担等则是这种法律规则的应有之义。这种法律意义上的规则还应当拥有富勒意义上“内在道德”。拥有这种法律意识的主体不仅仅包括私法意义上的平等主体，而更应包括基于权力隶属关系的公法意义上的主体，“官方行为与法律的一致性”[3]。具有这种法律规则的意识才是现代社会意义上的法律意识。

由于我国传统文化的不同以及对我国文化的深远影响，对于上述法律规则之治理的理解、认同和遵从之意识还没有普遍树立，即便是对法律规则服从和遵守，要不是基于对其惩罚的畏惧，要不是基于工具性和功利性的动机[4]，还远

---

① 徐忠明：《传统中国乡民的法律意识与诉讼心态——以谚语为范围的文化史考察》，《中国法学》2006 年第 6 期。

② ［英］约翰·密尔：《论自由》，程崇华译，商务印书馆 1959 年版，第 102 页。

③ ［美］朗·富勒：《法律的道德性》，郑戈译，商务印书馆 2005 年版，第 47 页。

④ 参见冯仕政：《法社会学：法律服从与法律正义——关于中国人法律意识的实证研究》，《江海学刊》2003 年第 4 期。

远谈不上基于对法律规则本身的信仰①,由此法律规则的遵守与否除了功利性的算计考虑,很难说有其神圣性可言。我国当前的法律意识的不足也可以从我国的法治建设目标中得以窥见。不论是我国提出建设"法治政府、法治社会、法治国家"的法治中国目标,还是强调"提高国家治理体系和治理能力的现代化",都表明当前我国的法治状况与我们的实际需求和发展目标还不相称,更不能满足构建中国梦的实际需要。这背后自然也包含我国人们普遍的法律意识尚不够强,法律和法治素养尚不够高。

如果说上述法律意识是前大数据时代市场经济社会应当普遍拥有的一般性需求,那么大数据时代下的大数据社会则要求人们具有更强烈和更敏感的法律意识。这是因为,一方面大数据时代几乎将每个个人化约为各种信息的集合体,使每个个人被普遍置于更广泛且难以预测的危险和风险之中;另一方面,大数据时代对个人信息的侵害往往由于信息的严重不对称而致使受害者不意识或无法知晓,或即便知晓也难以寻求有效预防和维权的途径。因此,面对这种前所未有的危险和风险,需要每个人,不仅是具有技术垄断的个人和企业,还是具有控制技术垄断的公共权力机关和个人,抑或是仅仅出于被动地位的个人信息拥有者具有一种更强的法律意识,才可能不至于使得个人信息权利被轻易侵犯而将人置于严重的不安全感之中,乃至出现严重的社会失序。

此处所说的"法律意识",不是仅指在分析实证主义的"主权者的命令"之上的规则意识。如亚里士多德对法治的经典阐释"已成立的法律获得普遍的服从,而大家所服从的法律又应该本身是制订得良好的法律"②那样,此处所说的"法律意识"之"法律",更是对"良法善治"的普遍认同意识、遵守意识和捍卫意识,是建立在平等、自由、相互宽容和尊重之上的契约意识和责任意识,是每个人内化于心,外化于行的"道德法则"③。

---

① 就法律信仰的重要性,美国的伯尔曼曾指出,"法律必须被信仰,否则它形同虚设",因为"没有信仰的法律将退化成为僵死的教条,而没有法律的信仰将蜕变成为狂信"。([美]哈罗德·伯尔曼:《法律与宗教》,梁治平译,中国政法大学出版社 2003 年版,第 21、27 页)

② [古希腊]亚里士多德:《政治学》,吴寿彭译,商务印书馆 1965 年版,第 199 页。

③ 卢梭曾说过:"一切法律之中最重要的法律既不是刻在大理石上,也不是刻在铜表上,而是铭刻在公民的内心里,它形成了国家的真正宪法……"([法]卢梭:《社会契约论》,何兆武译,商务印书馆 1980 年版,第 73 页)康德也曾感慨道:"有两样东西,我们愈经常持久地加以思索,它们就愈使心灵充满日新月异的景仰和敬畏,那就是在我头上的璀璨星空和在我心中的道德律令。"([德]康德:《实践理性批判》,韩水法译,商务印书馆 1999 年版,第 177 页)

五、我国面对大数据时代挑战和风险的有效应对——法律意识的维度

如上所述，面对大数据时代给我国带来的全新挑战，如何进行有效应对，不论是官方还是民间，不论是实务界还是学界，已给予了高度关注，展开了积极讨论，制定了诸多法律政策等应对措施。既有讨论和措施对于我国在大数据时代面临的挑战，对我国在新的大数据时代的激烈竞争中占据主动地位等方面无疑都具有积极意义。然而，不论是相关立法还是相关技术设施等，都是一种外在的硬件方面的应对，而对于相关法律的宣传也多处于以表面化且多仅限于相关权力部门、相关企业和个人，不仅对于这些相关人员难以化约为内心的意识和信仰，也难以成为无意识的自我遵从的日常行为习惯，而且对于相对于这些专业人员而言的广大人群更是缺乏这种意识和习惯方面的措施。如果说目前的相关立法等措施能够解决一些眼前的问题的话，那么我们还应当着眼于长远试图从更深层的角度更有效地解决更根本的问题。

本文认为，仅仅对相关部门的人员或相关企业及其人员进行范围太窄，仅仅对其进行就法论法的法条规范意义上的所谓“守法教育”也太功利且难以形成内心的自我遵从。要想更有效应对和解决大数据时代带给我们的挑战和风险，从长远和根本的角度应当持续而规范地加强全面的法律意识的教育。具体而言，至少应当从以下方面展开：

首先，实施法治教育战略，在未成年人中持续开展规范的法律意识教育。

未成年人是祖国的花朵和未来，是一切职业、行业的所有未来人员的来源，是一切未来未成年人的父母和教育者。因此，要想切实培养和提升普遍的法律意识、提升法律素养，就不得不“从娃娃抓起”。这就需要制定切实可行的针对未成年人尤其是中小学生的现代法律意识教育，将其纳入国民教育计划。此处所说的“法律意识”，不是指通常意义上那种泛道德化的法律意识，也不是那种假定法律自身缺乏道德而必须道德来补充的理念教育，而是现代良法善治理念下，对法律自身背后所蕴含和嵌入的平等、自由、正义、守则、守约、包容、责任等现代理念价值的认同和自我遵从，是一种建立在权利本位基础上的意识和行为习惯。这种教育需要长期持之以恒地进行，不仅需要受过专门法律教育和具有现代法律素养的人依据独立的专门教程开设专门的课程，而且在其他课程中，如“语文”等也要积极有意识地配合选取与此相一致的文章等，对学生进行全方位潜移默化的培养和引领。这不仅是基础且关键的措施，且也关涉到后面几个

方面措施的有效性问题，因为后面针对的均是成年人，而未成年意识和习惯的养成与否对未来影响深远且难以改变。

其次，强调公共权力部门及其人员的规则意识、依法服务意识和责任意识。

拥有公共权力的机关部门及其人员的信守法律意识如何是引领和示范社会法律意识提升的关键。而这又是极为困难的事情。正因为如此，朗·富勒在强调其法律内在道德性时特别强调“官方行为与法律的一致性”，“官员的行为必须符合已公布的法律”，“特别是当他们把法律适用于公民时，必须忠实地解释法律规则的真意，这是法律原则中最复杂最关键的要求”。①

另外，需要强调指出的是，在强调“依法治国，建设社会主义法治国家”，倡导“法治国家、法治政府、法治社会”三位一体的“法治中国”建设的今天，具有公共权力的机关和人员不仅应当具有我们党和政府一贯倡导和要求的“全心全意为人民服务”的意识和理念，还应当依法平等地为所有人服务。② 详言之，公共权力应当依照法律权限和程序，依法平等地为每个人服务，这不仅是其职权，更是其职责，而不是有选择性服务和任意性服务，既不能“缺位”，又不能“越位”，也不能“错位”，并对其行为负责。对于大数据时代信息爆炸的今天，负有相关职责的公共权力机关和人员更应当具有这种规则意识、服务意识和责任意识，具有勇于服务、善于服务的意识和能力，通过依法履行自身的监管等职责，努力将对个人信息数据可能被侵害的风险降到最低。

再次，培植相关企业及人员的规则意识、契约意识和责任意识。

包括与大数据等相关的企业在内，企业及商人所从事的一切商业活动的最主要目的是为了获得经济利益。这也无可厚非。在资本主义市场经济社会如此，我国社会主义市场经济也不能否认这一点。由此，有学者指出“市场经济是法治经济”③，其重要内容之一是市场经济的主体应当具有规则意识、契约意识和责任意识。这就要求一方市场主体不仅对从事交换过程中的行为及后果对另一方市场主体的契约履行秉持诚信原则，对自己行为向对方负有相应责任，而且双方市场主体对于国家、社会等公共利益以及无直接关系的他人也应当负有相应责任，即社会责任。也正基于此，亚当·斯密在指出了市场作为“看不见

---

① ［美］朗·富勒：《法律的道德性》，郑戈译，商务印书馆 2005 年版，第 47 页。

② 参见陈冀平：《坚持全面依法治国基本方略的时代内涵》，《中国政协》2017 年第 21 期。

③ 参见文正邦：《论现代市场经济是法治经济》，《法学研究》1994 年第 1 期；裴长洪：《法治经济：习近平社会主义市场经济理论新亮点》，《经济学动态》2015 年第 1 期等。

的一只手”在创造国家和个人财富方面具有巨大魅力的同时，也强调了个人道德情操的重要性。“亚当·斯密首先是一位悲天悯人的道德哲学家，其次才是观察力过人，分析力深刻的经济学家。”[①]对此，美国诺贝尔经济学奖得主弗里德曼曾说过，不读《国富论》不知道应该怎样才叫“利己”，读了《道德情操论》才知道“利他”才是问心无愧的“利己”。可见，“利己”与“利他”，这两者并不相悖，是企业在经营当中经济效益与社会效益的体现。这也与密尔的“最大不伤害”原则具有类似意义。[②]

我国是社会主义国家，我们发展经济的最根本目的是为了实现共同富裕。我国倡导建立的社会主义市场经济机制和体制，就要求在尊重市场经济一般规律和规则的同时，更多体现市场主体的社会责任。对于传统意义上的商品而言，因其人身属性未必那么严重，市场主体双方的交易对象对于他人可能并未构成频繁普遍的侵害危险和风险。而在大数据时代，个人信息数据具有很强的人身属性，不论是其本身作为交易对象还是作为辅助或附属对象，都可能面临频繁而广泛的危险和风险。由此，应当采取多种途径和措施，着重培养从事与个人信息数据相关的企业及人员应当具有对个人信息尊重、依法合理使用和保护的责任意识，使其依法从事各种商业活动。

最后，利用多种方式和途径，培植民众的现代公民意识、平等意识、契约意识和责任意识。

我国正处于实现中华民族伟大复兴的中国梦的关键时刻，而一个现代社会主义强国的实现的根本和关键还是广大民众的现代意识和素养。由此，没有广大民众的现代化就不可能实现国家和民族的现代化，没有现代公民意识的普遍养成，就无法支撑一个现代的受人尊重的民族的脊梁。现代公民意识是建立在遵从、平等、自由、正义、宽容等现代理念之上的规则意识、权利意识与责任意识。这种现代公民意识是政治意义上人民当家作主的主人公意识在法律意义上的主体意识的具体化，是现代社会公共责任的一种担当意识，还是现代社会建立在平等等原则之上的相互尊重、相互包容的新型人际关系的体现。

更为关键的是，当个人权利受到威胁或侵害时，具有一种为了他人和社会利益不再继续处于威胁或侵害而依法捍卫正当权利的公共担当与责任意识，而

---

① 杨兆宇:《中译本导论》,[英]亚当·斯密:《国富论》,唐日松等译,华夏出版社 2005 年版,第 5 页。

② 参见[英]约翰·密尔:《论自由》,程崇华译,商务印书馆 1959 年版,第 102 页。

不是私法意义上那种“事不关己高高挂起”，建立在“原子式个人主义”[①]前设之上的，将自己个人权利捍卫或放弃仅视为私事的法律意识。由此，我们应当充分利用各种途径和方式，大力培养广大民众的现代公民意识，广泛树立平等意识、契约意识和责任意识。只有如此，才能形成现代法治和法律意识的土壤，从而从根本上更有效地应对来自大数据时代的风险和挑战。

① 哈耶克等人将这种“原子式个人主义”称为“唯个人主义”或“伪个人主义”，并对其进行了尖锐批判。参见邓正来：《哈耶克方法论个人主义研究》，《浙江学刊》2002 年第 4 期。

大数据时代特大城市综合应急治理体系优化研究*

李先涛**

摘要：城市应急治理是一项高度复杂的系统工程，其体系优化和能力提升直接影响着整个城市的综合治理绩效。随着大数据、人工智能技术应用和城市规模的扩张，特大城市应急治理既面临着先进技术工具层面的发展机遇，同时其遭受公共危机的风险也越来越高。本文运用比较分析和案例分析的研究方法总结和归纳了特大城市应急治理体系存在的问题，并在此基础上根据法治行政、协同治理和社会治理网络理论对特大城市应急治理体系优化作了学理分析，从六个子体系优化方面提出了若干行动方案。

关键词：应急治理；城市治理；特大城市；体系优化

一、问题的提出

作为非常态化的治理场景和模式，应急治理是城市综合治理的核心，其体系优化和能力提升直接影响着城市综合治理体系和能力的现代化。长期以来，中国各级政府一直将城市化作为推动经济发展的基本工具。无论中小城市还是大城市，其城市化本质上都是行政强制驱动和市场演化综合作用的结果。随着人口、资本和土地等生产要素的迅速集中，城市的横向蔓延和垂直生长愈发明显。2010 年以来，中国陆续诞生了诸多特大城市。它们逐渐成为区域治理、地方治理乃至国家治理的引擎。综合体量的扩大和现代性的提升也使这些特

---

* 第三十二届全国副省级城市法治论坛获奖论文二等奖。

** 李先涛，齐鲁工业大学政法学院讲师，管理学博士。

大城市面临诸多公共危机的潜在威胁。[①] 在走向现代化道路的同时，它们也进入了典型的“风险社会”[②]。2019 年 11 月 29 日，习近平总书记在中共中央政治局应急管理体系和能力建设第十九次集体学习会议上强调：“应急管理是国家治理体系和治理能力的重要组成部分。要发挥我国应急管理体系的特色和优势，借鉴国外应急管理有益做法，积极推进我国应急管理体系和能力现代化。”由此可见，应急管理体系优化和能力提升是一个深刻的理论和现实议题。从武汉市应对新冠肺炎疫情的过程来看，其应急管理体系和能力都存在诸多不足。从疫情初期传染病疫情和突发公共卫生事件网络直报系统的失灵，到整个公共卫生医疗资源体系的濒临崩溃，再到中期的社区“假的！假的！”事件以及垃圾车运送蔬菜和肉类等问题，这些现象都清晰地折射出一个焦点问题：特大城市应急治理体系仍存在诸多缺陷，直接影响了其应急治理能力的提升。

二、相关研究文献梳理

（一）国外研究现状

国外对于城市应急管理的研究起步较早，其研究重心大体经历了从基础理论到实践应用的转向。

西方学者对危机管理的内涵和过程做了系统性的研究。他们普遍认为，危机研究和管理的根本目的就是要最大限度降低人类社会悲剧的发生。从过程视角来看，危机管理阶段理论成为学界普遍接受的研究工具。其中，以米特洛夫的五阶段理论、罗伯特·希斯 4R 理论、奥古斯丁的六阶段理论和史蒂文·芬克的 F 模型最具代表性。[③] 不管其理论内容和形式如何变化，其划分都是以危机管理生命周期为基本标准的。此后，学者们又进一步丰富了应急管理的法治保障、运行体制、管理体系和协同治理网络，并开始从风险预警、风险评估和绩效评价方面追踪应急管理的综合效能。[④] 应当说，这些研究成果构成了目前

---

① 参见[美]迈克尔·林德尔、卡拉·普拉特、罗纳德·佩里：《公共危机与应急管理概论》，王宏伟译，中国人民大学出版社 2016 年版，第 355 页。

② [德]乌尔里希·贝克：《风险社会：新的现代性之路》，张文杰、何博闻译，译林出版社 2018 年版，第 12 页。

③ 参见米红、冯广刚：《公共危机管理：理论、方法及案例分析》，北京大学出版社 2018 年版，第 23～27 页。

④ 参见肖群鹰、朱正威：《公共危机管理与社会风险评价》，社会科学文献出版社 2013 年版，第 149、212、243 页。

全球应急管理与公共危机研究的理论基础，它们对现实中的应急管理实践起到了重要指导作用。

近年来，域外学者们主要聚焦于新技术应用、多中心治理和实证分析。在新技术应用方面，包括脸书（Facebook）、推特（Twitter）和照片墙（Instagram）等社交网络平台开始被纳入城市应急管理信息平台。① 当重大突发事件出现时，地方政府完全可以利用这些企业化运营的高效互动媒体网络，提升应急管理的信息传输效率。② 云体系结构和物联网技术也是智慧城市快速发展的驱动力。对于城市应急管理体系来说，它们的存在大大提升了数据传输和处理的效率，为后续决策和执行奠定了情报和信息基础。③ 在多中心治理方面，政府、社会组织、学校、企业和志愿者都是城市应急管理的主体。从社会治理角度而言，城市应急管理也是检验公共领域和私人领域合作质量的机会。④ 在实证分析方面，案例解析和量表法成为城市应急管理研究的主流工具。很多学者不再囿于纯粹理论探索，而是转向具体实践分析。他们利用应急管理相关理论来剖析釜山危机和纽约“9·11”事件。⑤

---

① Panos Panagiotopoulos, Julie Barnett, Alinaghi Ziaee Bigdeli, Steven Sams, “Social Media in Emergency Management: Twitter as a Tool for Communicating Risks to the Public,” *Technological Forecasting and Social Change*, Vol. 111 (Oct. 2016), pp. 86-96; Sergio Luna, Michael J. Pennock, “Social Media Applications and Emergency Management: A Literature Review and Research Agenda,” *International Journal of Disaster Risk Reduction*, Vol. 28 (June 2018), pp. 565-577.

② Shen Chien-Wen, Chu, Shih-Hsuan, “Web 2.0 and Social Networking Services in Municipal Emergency Management: A Study of US Cities,” *Journal of Universal Computer Science*, Vol. 20, No. 15, 2014, pp. 1995-2004.

③ Asensio Angel, Blanco Teresa, Blasco Ruben, Marco Alvaro, Casas Roberto, “Managing Emergency Situations in Smart City: The Smart Signal,” *Sensors*, Vol. 15, No. 6 (Jun. 2015), pp. 14370-14396; Palmieri Francesco, Ficco Massimo, Pardi Silvio, Castiglione Aniello, “A Cloud-based Architecture for Emergency Management and First Responders Localization in Smart City Environment,” *Computers & Electrical Engineering*, Vol. 56 (Nov. 2016), pp. 810-830.

④ Susan A. MacManus, Caruson Kik, “Emergency Management: Gauging the Extensiveness and Quality of Public-and Private-Sector Collaboration at the Local Level,” *Urban Affairs Review*, Vol. 47, No. 2 (Mar. 2011), pp. 280-299; Mann Stacey Cole, Islam Tanveer, “The Roles and Involvement of Local Government Human Resource Professionals in Coastal Cities Emergency Planning,” *Journal of Homeland Security and Emergency Management*, Vol. 12, No. 1 (Apr. 2015), pp. 145-168.

⑤ Kearns Chris, Islam Tanveer, “Analysis of 9-1-1 Call Data from an Emergency Management Perspective: A Case Study of the City of Lethbridge,” *Journal of Emergency Management*, Vol. 16, No. 5 (Sep./Oct. 2018), pp. 337-347; McCreight Robert, Harrop Wayne, “Uncovering the real Recovery Challenge: What Emergency Management Must Do,” *Journal of Homeland Security and Emergency Management*, Vol. 16, No. 3 (Oct. 2019), pp. 63-66.

（二）国内研究现状

国内关于城市应急管理的研究起步于 2003 年 SARS 事件，其研究内容集中在体系构建、体制创新、模式优化和情报平台构建这四个方面。①

在体系构建方面，现代危机管理体系应建立在时间序列分析、组织行为分析和决策过程分析之上。其中，时间序列分析应涵盖危机预警与准备、识别危机、隔离危机、管理危机和危机后处理；组织行为分析包括法律体系、政府效能、媒体参与和社会应对网络；决策过程分析覆盖决策类型、流程和方法。② 此后，危机管理开始更多被用于城市治理语境，“一案三制”（危机管理应急预案、法制、体制和机制）理论框架体系逐渐受到学术界关注。城市自然灾害、事故灾害、突发公共卫生事件和社会安全事件等危机管理成为实务界聚焦的中心。③城市危机管理研究者们也提出了诸多前瞻性理论建构体系，如城市危机应对从管理到治理的跨越、网格化和区域合作系统等。④ 在城市应急管理体制创新方面，学界利用协同治理和整体性治理提出了若干体制创新路径，主张建立统一指挥与协调的应急管理机构，引入民间力量参与城市应急管理，同时加强协同治理的法律制度建设。从协同和整体性角度而言，理想的城市应急管理体系应是以预防、应对和恢复并重的多元主体有序参与和各类资源科学整合的治理网络结构。⑤ 随着信息化建设的推进，大数据技术开始被用于城市应急管理体系建设，其分级管理体制、社会参与体制和城际合作体制优化都可以充分利用大数据技术。⑥

在模式优化方面，以政府为核心的多元主体参与逐渐成为城市应急管理理论和实践的共识，但学界对于非政府主体参与形式、途径和法治依据的研究较少。域外应急管理的成熟理论和典型案例被陆续引入国内，如用于危机形成研

---

① 参见王凌志、郭德勇：《城市综合应急管理若干模式分析研究》，《城市发展研究》2012 年第 9 期。

② 参见薛澜、张强、钟开斌：《危机管理转型期中国面临的挑战》，清华大学出版社 2003 年版，第 55、97、161 页。

③ 参见周芳检、何振：《大数据时代城市公共安全应急管理体制创新思路》，《云南民族大学学报》（哲学社会科学版）2017 年第 2 期。

④ 参见许敏、尹乃春：《城市危机管理》，清华大学出版社 2013 年版，第 205、227、247 页。

⑤ 参见王莹、王义保：《基于协同治理理论视角的城市应急管理模式创新》，《理论与现代化》2016 年第 3 期。

⑥ 参见吴志敏：《大数据与城市应急管理：态势、挑战与展望》，《管理世界》2017 年第 9 期；周芳检、何振：《大数据时代城市公共安全应急管理面临的挑战与应对》，《云南民族大学学报》（哲学社会科学版）2018 年第 1 期。

究的社会冲突理论、危机过程与阶段分析的芬克模型、4R 模型、MPRR 模型等。国内研究者们开始深度思考美国 2001 年“9・11”危机、2011 年日本福岛核电站泄漏事故和 2015 年欧洲难民危机等具体案例中的应对方法。客观而言,这些研究愈发场景化、系统化和多元化。① 在情报平台构建方面,风险评估成为学界关注的焦点。社会稳定风险评估机制、风险指数评价、风险预警评价、风险诊断评价以及危机管理绩效评估研究越来越跻身于情报平台体系构建的核心②。包括熵值法、贴近度法、故障树分析模型和危险源辨识模型等为代表的新方法和新模型逐渐进入学科研究视野。此外,技术理性和人文价值的整合是城市应急管理决策情报体系的智慧之核。智慧城市建设将为城市应急管理情报平台建设提供更多技术支撑。③ 就其技术工具层面而言,城市应急管理情报平台为异构的管理信息系统和情报信息系统提供情报交换的渠道和情报生产的场所,并通过城市系统的持续感知为应急管理提供实时的动态数据资源。④

(三)综合研究评析

国内关于城市应急管理的研究整体仍处于宏观的理论探索阶段,且主要集中在情报体系平台和体制构建方面,缺少对微观的实践探究。在有限的案例实践研究成果中,学者们也只是以具体事件(如 SARS、北京“7・21”大暴雨、成都“6・5”公交纵火案、上海外滩“12・31”特大踩踏事件)为切入点,进行应急管理体制层面的优化设计⑤,而非对案例本身作深度剖析。随着信息技术飞跃发展,国内部分学者开始学习和借鉴域外研究成果,将大数据技术用于智慧型城市和应急管理体系构建。⑥ 然而,单纯的理论移植和技术嫁接并未给中国城市

---

① 参见刘晓云:《基于智慧城市视角的智慧应急管理系统研究》,《中国科技论坛》2013 年第 12 期。

② 参见郭洪水:《当代风险社会——基于哲学存在论与复杂系统论的研究》,中国社会科学出版社 2015 年版,第 185～195 页。

③ 参见李纲、李阳:《关于智慧城市与城市应急决策情报体系》,《图书情报工作》2015 年第 4 期。

④ 参见郭骅、屈芳、战培志:《城市应急管理情报平台构建研究》,《图书情报工作》2018 年第 6 期。

⑤ 参见吕景胜、郭晓来:《政府城市重大危机应急管理中的问题与对策——以北京“7・21”大暴雨为案例视角》,《国家行政学院学报》2012 年第 5 期;卢文刚:《风险社会视域下基于系统脆弱性分析的城市公交应急管理研究——以个人极端暴力事件成都“6・5”公交纵火案为例》,《科技管理研究》2014 年第 8 期;卢文刚、蔡裕岚:《城市大型群众性活动应急管理研究——以上海外滩“12・31”特大踩踏事件为例》,《城市发展研究》2015 年第 5 期。

⑥ 参见周芳检、何振:《大数据时代城市公共安全应急管理面临的挑战与应对》,《云南民族大学学报》(哲学社会科学版)2018 年第 1 期。

应急管理体制带来质的改变，反而导致若干适用性问题。从研究方法层面来看，国内研究者大都采用实证主义，运用调查研究和比较研究作学理分析，具体操作技术主要是以描述性分析和案例研究为主，基本上遵循的是质性研究的分析范式。

与此相对应，域外研究者们主要专注于城市应急管理的多元协同治理。尽管信息管理技术也受到相当程度的重视，但学者们显然更重视价值导向层面的合作治理，强调公共领域和私人领域之间的良性互动。值得注意的是，他们并没有一味地沉浸在理论设计场域，而是十分重视具体的案例实践研究。这些域外学者们对美国海岸城市自然灾害事件和大城市的公共安全事件表现出了浓厚的研究兴趣。① 在研究方法层面，他们多沿用实证主义路线，采用实地调查、文献研究和系统研究的方法，具体操作技术以量表法和案例分析为主，主要恪守定量研究和质性研究相结合的分析范式。

三、特大城市、大数据、应急治理与城市治理现代化的逻辑连接

（一）特大城市与城市危机

特大城市不仅是国家和地方经济社会、文化发展的中心，同时也是诸多潜在危机的高发区域。这是因为随着人口迁移、资本涌入、商品汇集和土地兼并，各类生产要素在既定空间区域内呈现出高密度的分布格局。它集中体现在城市总体规模的扩大。根据 2014 年国务院印发的《关于调整城市规模划分标准的通知》（国发〔2014〕51 号），城区常住人口在 500 万以上 1000 万以下的城市为特大城市。按照此标准，我国目前的大部分省会城市和经济强市都属于特大城市。改革开放以来，它们承担着国家各项改革试点的重担，被党和政府冠以“计划单列市”“副省级城市”甚至“国家中心城市”的称号，是整个国家和地方治理的重心。当然，特大城市的出现既是政府大力推进城市化的结果，亦是市场经济自然选择的产物。它的存在是对有限空间的资源承载能力和政府综合治理能力的考验。这种生产要素高密度的分布格局使得特大城市极易受到各类公共危机的侵扰。近年来，各类自然灾害、事故灾难、突发公共卫生事件和社会安全事件频发，给我国特大城市造成了难以估量的损失。例如，2007 年济南

① 参见戚本超、周达：《东京的城市应急管理及对北京的启示》，《城市问题》2010 年第 12 期。

“7·18”特大暴雨、2013 年青岛“11·22”输油管道爆炸事件、2015 年上海金山区居民抵制 PX 项目的群体事件和 2020 年武汉“1·24”新冠肺炎疫情事件都给当地居民乃至整个国家造成了巨大的生命和财产损失。由此可见，城市规模的扩大也意味着其面临的风险程度亦随之增加。

（二）传统的城市应急管理与大数据时代的城市应急治理

从传统时期到大数据时代，政府对于城市公共危机的处理需完成从应急管理到应急治理的转变。传统时期，由于管理体制、运行机制和技术条件等方面所限，政府应急管理重心大都在“抗”“救”“援”这些中间环节，而在前端和末端环节方面关注较少。这也使得政府在应急管理中处于较为尴尬的境地。尽管它在公共危机应对过程中投入大量资源，但却始终在诸多重大突发事件中处于相对被动应对的地位。在技术工具方面，政府及其职能部门主要依靠相对独立的单一功能信息平台（如“110”“112”“119”“120”“122”“12395”和“12320”等）来应对城市重大突发事件。信息集成的匮乏和跨部门协同的不足使得政府不得不依赖“会议通告”“表格传递”和“口头请示”等形式的信息互动。在执行模式方面，单一化的政治与行政动员愈发成为政府应对城市公共危机的主要手段。政府独揽的局面在客观上也间接地排斥了社会力量的介入和参与。在具体流程方面，应急管理处理机制相对形式化，且注重维稳结果。整体流程基本都是沿着“媒体曝光—领导人视察与批示、慰问受害者—许诺不惜代价挽救—对伤者进行抚恤、处理责任人—要求吸取教训、防止类似事件发生”的处理程序依次展开。

大数据时代的到来为政府完成从应急管理到应急治理的变迁奠定了技术基础。在治理重心方面，政府应急治理更加注重前端预警和末端恢复，其覆盖范围从偏重中间环节的“抗”“救”“援”扩大到前端的“测”“报”“防”和末端重建与恢复的全过程。在工具支持方面，大数据、云计算、物联网和空间地理信息集成技术的应用不仅为政府整合情报平台体系、打破跨域信息壁垒创造了有利条件，同时也为应急治理资源的精准投放和优化配置提供了强大的技术支撑。在执行模式方面，应急治理不是政府的独角戏，而是包括政府、非政府组织、企业、公众和媒体等多元治理主体在协同合作机制、责任共担机制和信息沟通机制基础上形成的网络结构。在具体流程方面，多元主体协同参与让应急治理流程的形式和内容更加多元。形式主义和官僚主义色彩也能够得到一定程度的淡化，因为政府不再是唯一的治理主体。与应急管理相比，多元主体参与的网络结构、精确的网格化和跨域协同是城市应急治理的主要特征。

（三）应急治理与城市综合治理

应急治理是城市综合治理的核心构成内容。作为非常态化的治理场景，城市应急治理不仅需要以政府为核心的多元治理网络能够在有限的时空场域内迅速应对重大突发事件诱发的公共危机，精准配置各类应急治理资源，此外还必须具备可靠的危机预警和公共秩序恢复能力。显然，与常规治理相比，应急治理的难度系数要更高，其时效性和紧迫性也更强。对于政府及其职能部门而言，部分突发事件如果不能得到及时有效的治理，很可能会迅速导致更大的生态灾难或社会安全危机。特别是对于生产要素高度密集的特大城市来说，这种可怕的后果会给其综合治理体系和公共秩序带来毁灭性的冲击。也正因为如此，纽约、东京和首尔等全球特大城市都十分重视应急治理体系建设，并将其纳入城市综合治理体系考核范畴。地方政府通过不断整合、优化应急治理体系来提升城市综合治理能力，使城市具有良好的系统修复能力。从学理层面而言，卓越的应急治理体系和治理能力也是现代城市核心竞争力的重要组成部分。

四、特大城市应急治理体系运行过程中出现的若干问题及其反思

新冠肺炎疫情事件的冲击亦是对我国特大城市应急治理体系和能力的实践检验。自 2003 年 SARS 危机以来，中国各级政府在城市应急治理领域采取了诸多改革举措，其组织治理体制、程序运行机制和相关法律规制日趋规范化。客观而言，中国城市应急治理体系基本框架已经初步建立，并在逐步完善。不容否认的是，这套应急治理体系在新冠肺炎疫情事件中发挥了重要作用，但同时也暴露若干亟待解决的现实问题。

（一）法律规制的不完善与基层执行偏差

从法治行政视角来看，应急治理法律规制的问题主要是内容的不完善和基层执行偏差。到目前为止，我国应急治理法律规制体系形成了以宪法为依据、以《突发事件应对法》为核心，以相关单项法律、法规为配套的基础框架。例如，我国《宪法》第 80 条和第 89 条第 16 项明确规定了不同行政区域范围的紧急状态的决定权；《突发事件应对法》对应急治理的组织管理体制和程序运作机制作出了清晰的界定；单行法律、法规主要面向自然灾害、事故灾难、公共卫生事件和社会安全事件等不同类型的应急治理场景作了详细的规制。然而，很多现实

问题在现有应急治理法律规制体系中仍然无法得到解决，例如紧急状态下的特殊行政程序规范、城市公共危机治理的权利救济机制、社会和市场力量参与城市应急治理的制度保障等。此外，应急治理法律规制不完善的另一个表现是区县、街道和社区工作部门普遍缺少规范、具体、可行的应急治理工作制度。这也是武汉市应对新冠肺炎疫情事件初期阶段基层工作部门陷入混乱和法律规制执行偏差的主要原因。例如，湖北省孝感市孝昌县公民居家打麻将被防控人员入室殴打辱骂事件的发生固然可以归咎于基层工作人员法律意识淡薄，但从另一个侧面也反映出基层应急治理制度的缺位。

（二）单一化的政治行政动员与政府独揽

单一化的政治行政动员与政府独揽客观上使社会力量在应急治理过程中逐渐被边缘化。中国历来有政治与行政动员的历史传统，特别是当面对重大自然灾害、事故灾害、公共卫生和社会安全事件时。由于党和政府在政治与行政体制处于核心领导地位，所以广泛的政治与行政动员就成为其应对重大突发事件的绝佳选择。再加上中国特大城市大多为国家和地方的政治与行政中心，这种天然的空间距离优势为党和政府的政治与行政动员创造了有利条件。在广泛的动员机制下，党和政府的组织管理、资源调配和物资供应能力基本都是以“举国体制”的形式显现出来。举全国之力、举全省之力或举全市之力就成为公共危机治理的现实路径。在新冠肺炎疫情事件中，武汉市之所以能够在医疗卫生体系濒临崩溃、应急资源几近枯竭和城市公共交通封闭的困难条件下渡过难关，主要得益于党中央和国务院的统筹协调机制。在广泛的政治与行政动员力量下，三十个省级政区以一对一的方式对点援助湖北省各地市。毫无疑问，这种政治与行政动员在应对重大突发事件过程中有诸多优势。然而，政府独揽也间接排斥了社会力量的积极参与，企业机构和社会组织的参与范围受到限缩，它们大都以志愿者服务的形式参与应急治理。而事实上，它们本可能发挥更大的作用。政治与行政动员虽能最大程度上发挥资源集中优势，但绝不能取代法治行政。

（三）应急治理物资储备不足

物资储备不足是特大城市应急治理体系运行过程中的现实问题。合理的物资储备是应急治理的关键。随着大型城市规模的扩张和内部治理体系的复杂化，其爆发公共危机的可能性也随之上升。但是公共危机的爆发具有偶发性、突然性和破坏性。当公共危机爆发后，政府可以启动应急预案，迅速调拨预先储备的应急物资来满足实际需求，尽快恢复城市公共秩序。此外，必要的物资储备也能够为政府及时展开下一步行动赢得宝贵的时间和空间。特别是当重大突发事件来临时，必要的物资储备不仅有助于政府尽快遏制危机事态和恐慌情绪的蔓延，而且可以为后续的应急资源优化配置创造有利条件。在新冠肺炎疫情初期阶段，武汉市整个医疗卫生体系濒临崩溃的主要原因就在于相关物资储备严重不足。政府不仅没有及时发出预警信号，而且直到全面封城时也未能筹集到充裕的应急物资，致使整个城市的应急治理体系面临高度失控风险。

（四）跨域信息壁垒

跨域信息壁垒是指应急管理相关数据信息在不同部门、层级、行业和行政区域之间的交换过程中遇到的阻碍和限制。它的存在直接导致了“信息孤岛”现象，即数据的分散化和碎片化。[①] 在此条件下，城市应急治理主体不得不在相对孤立的数据信息平台基础上仓促作出相关决策。如此一来，其决策失误的可能性也大大增加了。跨域信息壁垒的出现有客观和主观两方面的原因。客观方面的原因有两个：首先，条块结构、分类管理和属地管理的模式本身就限缩了信息流动的边界。在这种情况下，跨域信息的流动必须获得上级行政指令或法定授权。其次，传统技术条件的局限也加剧了跨域信息壁垒问题。即便是对于单一的域空间（如具体职能部门、行政层级、行业组织和行政区域），其数据信息规模可能也是十分庞大的。如果没有足够的技术支撑，这些可能以结构化、半结构化或零散化的数据很难实现跨域流动。主观方面，多元治理主体基于利益等现实因素的考量可能有意识地隐瞒、屏蔽甚至干涉、扭曲信息。这也在无形当中抬高了信息跨域流动的门槛。近期在我国应对新冠肺炎疫情过程中频频出现的“表格抗疫”就是跨域信息壁垒的典型例子。它不仅仅是一种注重形式主义的官僚作风体现，更是部门之间缺少有效的信息统筹机制的产物。

（五）基于“政治正确的一刀切管理”决策

基于“政治正确的一刀切管理”决策给城市应急治理带来了诸多负面影响。这里的“政治正确”是指政府职能部门或官员个体基于价值理性或工具理性而选择的理念导向和决策立场。从应急治理角度来说，政治正确不能取代科学原则，一刀切管理模式也背离了现代城市的多元化治理结构。城市是一个复杂治

---

① 参见李阳：《面向城市应急管理的情报能力建设思考》，《现代情报》2019 年第 5 期。

理系统,其本质是“市”。它的本义是市场交易的空间。从学理层面而言,城市实际上是各类生产要素流动交易和优化配置的空间场域。一旦这个场域被关闭,生产要素也就停止了流动。那么。城市也就失去了其应有的价值和作用。与中小城市相比,特大城市的内部治理体系更加复杂。作为一个庞大的区域治理共同体,它有着多元价值体系、治理主体、商业规则和社会运行路径。因此,特大城市的封闭或停摆必须要建立在科学分析和论证的前提之下,而不是简单地基于政治正确的一刀切管理决策。之所要谨慎地面对这个现实问题,不仅是因为城市的封闭会严重影响社会公共福祉,打破正常的运行状态,更为重要的是此举也将加速城市恐慌情绪的蔓延,甚至可能诱发更大的公共危机。特别是对于诸多特大城市来说,长期的封闭措施会极大地增加治理的风险成本。

(六)跨行政区域的应急资源流动障碍

跨行政区划的应急资源流动障碍是此次新冠肺炎疫情事件中出现的焦点问题。由于疫情大规模暴发正值春节假期,且传播迅速、波及面广,许多特大城市本身就面临物资储备不足的问题,所以其预先准备的应急资源很快就消耗殆尽。在此情况下,很多城市都采取多渠道采购或慈善捐赠的方式来弥补应急资源的缺口。然而,这些应急资源在运输途中却被其他地方政府违规截留征用。当然,无论从法律规制还是人道主义角度,此类截留和征用行为都不应该发生。地方政府的权力运行必须要在法治轨道上运行,更要符合道义,服从全国新冠肺炎疫情阻击战的大局。如果从因果逻辑来分析这个问题,我们会发现应急资源跨域流动障碍的主要诱因在于地方的狭隘主义和跨域协同治理机制的缺位。

五、协同治理网络下的特大城市应急管理体系优化

基于上述存在问题,本研究根据危机治理过程与阶段理论将特大城市应急治理体系划分为法律规制体系、组织治理体系、物资保障体系、情报平台体系、培训演习体系和跨域协同体系,并将协同治理理论用于分析和论证应急治理体系优化研究。①

(一)法律规制体系优化

法律规制体系优化应从完善现有法规和制定配套制度这两个方面进行。

① 参见于晓勇、尚赞娣:《特大城市应急管理体系研究》,《城市发展研究》2011年第3期;唐承沛:《中小城市突发公共事件应急管理体系与方法》,同济大学博士学位论文,2007年,第69、81、127页。

完善现有法规方面，立法主体应在宪法、突发事件应对法和单项法律、法规框架范围内着重解决应急治理的实际法律问题，例如社会组织和市场力量参与城市应急治理的制度保障、公用企事业单位的应急处置权、紧急状态下的特殊行政程序规范、政府在重大突发事件中的权责边界以及多元主体参与的权利救济机制等。制定配套制度方面，特大城市应急治理部门应根据相关法律法规制定相应的突发事件报送程序规范、值守应急工作制度和应急响应工作规范，区县、街道和基层社区需要制定和完善应急治理状态下的具体的工作内容和执行程序。该体系优化的总体原则是将应急治理法律规制逐级细化，使其具有较强的操作性和系统性，规避基层应急治理过程中的执法偏差。此外，特大城市立法机关应当充分利用好《立法法》赋予的立法权限，不断完善城市危机治理的单行法体系。

（二）组织治理体系优化

组织治理体系优化需要在"统一领导、综合协调、分类管理、分级负责和属地管理"的体制基础上构建扁平化、高效化的多元主体协同网络。在 2018 年国家机构改革的推动下，国务院和地方各级政府组建了专门的应急管理部门，这标志着我国应急管理工作有了对口的组织管理基础。此前，广东、广州、沈阳和成都等省市先行先试，率先建立了大数据管理局。在人工智能快速发展的今天，大数据管理局的诞生为我国智慧型城市建设和城市应急治理提供了可靠的技术抓手。以山东省和济南市为例，2018 年山东省应急管理厅和大数据局挂牌成立，2019 年济南市应急管理局和大数据局也正式启动运行。至此，山东省与济南市两级应急治理的组织管理已初步成形，这对于济南和青岛这两个特大型城市应急治理体系优化和应急治理能力提升具有重要意义。①

（三）物资保障体系优化

物资保障体系优化需从常规应急物资储备、应急专项资金管理和应急物资供应链建设方面入手。首先，政府各主要职能部门和企事业单位应在特大城市应急治理部门的统一领导下建立动态管理的常规物资储备系统，在保障日常基本物资供应能力的前提下科学合理地确定具体时点的总体数量和补充数量。

① 根据住建部《2018 年城市建设统计年鉴》的数据显示，2018 年青岛城区人口已达 512.70 万人，成为山东首个特大城市。2018 年济南城区人口为 415.49 万人。在合并原地级市莱芜后，这一数据会更高。因此，本文在研究时将青岛和济南都视为特大城市。

其次，特大城市的政府应急治理部门应牵头建立应急物资供应链，提升紧急状态下的物资持续供应能力，积极拓宽应急专项物资供应渠道。城市公共危机期间，政府可以通过广泛的政治、行政和社会动员，积极扩大采购和捐赠渠道，必要时可以委托民间组织和个人采购必要的应急物资。这种方式不仅可以有效规避市场交易风险，减轻政府压力，同时也有助于扩大民间力量参与城市应急治理。最后，特大城市政府应建立应急治理专项资金账户，实行专款专用，确保应急治理体系有充裕的资金保障。此外，省级和地级政府应根据相关法律法规建立和完善应急治理专项资金的划拨和调配机制。

（四）情报平台体系优化

情报平台体系优化应以系统化、专业化和科学化为基本价值导向。大数据、物联网、云计算和空间地理信息集成技术为情报平台体系优化提供了有力的技术支持。系统化方面，省级政府大数据管理机构应牵头整合此前高度部门化的信息管理体系，在“110”“112”“119”和“120”等功能平台的基础上建设一个统一的情报信息体系，打破跨域信息壁垒，扩大有效信息来源渠道。[①] 省级、地级和县级应急管理部门和政府其他职能部门亦可以通过端口授权方式来共享这些实时的应急治理数据。专业化方面，海量数据的接入将使整合后的情报平台体系处理能力面临巨大挑战。因此，从情报信息收集、重组到分析与共享的整个流程都需要建立专业化的处理机制，设立专业化的情报分析岗位，或者以外包形式交由专业的数据分析机构来完成。[②] 科学化方面，大数据机构和应急管理部门应当与时俱进，积极运用最新情报信息技术分析和处理那些结构化、半结构化和碎片化的海量数据，有效提升应急管理决策质量。

（五）培训演习体系优化

培训演习体系旨在检验“一案三制”在既定场景下的运行效果，从而完善应急预案，拓展培训和演习内容。该体系的优化应从培训和演习这两个方面进行。培训方面，应急治理部门应预先构建完善的培训机构和课程体系，确定参与培训的组织和人员；演习方面，模拟重大突发事件真实场景，举行贴近实战化

---

① 参见郭骅：《社会现代性背景下的城市应急管理情报体系构建研究》，南京大学博士学位论文，2017 年，第 39、42 页。

② 参见郭骅、苏新宁等：《“智慧城市”背景下的城市应急管理情报体系研究》，《图书情报工作》2016 年第 15 期。

的演练，锻炼多部门、跨区域的合成作战能力和上下联动、空地一体、军民融合、军地协同的快速反应机制。

（六）跨域协同体系优化

跨域协同体系优化需建立在稳固的协同治理机制基础上。首先要说明的是，这里的“域”是指包括部门、层级、行业、经济区和行政区等物理空间范围。因此，跨域协同本质上就是跨部门、跨层级、跨行业和跨区域的协作治理。这种协作治理并不是凭空构建，而是需要跨越政府部门与社会主体之间的鸿沟，改进政府主导的多元主体参与治理的结构和模式。[①] 协同治理机制需要多元主体以平等、开放和理性磋商的形式共同确立，对所有参与者都具有一致的约束力。相比跨部门、层级和行业的协同治理，跨行政区域的协同治理则面临更大的难度。未来大型城市群之间的协同治理机制和超越国家界限的城市治理系统机制是该体系关注的重点内容。

六、结语

城市应急治理是一项高度复杂的系统工程，包括诸多相对独立的功能体系。对于大数据时代的特大城市而言，应急治理的难度与日俱增，所以其体系优化整合与能力提升必须坚持法治化、科学化和专业化的价值导向。在面对重大突发事件时，以政府为核心的多元主体合作治理网络应主动采取使城市低速或降速运行的方式来化解公共危机，维持整个城市的基本运行秩序，避免城市的系统性崩溃，而非贸然使用极端“休克疗法”。因为对于各类生产要素高度集中的特大城市来说，整座城市的停摆或封闭很可能会诱发一系列的连锁反应。在组织和执行方面，政府应以法治行政逻辑、协同治理路径和政社网络工具推动法律规制体系、组织治理体系、物资保障体系、情报平台体系、培训演习体系和跨域协同体系的优化，以此实现整个应急治理的体系优化和能力提升，而不是以单一化的政治与行政动员、政府独揽取代多元主体参与，以“政治正确”屏蔽法治化、科学化和专业化决策。

---

① 参见郭景涛：《城市群重大公共安全事件应急指挥协同研究》，华中科技大学博士学位论文，2016 年，第 124、127 页。

论辩护权的扩张与刑事诉讼的现代化[*]

崔守旭[**]

摘要：从诉讼构造层面看，辩护权的扩张直接关系到控辩双方的力量对比，进而影响到诉讼形态的整体架构；从价值理念层面看，辩护权作为被追诉人诉讼权利的核心内容，其扩张直接反映甚至决定了人权保障精神在刑事诉讼中的贯彻。申言之，辩护权的扩张与诉讼构造以及人权保障有着天然的契合关系。而“诉讼构造的优化”以及“人权保障的发展”作为世界刑事诉讼现代化的两条主线，鲜明地征表出一国刑事诉讼制度的民主化与科学化进程。因此，辩护权的扩张作为世界刑事诉讼制度现代化进程的征表就成为必然的逻辑。以此为视角，审视 1949 年至今中国刑事辩护权的立法沿革，笔者发现中国刑事诉讼的发展遵循了近乎相似的逻辑路径。换言之，中国刑事辩护权的扩充不仅优化了刑事诉讼的构造而且直接提升了刑事诉讼的人权保障水平，可谓推进了中国刑事诉讼的现代化进程。申言之，无论从程序构造层面，还是从价值理念层面，三部前后相继的刑事诉讼法之间均表现出深刻的断裂性与强烈的对比性，昭示着中国刑事诉讼现代化进程的不断推进。

关键词：刑事诉讼；现代化；辩护权；扩张；诉讼构造；人权保障

一、导言

“现代化是对传统社会的一种历史性的超越，是自工业革命以降人类社会

---

[*] 第三十二届全国副省级城市法治论坛获奖论文二等奖。

[**] 崔守旭，山东众成清泰（济南）律师事务所律师。

所经历的一场涉及社会生活主要领域的深刻变革过程,因而现代化是人类社会惟一普遍的出路。"[①]对此,作为国家制度层面的法律制度与经济制度、政治制度一样,也难以超脱现代化的路径。众所周知,经过几十年的发展,"法治现代化作为一种确定不移的过程已逐渐成为国家和社会的共识,而刑事诉讼法基于其与宪法的天然联系,在这一进程中更是居于突出地位"[②]。从20世纪末至今,学界关于刑事诉讼现代化所作的诸多研究看,刑事诉讼的现代化在诉讼构造上集中表现为诉讼职能分化与整合;在价值理念上则鲜明地体现为人权保障的优先。[③] 而如果将刑事诉讼的现代化与辩护权的扩张联系起来,我们会发现辩护权的从无到有、从弱到强,既关涉到刑事诉讼中被追诉人人权的保障,也推动了诉讼形态从传统构造向现代构造的演进,可谓征表了世界刑事诉讼的发展史。换言之,辩护权的扩张直接推进了世界刑事诉讼的现代化进程。

以此为视角,宏观地审视我国刑事诉讼的立法进程,我们会发现辩护权的扩张之路也可谓中国刑事诉讼的现代化之路。对此,笔者将从"人权保障"[④]、"诉讼构造优化"[⑤]的视角对"刑事诉讼发展史就是辩护权扩张史"这一理论命题作规范分析,为下文论述作论理上的铺垫;接着,笔者试图分阶段描绘出1979年至今中国刑事诉讼立法中辩护权的沿革之路,并对每一阶段中辩护权

---

① 胡铭、黄锫:《法学研究方法论与刑事诉讼的现代化——以法律经济学研究方法论为例的检视》,《政法论坛》2007年第3期。

② 任哲华:《中国刑事诉讼制度的现代化》,《武汉大学学报》(哲学社会科学版)2010年第4期。

③ 关于刑事诉讼现代化的研究参见马贵翔、胡铭:《正当程序与刑事诉讼的现代化》,中国检察出版社2007年版;卞建林:《刑事诉讼的现代化》,中国法制出版社2003年版;左卫民、王凌:《中国刑事诉讼法制现代化历程论纲》,《法律科学·西北政法学院学报》1995年第1期;左卫民、万毅:《我国刑事诉讼制度改革若干基本理论问题研究》,《中国法学》2003年版第4期;吴宏耀:《现代法视野中的刑事诉讼》,《政法论坛》2004年第3期;胡铭、黄锫:《法学研究方法论与刑事诉讼的现代化——以法律经济学研究方法论为例的检视》,《政法论坛》2007年第3期;任哲华:《中国刑事诉讼制度的现代化》,《武汉大学学报》(哲学社会科学版)2010年第4期。

④ 关于刑事诉讼中人权的主体,学界争议的焦点主要集中在是否包含被追诉人以外的其他诉讼参与人,以及是否包含集体人权。显然,包含集体人权的观点以为学界主流观点所摒弃。但对于人权的主体是否包含其他诉讼参与人则有不同的见解:有学者认为被害人,以及证人等诉讼参与人也属于刑事诉讼中人权的主体;有学者反对将被告人以外的被害人、诉讼参与人纳入人权的主体。但是,两种观点都认可"刑事诉讼中人权保障的重点应该是被追诉人"。因此,笔者在本文中提及的"人权保障"主要是指犯罪嫌疑人、被告人的人权。

⑤ 刑事诉讼构造是由一定的诉讼目的所决定的,并由主要诉讼程序和证据规则中的诉讼基本方式所体现的控诉、辩护、裁判三方的法律地位和相互关系(参见李心鉴:《刑事诉讼构造论》,中国政法大学出版社1992年版,第7页)。刑事诉讼构造,又被称为诉讼形态或诉讼模式抑或诉讼形式,尽管称谓不尽相同,但其核心内涵均是指"不同诉讼主体间的法律地位及相互关系",这在学界已经达成共识。

的演进作整体分析，以突出其对不同阶段的刑事诉讼制度品格的塑造作用。

本研究的理论意义不仅在于历时地勾勒出中国刑事诉讼中辩护权的扩张进程及其特点，更重要的是揭示了辩护权的扩张与人权保障、诉讼构造以及刑事诉讼现代化之间的内在关联，以印证“刑事诉讼的发展史就是辩护权的扩张史”这一理论命题。[①] 不仅如此，在用中国的素材检验辩护权的扩张之于刑事诉讼现代化的作用时，我们会发现中国辩护权的扩张之路正是刑事诉讼内在规律与我国现实国情相结合的演绎，而由此求得的规律性认识，也是我们预测中国刑事诉讼未来发展趋势的重要依据。

二、原理分析：对辩护权的扩张与刑事诉讼现代化的考察

（一）刑事诉讼现代化的考察要素

从历史的分析来看，诉讼构造的优化与人权保障的进步构成了刑事诉讼演进的两条主线，而世界刑事诉讼正是沿着这两条路径实现由传统形态向现代形态过度的。时至今日，无论是德国、法国的职权主义模式，还是英国、美国的当事人主义模式抑或意大利、日本混合模式，无不在程序构造上表现为诉讼形态的优化，在价值理念上表现为人权保障的优先。换言之，诉讼构造的优化与人权保障的强化已经成为现代刑事诉讼的两大特征。

1. 诉讼构造

作为刑事诉讼的基本理论范畴之一，诉讼构造鲜明地体现出不同诉讼主体的法律地位及相互关系，可谓从宏观的、抽象的视角反映出不同诉讼形态的特征。申言之，不同的诉讼构造征表出不同的诉讼运行机制。[②] 人类刑事诉讼自产生至今，先后经历了弹劾式诉讼形态、纠问式诉讼形态，并在纠问式诉讼形态

---

① 参见[日]松尾浩也：《日本刑事诉讼法》，丁相顺译，中国人民大学出版社 2005 年版，第 130 页；[日]田口守一：《刑事诉讼法》，刘迪等译，法律出版社 2000 年版，第 89 页；[日]田口守一：《刑事辩护制度》，[日]西原春夫主编：《日本刑事法的形成与特色》，中国法律出版社、日本成文堂 1997 年版，第 432 页。刑事诉讼发展史就是辩护权扩张史，有时也被译作“刑事诉讼文明史就是辩护权扩大史”或“刑事诉讼的进化史也可以说是辩护权的发展史”。而从历史的分析来看，刑事诉讼的发展历程正是由传统刑事诉讼向现代刑事诉讼的沿革，因此，可以说刑事诉讼的现代化进程正是辩护权的扩张之路。申言之，辩护权的扩张推动了刑事诉讼的现代化，这也是本文论证的重心。

② 如提及弹劾式诉讼形态，人们就会想到私人发动控诉；提及纠问式诉讼形态，人们就会想到控审不分、国家追诉；提及职权主义诉讼形态，人们就会想到法官积极利用职权查明案件真实所持的“积极中立”的诉讼态度；提及当事人主义诉讼模式，人们就会想到控辩平等对抗、法官“消极中立”。

之后发生分野，分别产生了大陆法系国家的职权主义诉讼构造与英美法系国家的当事人主义诉讼构造。尽管因法治传统等原因，两种构造在表现形态和运行机制上存在细微的差别，但是“作为一种区别于之前诉讼制度的特定历史类型，在制度的内在精神和基本轮廓上，它们包含着更多的‘家族相似性’或者说，都属于‘现代诉讼制度’之类型”[①]。考察当今刑事诉讼在结构上的特征，我们会发现无论是法官主导的职权主义模式，还是由检察官和与辩护人主导的当事人主义模式，都在庭审程序乃至审前程序的构造上遵循着类似的组织样态。[②] 而这一类似的组织样态，正是现代刑事诉讼“家族相似性”在诉讼形态上的突出表现，即“控辩式诉讼结构”。“尽管当事人主义与职权主义的区别在于‘由谁主导诉讼’，但是‘由谁主导诉讼’并不影响控辩式诉讼结构的存在，换言之，对于职权主义与当事人主义的选择，是控辩式前提下第二层面上的问题。”[③]

不可否认，由于历史和文化传统的差异，两种诉讼模式间在程序构造上存在明显的区别。不过，“自两种诉讼构造形成以来，随着文化交流、经验总结和对刑事诉讼价值多元化的追求，在两大法系国家的刑事诉讼改革中，相互之间呈现出价值追求的趋同性”[④]。而这种趋同性从侧面说明了根本不存在一成不变的诉讼模式，更不存在一种诉讼模式的完美模型，那种认为当事人主义较之职权主义有先天的质的优势的观点是不审慎的、不科学的。而如果超脱具体运行机制的差异，宏观地审视这两种诉讼形态，我们会发现无论是职权主义国家抑或当事人主义国家，其刑事诉讼构造都是建立在诉讼职能的分化与整合基础上的良性互动样态，而这种良性互动关系的科学表述便是我们耳熟能详的“控审分离、控辩平等对抗、审判中立”。这也是控辩式诉讼结构对于职权主义、当事人主义抑或学者所指称的混合主义的共同要求。

2. 人权保障

现代刑事诉讼制度除了具备理性的程序构造，即“控审分离、控辩平等对

---

① 吴宏耀：《现代法视野中的刑事诉讼》，《政法论坛》2004 年第 3 期。

② 如在审判程序中，英美法系国家与大陆法系国家均确立“控审分离、控辩平等对抗、审判中立”的诉讼格局；在审前程序中，两大法系国家普遍确立了司法授权原则与司法救济原则。不仅如此，随着两大法系的不断融合，传统大陆法系国家普遍确立沉默权，加之，辩护律师在侦查程序中参与范围的不断扩大，使得传统职权主义模式在审前程序中也呈现出“诉讼”的性质。

③ [日]田口守一：《刑事诉讼法》，刘迪等译，法律出版社 2000 年版，第 16～17 页。

④ 宋英辉：《两大法系国家刑事诉讼改革中的趋同性》，《人民检察》2010 年第 11 期。

抗、审判中立”的良性互动关系外，在价值理念层面还重视人权保障，并将其视为与控制犯罪并行甚至是上位于犯罪控制的基本理念。因为，“现代民主法治社会刑事诉讼程序所承载的目的应当是正当程序和保障人权，所有刑事诉讼基本理论的预设，无不以正当程序和保障人权为出发点和归宿”①。

事实上，早在17～18世纪的资产阶级革命时期，尊重和保障人权尤其是被告人的权利就成为反对残暴的封建刑事司法的斗争口号。资产阶级政权的建立使这一宣言式口号载入了西方各国的刑事诉讼制度，围绕着保障人权的基本目标诸如司法独立、控审分离、无罪推定等一系列关涉被告人权利保障的制度与原则得以确立。可见，“现代刑事诉讼的建立是以人权保障为突破口的，如果不是资产阶级刑事改革的先驱者们吹响人权保障的号角，就不可能有现代刑事诉讼的诞生”②。因此，人权保障乃是现代刑事诉讼制度得以产生的原动力。

当然，“在现代刑事诉讼制度建立的初期，人权保障并没有被提升为与犯罪控制分庭抗礼的价值追求”③，但随着人类文明进程的发展以及对诉讼规律探索的深入，人权保障的价值已成为二战以后特别是近几十年来世界范围内刑事司法变革的主旋律之一。“正是在这种诉讼理念的支持下，采用现代刑事诉讼制度的国家，尽管面临着不同的政治和社会状况，但仍坚持了大致相同的、以人权保障为优位价值理念的制度设计。”④

可见，人权保障价值既是世界刑事诉讼演进的主线之一，又是现代刑事诉讼制度的另一重要的共通性特质，已经成为法治落后国家进行刑事司法改革必须予以坚持的理念。

(二)刑事诉讼现代化与辩护权扩张的关系

从上文的阐述中可知，诉讼构造的优化与人权保障的强化不仅是刑事诉讼演进的两条主线，也成为囊括了当事人模式与职权模式的现代刑事诉讼制度的共通性特征。而在笔者看来，无论是作为世界刑事诉讼沿革的脉络，还是作为当代世界刑事诉讼制度的典型特征，诉讼构造的优化与人权保障的优位均离不开辩护权的扩张。

---

① 郝银钟：《刑事诉讼双重目的论之批判与重构》，《法商研究》2005年第5期。

② 汪建成：《冲突与平衡：刑事程序理论的新视角》，北京大学出版社2006年版，第113页。

③ 左卫民、万毅：《我国刑事诉讼制度改革若干基本理论问题研究》，《中国法学》2003年第4期。

④ 左卫民、万毅：《我国刑事诉讼制度改革若干基本理论问题研究》，《中国法学》2003年第4期。

1. 诉讼构造与辩护权的扩张

回顾辩护权的沿革之路，我们发现其在现代程序法视野下的再生最终在审判阶段塑造了控、辩、审三方良性互动的控辩式诉讼构造。但辩护权的演进并没有止步于此，而是在近现代的诉讼构造确立后继续扩张，从而促成了诉讼形态的整体优化。

(1)辩护权的再生对诉讼构造的塑造。辩护权对刑事诉讼构造的塑造作用可以追溯到人类社会的第一种诉讼形态，即弹劾式诉讼形态。但确切地说，存在于古罗马帝国时期弹劾式诉讼模式下的辩护权以及辩护活动并不具备现代程序法的实质内涵。因为在弹劾式诉讼形态下，犯罪被视为私人侵权，根本不存在国家追诉机关[1]，诉讼程序的启动依赖于私人控诉，诉讼的成败也主要取决于当事人之间的对抗。这就决定了在弹劾式诉讼形态下，辩护人仅充当类似于民事诉讼中的“诉讼代理人”的角色，其所行使的权利也仅仅是受制于当事人的“代言权”而非独立于当事人的“辩护权”。但也必须指出，当事人的自行辩护以及这种“准辩护人”的代言活动增加了诉讼的对抗性，从客观上维系了弹劾式诉讼模式下这种朴素的平等对抗结构。

当人类社会进入封建时代，犯罪的私人侵权性在统治者强化专制统治的需求的驱使下被抛弃殆尽。统治阶级将犯罪视为孤立的个人反对统治秩序的破坏活动，因此必须予以严厉镇压。这样，国家追诉取代了私人控诉，伴随而来的便是“控审不分”的诉讼构造。如此的制度环境根本不存在辩护权存在的空间以及发挥作用的必要性。资产阶级革命胜利后，纠问式诉讼构造得以根本改造，“控审分离、不告不理”的诉讼机制逐渐确立；同时，在控诉分离的诉讼架构下，辩护权获得了再生的空间。而此时的辩护权已经完全不同于初始时期的辩护权，一方面，辩护人由最初的“代言人”提升为被追诉人的“权益保护人”；另一方面，刑事诉讼中的对抗也由当事人及其辩护人之间的对抗演化为被追诉人及其辩护人与控诉机关之间的对抗。因此，辩护权内涵的更新、地位的提升构成了这一嬗变过程的核心内容，从某种程度上讲，也可谓征表了辩护权的扩张。

可见，从最初弹劾式诉讼形态下的雏形，到纠问式诉讼形态下的消亡，再到近现代控辩式诉讼形态下的再生，辩护权的沿革始终伴随着人类刑事诉讼模式

---

① 谢佑平：《生成与发展：刑事辩护制度的进化历程论纲》，《法律科学·西北政法学院学报》2002年第1期。

的演进,并最终促成了控、辩、审三方组合的形成。因此,“可以说辩护职能的形成和发展对于刑事诉讼‘三方组合’结构最终型塑起着决定性作用”①,最终形成了控、辩、审、三方良性互动的控辩式诉讼构造。因为“如果不建立辩护制度,控诉方就失去了对立面,审判者的中立地位就无从谈起,刑事司法就会带有强烈的‘行政’色彩”②。

(2)辩护权的扩张对诉讼构造的优化。辩护权的沿革对诉讼构造的价值不仅体现在“辩护权的生成最终塑成了法治化的诉讼形态”,还在体现在辩护权的扩张进一步优化了控、辩、审三方组合间的良性互动。③ 其中,辩护权由审判阶段向审前程序的延伸对诉讼构造的优化作用尤甚。

事实上,“在资产阶级刑事诉讼制度建立的早期,律师为被告人的辩护只停留在审判阶段,在审判前的诉讼程序中,律师根本无权介入”④。正因为如此,有学者称“各国辩护权经历了一个从审判阶段向审前程序延伸的坎坷过程”⑤。即使当今辩护制度最为发达的美国也不例外,这清晰地体现在美国最高司法当局对联邦宪法第六修正案的理解上。⑥ 在 20 世纪 60 年代之前,联邦最高法院在众多司法判例中明确指出在审前讯问程序中,驳回被追诉人聘请律师进行咨询的请求并不违反宪法。⑦ 直到 1964 年的马修案,美国联邦最高法院才第一次确立了在侦查或讯问过程中,被追诉人有权获得律师帮助的权利。

尽管历经坎坷,但辩护权由审判阶段向审前程序特别是侦查程序的延伸,对诉讼形态的整体优化产生了功不可没的作用。因为仅存续于审判阶段的控、

---

① 谢佑平:《生成与发展:刑事辩护制度的进化历程论纲》,《法律科学·西北政法学院学报》2002 年第 1 期。

② 参见熊秋红:《刑事辩护制度之诉讼价值分析》,《法学研究》1997 年第 6 期。

③ 辩护权在现代程序法视野下获得再生后,便呈现出不断的扩张之势,主要表现在以下三方面:辩护权能的丰富与强化;辩护权从审判程序向审前程序的扩展;辩护形态从以实体辩护为主到实体与程序并重甚至偏重程序辩护。其中,本部分重点从辩护权向审前程序的扩展,来探讨辩护权扩张对刑事诉讼整体构造的优化。当然,辩护权能的丰富与强化,以及辩护形态的变化也对诉讼构造的优化起作用,对此笔者在本部分将提及。但是,辩护权能的丰富与强化,以及辩护形态的变化集中地体现出了辩护权扩张的人权保障价值,对此,将在后文重点论述。

④ 顾永忠:《从审判中的辩护走向侦查中的辩护——律师在侦查中的诉讼地位和作用考察分析》,中华全国律师协会编:《第三届中国律师论坛论文集》(实务卷),2003 年,第 575 页。

⑤ 宋英辉、吴宏耀:《刑事审判前程序研究》,中国政法大学出版社 2002 年版,第 371 页。

⑥ 美国联邦宪法第 6 修正案明文规定:“在一切刑事案件中,被告人享有……律师帮助他辩护的权利。”这是被追诉人在审前程序中获得律师辩护的宪法依据。

⑦ 参见江礼华、杨诚主编:《外国刑事诉讼制度探微》,法律出版社 2000 年版,第 65～68 页。

辩、审三方组合构造，在现代程序法视野下，还难以称得上是完整的诉讼形态。事实上，缺失辩护权的审前程序仍然呈现出浓厚的纠问色彩，审前程序在很大程度上沦为侦查机关主导的、单方的行政治罪程序。

以法国大革命中制定的《重罪审理法典》为例，其对刑事诉讼整体构造作了阶段化的折中处理，即：在审判阶段，采取控辩式诉讼程序，辩护人参与庭审并与控方开展对席辩论；在审前程序，依然推行既有的纠问式诉讼制度，辩护人协助被追诉人进行诉讼遭到禁止。[①] 法国的情形其实就是世界刑事诉讼由纠问式向控辩式演进过程中的一种"中间或过渡"状态，是世界刑事诉讼构造沿革过程的一个缩影。而终结这一行在半途中的状态的标志便是"辩护权向审前程序的延伸"。

辩护权成功地扩张至审前程序，特别是侦查预审程序，一方面，协调了控辩式庭审与纠问式审前构造的机制冲突；另一方面，也在审前程序中塑造起控、辩、审的三方构造，从而使刑事诉讼的整体构造具备法治形态下的基本格局。当然，辩护权能的丰富与强化以及辩护形态由实体向程序的演进，也在很大程度上实现了"平等武装"，保障了"平等对抗"，从而达成了对诉讼构造的优化。[②]

2. 人权保障与辩护权的扩张

毋庸置疑，从刑事诉讼的发展历程来看，辩护权的生成塑造了控、辩、审三方组合的诉讼结构，但在现代刑事诉讼构造形成的初始时期，辩护权依然十分弱小，难以实现与强大国家追诉权的平等对抗，其人权保障价值未得到充分显现。伴随辩护权由审判阶段向审前程序的延伸，辩护的权能不断丰富并强化，辩护的形态也逐渐从单一的实体辩护向程序辩护扩展，促成了刑事诉讼人权保障价值的实现。

(1)辩护权能的扩张与人权保障的提升。正如上文所言，伴随辩护权的生成，刑事辩护人由弹劾式诉讼形态下的"代言人"发展到近现代控辩式诉讼形态下的"权利保护人"，这一嬗变本身就体现了辩护权的扩张。至此，辩护人获得了独立的诉讼地位，辩护权能的扩张也步入了法治化轨道。其中，辩护权能的

---

① 参见[法]卡斯东·斯特法尼：《法国刑事诉讼法精义》(上)，罗结珍译，中国政法大学出版社1998年版，第88～92页。

② 关于"平等武装、平等对抗"对诉讼构造的优化作用，冀祥德教授在其《控辩平等论》中有详细阐释，在此不再赘言。

扩张在审前程序中的人权保障价值尤为明显。[①]

审前程序是公权与私权直接对抗的场域，追诉机关为查获犯罪，往往会直接采取限制甚至是剥夺被追诉人人身自由的强制措施，而一旦缺乏有效的监督与制约，这种权力必然会被滥用从而危及被追诉人的人身安全与自由。“社会保护本身不受犯罪分子危害的手段一旦被滥用，任何暴政都要甘拜下风。”[②]基于此，西方法治国家，无论是当事人模式的英美法系国家还是职权模式的大陆法系国家，无不在人权保障理念的指引下，积极扩张审前程序中被追诉人的诉讼主体地位。事实上，强化被追诉人以辩护权为核心的诉讼权利已经成为现代刑事诉讼制度在审前程序中的普遍特征。

“在德国和法国，辩护律师权利逐步扩展，逐渐享有了讯问时在场权、重要侦查环节的在场权、强制措施决定与变更时的参与权、证据调查申请权、阅卷权。”[③]相比德国和法国，日本和意大利在侦查程序中辩护权的扩张更为显著。意大利刑事诉讼法赋予辩护律师类似英美法系国家辩护律师享有的“全天候”的在场权，不仅规定辩护律师在警察讯问犯罪嫌疑人时可以在场，还规定辩护律师在搜查、扣押、辨认、勘验与鉴定时也可以在场。日本刑事诉讼法虽然没有赋予辩护律师讯问时的在场权，却允许辩护人在搜查、扣押时在场并享有保全证据的权利。

可见，除了会见权、阅卷权、调查取证权这些基本权能外，法治发达国家辩护权的内涵已经涵盖了律师在场权，这项本属于英美法系国家的“特权”已经突破法系的桎梏，扩展至传统的职权色彩浓厚的大陆法系，极大程度上提升了其刑事诉讼的人权保障水平。不仅如此，诸如非法证据排除规则、司法审查机制、

---

① 顾永忠教授将辩护权的现代法治内涵解读为：手段性辩护权利，即直接针对追诉、指控行为行使的各项辩护权利，如陈述权、反驳权、辩论权；条件性辩护权利主要指为行使手段性辩护权利提供条件的权利，诸如会见权、通信权、调查取证权、阅卷权；保障性辩护权利主要指保障犯罪嫌疑人、被告人在诉讼过程中的诉讼权利以及其他权利不受侵犯的权利，如非法证据排除权、程序违法上诉权、申诉权（参见顾永忠：《刑事辩护的现代法治涵义解读——兼谈我国刑事辩护制度的完善》，《中国法学》2009 年第 6 期）。在笔者看来，顾教授所指的手段性辩护权利、条件性辩护权利以及保障性辩护权利均为辩护权的权能，换言之，辩护权是一种集手段性辩护权利、条件性辩护权利以及保障性辩护权利为一身的权利集合体，因此，辩护权权能的扩张包含了上述三种权利的扩张。而如果从辩护权能的视角审视辩护权的扩张进程，其内涵呈现出由手段性权利向条件性权利与保障性权利扩张的趋势，这实际上也契合了辩护权由审判程序走向审前程序，由实体性辩护扩展到程序性辩护的趋势。

② ［英］丹宁勋爵：《法律的正当程序》，刘庸安等译，法律出版社 1999 年版，第 36 页。

③ 朱桐辉：《辩护权的扩展与侦查辩护的独立价值》，《中国刑事法杂志》2009 年第 12 期。

法律援助制度不断完善以及律师职业独立性的增强，也属于广义上辩护权扩张的内涵，其从不同的侧面强化了辩护权的保障和救济。无疑，这些制度如同律师在场权一样，均体现并维系了刑事诉讼的人权保障价值。

(2)辩护形态的扩展与人权保障的强化。国际性人权保障运动的兴起推进了世界范围内刑事司法改革的开展，在刑事辩护制度方面，辩护权的扩张不仅表现在从审判向侦查的延伸，而且还表现为辩护形态从实体向程序的扩展。

程序性辩护这种被德肖维茨称为“最好的辩护”的辩护形态，有着较之实体辩护不可比拟的优势。实体性辩护基本上是从认定事实和适用法律两个方面针对检察机关的控诉展开的被动性防御活动。而程序性辩护则是一种积极的“进攻性辩护”，其旨在启动对控诉、审判行为合法性的司法审查，并最终作出侦查无效、证据无效、公诉无效、判决无效的权威裁决。换言之，程序性辩护会使侦控机关与裁判机关的程序性违法行为招致程序性法律后果，即：以剥夺违法侦查取证、滥用公诉权以及有违正当程序的裁判行为的“非法利益”的方式来抑制程序性违法行为，必然对非法搜查、扣押、采样、羁押、刑讯逼供，滥行起诉以及违反法定诉讼程序的裁判行为起到釜底抽薪的效果。

程序性辩护的重要性在审前阶段尤为突出，因为在审前程序中几乎不存在实体性辩护的空间，除非辩护人可以提出犯罪嫌疑人不在犯罪现场、达不到刑事责任年龄或者属于依法不负刑事责任的精神病人的材料，而上述三种材料只有在极少数的案件中才存在，因此，关于被告人有罪或无罪、罪轻或罪重的实体辩护只能在审判阶段找到发挥作用的空间。不仅如此，在侦查阶段，“即使是侦查人员也还未形成对案件事实与法律定性的稳定看法”①，在这样的情势下，要求辩护人在侦查阶段进行实体辩护实在是强人所难。可见，在审前程序特别是侦查程序中能切实发挥维护被追诉人合法诉讼权益的辩护活动只能是程序性辩护。而如果审前程序中缺乏程序性辩护，被追诉人就只能自行辩护，实质上意味着其获得律师帮助的权利被剥夺了。因此，在审前程序中，唯有程序性辩护可以为被追诉人提供即时的、同步的保护，可以对违法侦查取证行为进行有效的监督抑制，从而最大限度地维护其合法权益。

更为重要的是，从“国家与社会”的关系这一宏观视角审视程序性辩护的功

---

① 朱桐辉：《辩护权的扩展与侦查辩护的独立价值》，《中国刑事法杂志》2009 年第 12 期。

能，我们会发现“辩护权本身体现的是以社会力量制约国家权力的现代民主思路，换句话说，这种权利的行使是否成功，关涉的不仅仅是某个被告的权利，而最终于整个社会的权利能否与国家权力形成有效的制衡密切相关”[①]。换言之，程序性辩护是包括被追诉人在内的社会力量抗制警察国家的有效路径。

总而言之，程序性辩护在审前程序中的存续与发展，构成了对强大国家追诉权的有效制约，防止了公权力的肆意滥用，强化了被追诉人的人权保障。[②]

（三）小结：刑事诉讼发展史就是辩护权扩张史

从辩护权的生成及其发展路径来看，其沿革历程可谓贯穿了刑事诉讼发展的“来世今生”。从最初的弹劾式诉讼形态下的雏形，到纠问模式下的消亡，再到控辩式结构下的重生，辩护权获得了现代程序法上的价值并推动控、辩、审“三方构造”的最终塑成，从而奠定了法治形态下刑事诉讼制度构造的基底。在此基础上，从权能上看，辩护权不断丰富并强化；从适用范围上看，辩护权逐渐从审判阶段向审前程序延伸；从存在形态上看，辩护权完成了由实体辩护向程序辩护的扩张。这样的扩张之势，优化了控辩双方之间的力量对比，并最终促成了“控辩平等对抗”的实现。更为重要的是，控辩平等对抗已不再局限于庭审程序，而是在包括侦查程序的审前程序中也得以构建。这样，诉讼的各个阶段都呈现出“司法化”的特征，刑事诉讼构造得到整体优化。

辩护权的沿革不仅带来了诉讼构造的定型与优化，而且也从根本上改善了被追诉人的境况。现代程序法意义上的辩护权的生成，可谓开启了刑事诉讼中人权保障的新篇章。伴随辩护权的扩张，被追诉人及其辩护人逐渐获得了足以对抗国家追诉权的“平等武装”，而程序性辩护的出现一改辩方被动防御的诉讼态势，这种攻防角色的换位有效地抑制了侦控机关的程序性违法行为。不仅如此，辩护权扩张带来的“平等武装”以及“互为攻防”也从审判阶段扩张至审前程序，由此带来的人权保障效应可谓具有里程碑意义，这不仅是因为在“最危险和最可怕的阶段”[③]辩护律师的介入可以改变被追诉人孤立无援的处遇，更显示

---

① 冀祥德：《刑事辩护准入制度与有效辩护及普遍辩护》，《清华法学》2012 年第 4 期。

② 当然，程序性辩护也适用于审判程序，但介于绝大多数侵犯人身权利与诉讼权利的程序性违法行为多发生在审前程序，所以审前程序特别是侦查程序中程序性辩护的人权保障价值更为突出，因而成为本部分的论证重点。

③ 熊秋红：《刑事辩护论》，法律出版社 1998 年版，第 213 页。

了“以社会力量制约国家权力的现代民主思路”①。

由是观之，刑事诉讼的现代化历程可谓是辩护权的沿革之路。因为，作为世界刑事诉讼发展的两条主线，诉讼构造的优化与人权保障的强化，均离不开辩护权的生成与扩张。可以毫不夸张地指出，辩护权的扩张构成了“诉讼构造优化”与“人权保障优位”得以实现的核心要素。申言之，辩护权的生成与扩张推进了刑事诉讼的现代化进程——这正是对“刑事诉讼发展史就是辩护权扩张史”这一法谚的精准释义。

三、中国素材：我国辩护权的扩张与刑事诉讼的现代化

从世界刑事诉讼发展的规律来看，辩护权的扩张不仅塑造并优化了刑事诉讼构造，而且极大地提升了刑事诉讼中的人权保障水平，可谓征表了世界刑事诉讼的发展历程。那么，当我们以世界的视角检视中国的素材，是否会得出相同的结论，换言之，中国刑事辩护权的扩张是否推进了中国刑事诉讼的现代化以及在多大程度上推进了刑事诉讼的现代化，就是我们必须回答的问题。对此，笔者将从中国刑事辩护权的立法沿革出发，论证辩护权的再生与扩张对中国刑事诉讼构造的优化以及人权保障提升的功效，以验证“刑事诉法发展史就是辩护权扩张史”这一箴言是否适用于中国语境。

（一）对 1979 年《刑事诉讼法》中辩护权的考察

尽管在新中国成立后前 30 年间，关于刑事辩护权的规定在宪法、组织法以及各种形式的决定、通知、批复中均有体现，但这些规定均不具备程序法治内涵。不仅如此，随着阶级斗争思想在刑事司法领域的弥散，仅有的这些规则也被抛弃殆尽，被追诉人逐渐沦为刑讯的对象，毫无辩护权可言。1979 年《刑事诉讼法》的诞生，终结了这一混乱无序的状态，标志着我国程序法意义上辩护权的生成，塑造了现代刑事审判构造的雏形，提升了权利保障水平。

1. 辩护权的再生与诉讼构造的重塑

“文化大革命”期间，毫无任何宪政基础的“革委会”被写入宪法，实际上充当了地方各级权力机关与行政机关的双重角色；检察机关在全国范围内被取消，法院与公安机关的建制虽得以保存，但实际上成为了各级“革委会”操控下

① 冀祥德：《刑事辩护准入制度与有效辩护及普遍辩护》，《清华法学》2012 年第 4 期。

的炮制冤假错案的机器。① 这样，新中国成立初期确立的宪政体系被完全打乱，这种国家权力之间分化整合的混乱无序必然影响到刑事诉讼的正常运行。事实上，检察机关在宪政体系中的缺失带来的诉讼职能分化组合的混乱——“控审合并”，已经使得新中国成立初期艰难建立起来的诉讼制度蜕化到纠问式诉讼形态。如此的制度环境根本不存在辩护权生存的空间。事实上，从反右派扩大化开始，刑事诉讼的纠问色彩就已经显现，律师辩护逐渐被打上“反党反人民”的阶级烙印。② 正如学者所言，“截至‘文化大革命’结束，新中国的刑诉诉讼模式经历了强职权主义、有纠问主义倾向到彻底的纠问主义诉讼模式三个阶段”③。

申言之，刑事诉讼向纠问形态的退变之路也正是辩护权的消亡过程。因此，要重塑既有的诉讼构造，就必须提升被追诉人的诉讼地位，赋予被追诉人辩护权。对此，1979 年《刑事诉讼法》在总则中开宗明义地规定“被告人有权获得辩护，人民法院有义务保证被告人获得辩护”，同时对刑事辩护制度作了专章规定，这标志着刑事辩护权的重生。④ 这一重生并非对新中国成立初期法制发展黄金时期辩护权的简单回复，而是在更高层次上的升华。这不仅是因为，刑事诉讼法关于辩护制度的规定较之法制初创时期内涵更加丰富，更重要的是顺应了程序法定的现代法治精神，契合了辩护权作为一项诉讼权利的程序法内涵。这样，辩护权的再生，辅之以审判权的复位与检察机关的重建，在实际上架构起控、辩、裁三方共同参与的犯罪追惩机制。尽管离现代诉讼模式中诉讼职能的高度分化与整合相距甚远，但毕竟塑造了现代刑事审判构造的雏形。

对此，有学者称其为“强职权主义模式”。⑤ 之所以称其为“强职权主义模

---

① 1975 年《宪法》第 22 条规定：“地方各级革命委员会是地方各级人民代表大会的常设机关，同时又是地方各级人民政府。”

② 律师出庭为刑事被告人辩护被认为是“替坏人说话、为犯罪开脱”。不少人对律师辩护横加指责，将律师制度说成是“资本主义的制度”，律师参与刑事辩护是“为被告人开脱罪责”，“丧失阶级立场”，律师坚持事实和法律是“不要党的领导，搞法律至上”等等。参见谢佑平：《社会秩序与律师职业：律师角色的社会定位》，法律出版社 1998 年版，第 195 页。

③ 旺海燕：《刑事诉讼模式的演进》，中国人民公安大学出版社 2004 年版，第 424 页。

④ 参见 1979 年《刑事诉讼法》总则第 8 条以及第四章第 26～30 条。

⑤ 1979 年《刑事诉讼法》实现了我国刑事诉讼制度由纠问式到强职权主义模式的转型，确立了当时我国刑事诉讼的基本构造，即“强职权主义”诉讼模式，其主要有三个方面的特点：第一，控、辩、裁三方分立，构成刑事诉讼构造的主体；第二，控辩双方既对立又统一，决定两者特有的法律关系；第三，控裁双方既配合又制约，形成特有的相互关系。参见李心鉴：《刑事诉讼构造论》，中国政法大学出版社 1992 年版，第 150 页。

式”，主要是因为与同时期大陆法系职权模式比较，我国1979年《刑事诉讼法》中辩护权仅限于审判阶段、力量弱小、形态单一，难以对抗强大的职权因素，而这也从侧面说明了辩护权的扩张是未来中国诉讼构造优化的必然路径。

2. 辩护权的再生与人权保障的曙光

显然，将“被告人有权获得辩护”确立为刑事诉讼法的基本原则，并辅之以关于刑事辩护的专章规定，较之“文化大革命”时期毫无辩护权可言的纠问形态，彰显了更多的权利保障色彩。当然，1979年《刑事诉讼法》中的权利保障因素并不局限于辩护权的规定，诸如确立适用刑事诉讼法一律平等的原则；强调公、检、法三机关分工负责，互相配合，互相制约；规定公、检、法三机关应当保障诉讼参与人依法享有的诉讼权利；规定严禁刑讯逼供；明确了办案期限，防止诉讼拖延……这些原则或制度都带有权利保障的色彩。但是，这些规定多是从“限权（力）”或“义务”的角度防止侦控机关侵犯被追诉人合法权益的，与从“扩权（利）”与“权利”的路径来维护被追诉人合法权益的“辩护权与辩护活动”对比，其权利保障色彩显得逊色得多。

不仅如此，如果将“辩护权”的规定与“保障无罪的人不受刑事追究”以及“保护公民的人身权利、民主权利和其他权利”的诉讼任务联系起来，我们会发现关于辩护权的表述绝非措辞上的需要，而是历经“文化大革命”后对刑事诉讼制度的重新审视，表明立法者已经认识到刑事评诉不仅仅是无产阶级专政的“刀把子”，这一点从当时主持和领导法制工作的彭真同志的表述中可以得到印证。① 在1979年《刑事诉讼法》的任务中增加保障公民权利的内容正是对动荡时期践踏人权现象的直接回应②，而这一回应最直接、最突出的表现就是立法重新确定被告人有权获得辩护。

由是观之，“自1978年开始，中国刑事诉讼立法便开始将权利保障作为一项基本指导思想，尽管未使用‘人权’这类概念。因此，所谓‘观念的大转折’并非始于90年代，1979年《刑事诉讼法》才是观念转折的关键时期”③。在笔者看

---

① 在起草1979年《刑事诉讼法》的过程中，彭真指出：“立法任务很重，很紧迫，对‘文革’的教训要总结，但不要专门开一般的务虚会，而是在起草制定法律时，总结教训，在法中有针对性的作出规定，从法制方面来防止这些问题再发生。”

② 早在“文化大革命”前《刑事诉讼法》的起草工作就已经开始，那时的草案对刑事诉讼任务的规定是“揭露犯罪、证实犯罪和惩罚犯罪”，并不包含保障无罪人不受刑事追究。

③ 左卫民：《中国道路与全球价值：刑事诉讼制度三十年》，《法学》2009年第4期。

来，1979 年《刑事诉讼法》中植入辩护权等权利保障因素犹如黑夜里的点点烛光，可谓是“人权保障精神”在我国刑事诉讼中的最初体现，保障人权的价值理念正是沿着这些最初的“权利保护观念”萌生并不断发展壮大的。简言之，1979 年刑事诉讼法虽然充斥着“重打击、轻保护”的阴霾，但我们依稀看到了人权保障的曙光。

（二）对 1996 年《刑事诉讼法》中辩护权的考察

1979 年《刑事诉讼法》架构起控、辩、裁三方共同参与的犯罪追惩机制，但这种三方组合仅仅存在于审判阶段。1996 年《刑事诉讼法》的诞生，使得辩护权延伸至审前程序，拓展了辩护权的生存空间，对于打破封闭的侦控程序、提升审前程序的人权保障水平意义重大。

1. 辩护权的延展与诉讼构造的调整

纵观 1979 年以来中国刑事诉讼的制度变迁史，我们不难发现，程序司法化无疑是贯彻期间的一条主线。[①] 在笔者看来，程序的司法化包括程序构造的司法化与程序运行的司法化两层内涵，而程序构造的司法化或诉讼化作为程序运行司法化的前提与基础，必然成为我们关注的重中之重。必须客观地指出，1979 年《刑事诉讼法》仅仅在审判程序中实现了程序构造的司法化，而审前程序在整体上仍然表现为侦控机关对犯罪嫌疑人的单向追诉。

尽管作为辩护权本源主体的犯罪嫌疑人在审前程序中享有自行辩护的权利，但在程序法视野下作为辩护权派生主体的辩护律师的辩护权才是现代刑事辩护的当然内涵，才足以有效抗制强大的国家追诉权。然而，令人遗憾的是在当时中国的制度设置与实践环境下，犯罪嫌疑人的自行辩护也难以得到实现。因为“如实回答义务”的保留使得自行辩护也被打上“负隅顽抗”的烙印。可以毫不夸张地说在 1979 年《刑事诉讼法》的制度设置下，被追诉人在审前程序中不仅没有获得律师帮助的权利，甚至连自行辩护的权利也名存实亡了。于是，审前程序完全成为了追诉机关主导的单方惩处程序。1996 年《刑事诉讼法》赋予犯罪嫌疑人在审查起诉阶段委托辩护人的权利，这样审前程序中的辩护权便获得了现代程序法的内涵。[②] 不仅如此，律师还可以介入侦查程序为犯罪嫌疑

---

① 参见左卫民：《司法化：中国刑事诉讼修改的当下与未来走向》，《四川大学学报》（哲学社会科学版）2012 年第 1 期。

② 参见 1996 年《刑事诉讼法》第 33 条。

人提供法律帮助，尽管未获得辩护人的地位，但毕竟使被追诉人摆脱了孤立无援的境地。[①]

这样，在我国刑事诉讼发展史上，辩护权第一次介入到审前程序，为我国审前程序特别是侦查程序的诉讼化改造作了铺垫。审前程序诉讼化是现代刑事诉讼区别于传统刑事诉讼的典型特征，纵观西方法治发达国家，即使是职权色彩最浓厚的德国、法国也在重大侦查行为中确立了控、辩、裁三方共同参与的诉讼化程序构造。但是，囿于我国特有的宪政体制，人民法院难以介入到刑事审前程序，这就决定了我国刑事审前程序的诉讼化只能从辩护权的介入开启。[②]不仅如此，辩护权介入深度与广度的扩张，也会对传统的单方追诉构造产生巨大冲击，改善审前程序的制度环境，为审前程序最终的诉讼化奠定基础。

事实上，辩护权向审前程序的延展不仅推进了审前程序构造的诉讼化，而且还间接地促进了审判程序诉讼构造的巩固，迎合了对传统庭审模式的当事人化改造。“现代刑事诉讼以证据裁判主义为原则，认定事实、适用法律无不建立在证据的基础上，尽管证据的出示、质证都发生在审判阶段，但证据的收集、保全均发生在审前阶段，因此，审前阶段和审判阶段有着直接关联，并在一定程度上决定着审判结果。”[③]申言之，审前程序中没有辩护律师的介入，就不能对侦控机关的侦查取证行为形成有效的制约与监督，也难以收集到利于被追诉人的证据材料，最终导致控方证据对辩方证据形成压倒性优势，控辩平等对抗、平等保护、裁判中立不可能在任何程度上得到实现，整个庭审会极易演化为控方的独角戏。因此，在我国侦查中心主义的诉讼形态下，将辩护权延伸到审前程序，对于实现控辩平等对抗，促进庭审的实质化，保证裁判的中立意义不可小觑。

由是观之，辩护权的延伸和扩展不仅弱化了审前程序的职权色彩，而且推动了“控审分离、控辩平等对抗、审判中立”的控辩式庭审模式的巩固和运行。

---

① 参见1996年《刑事诉讼法》第96条。

② 我国《宪法》第135条规定：“人民法院、人民检察院和公安机关办理刑事案件，应当分工负责，相互配合，相互制约，以保证准确有效地执行法律。”这样的宪政体制决定了“中国刑事审判程序在诉讼构造上的最大特点是，公安机关和检察机关主导整个审判前的诉讼活动，中立的司法机构无权参与审判前活动，也难以对审判前的追诉活动实施同步的司法审查和控制；公安机关和检察机关按照法定的立案管辖分工，各自独立地从事侦查活动，对于追诉程序的启动、运行和终结基本上拥有独立的决定权”（陈瑞华：《刑事诉讼的前沿问题》，中国人民大学出版社2005年版，第499～500页）。

③ 管宇：《审前程序律师辩护权必要性解析》，《政法论坛》2010年第1期。

2.辩护权的延展与人权保障的初显

一国刑事审前程序中的制度设计，直接反映了该国刑事司法领域乃至整个社会的人权保障状况，因为“越是在危险的时候，越能显示出一个社会的人权保障水平”①。纵观西方法治发达国家，为了保障被追诉人的人权不受国家公权力肆意侵犯，扩大和强化被追诉人在审前程序中的诉讼权利已成为普遍共识。对此，职权主义国家和当事人主义国家遵循了近乎相同的逻辑路径，最典型的表现当属司法授权与司法救济机制的设置，不得强迫自证其罪原则的确立以及辩护律师在侦查程序中参与范围的不断扩大。

显然，司法审查机制与反对自我归罪的特权在1996年《刑事诉讼法》中是缺失的，这就决定了我国刑事审前程序中的人权保障只能依赖于辩护权的扩充来实现。换言之，辩护权的扩张直接决定了我国审前程序中的人权保障水平。从辩护权涵盖的诉讼阶段看，1996年《刑事诉讼法》将辩护人介入诉讼的时间提前至审查起诉阶段；从条件性辩护权利上看，1996年《刑事诉讼法》赋予辩护律师在审查起诉阶段享有阅卷权、会见和通信权、调查取证权；从辩护权行使的保障上看，1996年《刑事诉讼法》扩充并强化了法律援助制度。② 总的来看，这些规定提升了被追诉人获得律师协助的权利的实在化程度，极大地提升了审前程序中的人权保障水平。

不仅如此，1996年《刑事诉讼法》对于辩护权的延展也促进了我国刑事诉讼中“权利保障观念”向“人权保障理念”的演进。正如上文所言，1979年《刑事诉讼法》中植入了权利保障性因素，可谓是“人权保障精神”在我国刑事诉讼制度中的最初体现，而保障人权的指导思想也正是沿着这些最初的“权利保护观念”萌生并不断发展壮大，但是有一点是我们不得不承认的，即当初的立法本意中是不包含人权保障思想的。因为对于一个刚从混沌中走出来的国家，其首要的追求是对秩序的恢复，换言之，亟待解决的是实现无法到有法的嬗变，而对秩序恢复的渴望在立法中的演绎便是对权力因素的推崇。由是观之，在阶级斗争的残毒尚未完全清除、市场经济尚未启动的年代里是不可能孕育出人权保障思想的。

必须冷静地指出，人权保障理念在刑事诉讼法中的贯彻始于1996年《刑事

① [美]艾伦·德肖维茨：《最好的辩护》，唐交东译，法律出版社1994年版，第259页。

② 参见1996年《刑事诉讼法》第33、34、36、37条。

诉讼法》，因为商品经济的深入发展使市场主体的自由、平等得到前所未有的推崇与发展，并在极大程度上刺激了公民权利意识的增长。同时，对外开放范围的不断扩大使得人权保障理念源源不断地输入中国。所以，经济的转型以及观念的转换必然会衍射到刑事诉讼领域，导致对诉讼主体人权保障的关注，一个最为突出的表现就是试图突破传统刑事诉讼中犯罪嫌疑人、被告人的客体地位，这鲜明而又集中反映在刑事诉讼立法对辩护权的扩充上。

可见，辩护权的扩充是刑事诉讼适应新时代的需求而进行的自我完善，标志着人权保障思想在中国刑事诉讼中的渗透。至此，人权保障理念已经从最初源自对法律秩序恢复的渴望演化为一种自觉地、主动的追求，尽管这种追求还没有达到与控制犯罪等量齐观的程度，但毕竟其实现了刑事诉讼领域中人权保障思想的从无到有，迈出了我国刑事诉讼制度由传统走向现代的坚实的一步。

（三）对 2012 年《刑事诉讼法》中辩护权的考察

考察现行 2012 年《刑事诉讼法》关于辩护权的设置，笔者发现新法对辩护权的扩张无论在权能、形态还是在适用阶段上均实现了新的突破，促进了刑事诉讼整体构造的进一步优化与人权保障的强化。

1. 辩护权的扩张与诉讼构造的优化

诉讼构造的分化与整合作为现代刑事诉讼的共通性特质在 1996 年《刑事诉讼法》中主要表现在对庭审程序的当事人化改造。而由这种改造产生的控、辩、裁之间的良性互动关系只在一审程序中得以基本构建，在此之外的审前、二审、再审以及死刑复核程序中并未确立。审视现行刑事诉讼法，笔者发现辩护律师介入诉讼的实质参与度呈现出由一审程序为节点向前后扩张的态势，这从整体上促进了“程序主体间结构关系的司法化调整，推动主体间由单方程序结构、经双方程序结构不断向三方程序结构演进”[①]。

从一审程序来看，现行刑事诉讼法明确了证人、鉴定人出庭作证的条件，并构建起专家辅助质证制度，这在实际上强化了辩方的质证权；非法证据排除规则的确立，则丰富了辩护权的权能、扩展了辩护的形态，使被告人及其辩护人可以对侦查机关的违法取证行为开展有针对性的程序性辩护。[②] 由是观之，一审

---

① 左卫民：《司法化：中国刑事诉讼修改的当下与未来走向》，《四川大学学报》（哲学社会科学版）2012 年第 1 期。

② 参见现行《刑事诉讼法》第 56、187、192 条。

程序中辩护权的强化，进一步巩固了我国庭审模式的改革成果，使“控辩平等对抗”诉讼构造更加牢固。

从二审程序来看，在原有的制度框架下，控、辩、裁三方良性互动的诉讼构造并未形成，或者严格地讲并未完全形成，这主要归因于实践中“书面审理为主、开庭审理为辅”的审理方式。而确立“控辩平等对抗”的现代诉讼构造的基础前提是辩方能够实际地参与到决策的形成过程中，因为“利益主体参与并自主行使权利足以确立程序结构在道德上的可接受性”①，在利益主体难以参与诉讼的情况下，连诉讼构造的三方形态都不具备，更不用提控辩平等对抗了。对此，现行刑事诉讼法扩大了二审开庭审理范围，这在实质上强化了辩方的程序参与权与意见表达权，初步建构起诉讼化的审理方式。②

从死刑复核程度看，既有的程序可谓是“辩护权”的禁区③，因为与一审、二审相比，死刑复核程序在我国刑事诉讼中的诉讼化程度最低，根本不存在辩护律师介入的空间，程序整体呈现出明显的单向性、封闭化运作特征。对此，现行刑事诉讼法赋予辩护律师介入死刑复核程序的权利，尽管只是塑造了一个松散的三方性构造，但 30 年来完全闭塞的状态已被撬开一个缺口，这在死刑复核程序“诉讼化”之路上迈出了关键的一步，同时也为我们描绘出死刑复核程序的未来发展图景，即进一步实现不同诉讼职能的分化整合，逐渐确立“三头对案”的诉讼构造。

正如上文所言，辩护权的扩张呈现出由一审程序为节点向前后扩张的态势，而从某种意义上讲，辩护权在审前程序中的扩张对于诉讼构造的整体优化意义更为显著，因为审前程序特别是重大侦控行为的诉讼化始终是困扰中国近 30 年以来刑事诉讼现代化进程最棘手的问题之一。值得欣喜的是，现行《刑事诉讼法》对审前程序所作的相关修改，正显示出突破传统的张力。

尽管 1996 年《刑事诉讼法》将辩护人介入诉讼的时间提前至审查起诉阶

---

① 宋英辉：《刑事诉讼原理》，法律出版社 2007 年版，第 38 页。

② 现行《刑事诉讼法》第 223 条规定“当事人对一审判决认定的事实、证据提出异议，二审法院认为可能影响定罪量刑的上诉案件；被告人被判处死刑的上诉案件”均应开庭审理。这就在很大程度上扩展了开庭审理案件的范围，加之，实践中多数上诉理由都是认定事实与采纳证据方面的问题，这样新法实施后二审开庭审理案件的数量必然会有很大增长。这也意味着现代刑事诉讼构造将在大部分上诉案件中确立下来，使二审程序在构造上更符合“控审分离、控辩平等对抗、审判中立”的良性互动样态，进而推动审判程序整体构造上的现代化。

③ 这里指的是在死刑复核程序中被追诉人只能自行辩护，不能获得辩护律师的帮助。

段，并规定在侦查阶段可以会见犯罪嫌疑人以及提供法律帮助，但总的来看，单方式与双方式程序构造依然是审前程序中的主体诉讼形态。[①] 申言之，审前程序中辩护律师缺乏与侦控机关互动的法定途径，只能与自己的当事人发生单线联系，如在侦查阶段，辩护律师不能调查取证、不能提出意见，不能介入批捕程序；在起诉阶段，虽然可以调查取证、阅卷，但不能介入审查起诉程序。如此看来，在整个审前程序中仅审查起诉阶段呈现出轻微的对抗色彩，侦查阶段根本不具备丝毫的对抗性。[②]

对此，现行《刑事诉讼法》赋予辩护律师介入审查批捕、审查起诉以及在侦查终结时提出意见的权利，这样，从侦查程序开始，辩护律师便可以与侦控机关展开相应的对抗，“从某种程度上意味着我国的对抗制正在逐步向侦查阶段延伸”[③]。正如上文所言，辩护权第一次介入审前程序，为我国审前程序特别是侦查程序的诉讼化改造作了铺垫，而辩护律师与被追诉人的单线联系转为与被追诉人、侦控机关的双向联系则是审前程序诉讼化在既有铺垫基础上的发展。

尽管现行《刑事诉讼法》并未将大多数侦查行为由原来的单方结构调整为双方或三方结构，但辩方实质参与程度的提升是值得肯定的，尤其关于逮捕程序的修改，意味着立法开始架构起带有三方结构特征的羁押决定程序，而这种三方决定程序正是我国审前程序诉讼形态化的应然努力方向。

2. 辩护权的扩张与人权保障的发展

“现行刑事诉讼法将保障被追诉人的辩护权提升到刑事诉讼法基本原则的高度”[④]，“这种修改不仅强调了犯罪嫌疑人、被告人是刑事诉讼中诉讼权利保障的首要对象，而且强调了辩护权在犯罪嫌疑人、被告人诉讼权利体系中的核心地位”[⑤]。正如学者所言：“没有哪一项诉讼制度或诉讼程序能像刑事辩护制度那样与‘尊重和保障人权’有着如此密切的关系，甚至可以说刑事辩护制度就

---

① 除逮捕之外的其他对人、对物的强制措施，均由侦查机关自行决定，属于单方程序构造；即使是审查批捕、审查起诉所谓的双方程序构造，也不存在辩护律师介入的法定途径。

② 当然，这里的对抗性是指辩护律师与控方的对抗，因为现代程序法视野下，被追诉人与控方之间的对抗只能借助辩护律师的帮助才能得到保障。

③ 陈卫东：《2012年刑事诉讼法修改条文理解与适用》，中国法制出版社2012年版，第26页。

④ 1996年《刑事诉讼法》第14条规定：“人民法院、人民检察院和公安机关应当保障诉讼参与人依法享有的诉讼权利。”现行《刑事诉讼法》修改为：“人民法院、人民检察院和公安机关应当保障犯罪嫌疑人、被告人和其他诉讼参与人依法享有的辩护权和其他诉讼权利。”

⑤ 熊秋红：《刑事辩护的规范体系及其运行环境》，《政法论坛》2012年第5期。

是为了在刑事诉讼中实现尊重和保障人权而生存和发展的。”[①]这一提纲挈领的修改契合了辩护权在诉讼权利体系中的应然地位，顺应了“尊重与保障人权”的基本任务[②]，为辩护权的扩张奠定了坚实而又直接的法律基础。以此为依托，现行刑事诉讼法对辩护权作了全面扩充。[③]

从涵盖的阶段来看，辩护权呈现出以一审程序为节点的扩张态势。在审前程序中突出地表现为律师的“辩护人”地位延伸到侦查程序，在审判程序中突出地表现为辩护律师可以介入到死刑复核程序中。如此看来，辩护律师的介入和参与贯通到诉讼的各个阶段，使犯罪嫌疑人、被告人获得律师帮助的权利得以实在化。从辩护形态看，现行刑事诉讼法第一次明确了实体性辩护与程序性辩护并重的辩护格局，这样辩护律师就可以根据所处的诉讼阶段有针对性地选择辩护形态，尤其是审前阶段的程序性辩护对于抑制违法侦查、控诉行为意义重大。[④] 相比辩护覆盖面的进一步延伸与辩护形态的扩展，辩护权能的拓展，尤其是手段性辩护权利与保障性辩护权利的扩张，对于人权保障的强化更为显著。

现行《刑事诉讼法》对辩护律师的会见权、阅卷权、调查取证权等手段性辩护权利作了相应修改。关于会见难，现行《刑事诉讼法》明确规定不论任何诉讼阶段，除三类特殊案件外，辩护律师持“三证”就可以直接到看守所会见，而无需经过侦查机关批准；关于会见险，现行《刑事诉讼法》规定自移送审查起诉之日起，辩护律师会见犯罪嫌疑人、被告人可以向其核实有关证据。这样，辩护律师的会见权在立法上得到了保障，并使得会见得以实质化。关于阅卷难，现行《刑事诉讼法》已经将阅卷的范围由审查起诉阶段的诉讼文书、技术性鉴定材料与

---

① 顾永忠：《我国刑事辩护制度的重要发展、进步与实施——以新〈刑事诉讼法〉为背景的考察分析》，《法学杂志》2012年第6期。

② 现行《刑事诉讼法》将“尊重和保障人权”写入刑事诉讼法的任务中，参见现行《刑事诉讼法》第2条。

③ 之所以说“全面”扩充，是因为现行刑事诉讼法的修改从“涵盖诉讼阶段”“辩护形态”“辩护权能”三个维度对辩护权作了扩张。对此，本部分将从这三方面探讨辩护权扩张对刑事诉讼中人权保障的强化，但论述的重点集中于辩护权权能的扩张对人权保障的提升，并着重从条件性权利与保障性权利的扩张上切入。

④ 1996年《刑事诉讼法》第35条规定：“辩护人的责任是根据事实和法律，提出证明犯罪嫌疑人、被告人无罪、罪轻或者减轻、免除其刑事责任的材料和意见，维护犯罪嫌疑人、被告人的合法权益。”现行《刑事诉讼法》第35条规定：“辩护人的责任是根据事实和法律，提出犯罪嫌疑人、被告人无罪、罪轻或者减轻、免除其刑事责任的材料和意见，维护犯罪嫌疑人、被告人的诉讼权利和其他合法权益。”将合法权益修改为“诉讼权利和其他合法权益”实质上是实体与程序并重的辩护格局。

审判阶段的主要证据复印件统一扩展至全部案卷材料，这样就解决了“阅卷难”的问题。关于调查取证，“特别是侦查阶段有无调查取证权的问题略显复杂，观点不一”[①]，这主要是因为现行《刑事诉讼法》，肯定了辩护律师在侦查阶段辩护人的身份，但关于辩护律师在侦查阶段职责的规定又没有明确包括调查取证。对此，笔者认为既然辩护律师在侦查阶段具备了辩护人的地位，那么就当然地享有调查取证权，只是基于侦查秘密原则的要求，调查取证的范围应有所限制罢了，较之原《刑事诉讼法》在侦查阶段律师不具有调查取证权已是莫大进步。[②] 至此，以“法的效力位阶”为由横亘于解决“刑事辩护三难”道路上的大山已经搬走。[③]

无救济即无权利，现行《刑事诉讼法》在扩张辩护权的同时，也为辩护权的救济与保障提供了有效的途径。诸如赋予辩护人对办案人员及其工作人员阻碍其依法行使诉讼权利的行为与违反办案的行为提出申诉、控告的权利，又如法律援助的范围得以扩大、诉讼阶段得以提前、方式得以调整，再如初步构建起辩护人不被侦查机关违法追究伪证罪的保障机制。这些对于防止辩护权的虚化，确保辩护权的有效行使提供了切实保障。

在当代以及任何其他的时代，法的发展的重心既不在不立法，也不在于法学或司法判决，而在社会本身。[④] 因此，探讨了辩护权在实证法上的扩张对人权保障的强化后，有必要从更宏观、更深刻的视角探究人权保障思想在刑事诉讼中的演进。只有这样，对中国刑事诉讼人权保障的认识才不至停留于干瘪的、制度的、表面的认识。

正如冀祥德教授所言：“与 1996 年《刑事诉讼法》的修改主要考虑中国社会为推动改革开放、强调与国际接轨不同，2012 年《刑事诉讼法》修正案的出台更

---

① 主要有三种观点：第一，辩护律师在侦查环节没有调查取证权；第二，辩护律师在侦查环节有调查取证权；第三，辩护律师在侦查阶段有调查取证权，但取证范围应有所限制。参见卞建林、谭世贵：《中国刑事诉讼法学研究会年会文集：新刑事诉讼法的理解与实施》，中国人民公安大学出版社 2012 年版，第 72～74 页。

② 原《刑事诉讼法》第 37 条规定的律师调查取证权是赋予辩护律师的权利，亦即只有辩护律师才能享有 37 条规定的调查取证权，如果不是辩护律师就没有此项诉讼权利。而根据刑事诉讼法对辩护律师的界定，公诉案件只有自移送审查起诉时起，犯罪嫌疑人才能聘请辩护人，也就是说，在侦查阶段，犯罪嫌疑人聘请的律师不是辩护人，当然也就没有调查取证权。参见冀祥德：《中国刑事辩护制度发展的命运》，《北方法学》2007 年第 2 期。

③ 参见冀祥德：《论新〈刑事诉讼法〉人权保障的价值取向》，《中国司法》2012 年第 7 期。

④ 参见[奥]埃利希：《法社会学原理》，舒国滢译，中国大百科全书出版社 2009 年版，“序言”第 1 页。

主要地是为了回应中国社会快速转型的内在需要。”①这一转型突出地表现为“我国已经从一个‘整体社会’（或曰一元化社会）转变为‘多样化社会’，即经济成分和经济利益分配多样化、社会生活多样化、社会组织形式多样化、就业岗位和就业形式多样化”②。换言之，我国传统的一元社会结构在经济改革的强力冲击下发生了深刻的变化，培植出了独立于国家的、多元的利益集团，中国事实上已经由一致性社会演化为了多元社会。正如昂格尔所言：“在集团多元的情况下，为了公平地调整各种利益关系，必须制订一套中立的、具有普遍性和自治性的法律规范。”③申言之，这种多元化社会格局必然产生限制国家权力的强烈要求，而这种需求在刑事诉讼中最集中、最直接地体现便是强化辩护权，因为“辩护权本身体现的是以社会力量制约国家权力的现代民主思路，换句话说，这种权利的行使是否成功，关涉的不仅仅是某个被告的权利，而最终与整个社会的权利能否与国家权力形成有效的制衡密切相关”④。

由是观之，现行《刑事诉讼法》对辩护权的扩张，契合了新型的国家与社会关系格局对国家权力制约的需求，表明人权保障理念在更为广阔与深刻的视野下得到了进一步发展，并已经内化为中国刑事诉讼的内在品格。

（四）小结：中国刑事诉讼发展史就是辩护权扩张史

由上文的探究可知，辩护权的再生在审判阶段重塑起控、辩、裁三方共同参与的程序构造；辩护权向审前程序的延展弱化了审前程序的职权色彩、奠定了审前程序构造诉讼化的基础，同时间接地促进了审判程序诉讼构造的巩固，迎合了对传统庭审模式的当事人化改造；辩护权在深度与广度上的进一步扩张，不仅使得辩护律师的介入和参与贯通到诉讼的各个阶段，而且推进了现代程序构造由审判程序向审前程序的延伸，标志着原有单向行政治罪式的审前构造向控辩平等对抗的现代化审前结构演进。这种演进已显示出一种突破传统的张力，表明变革已经触及中国刑事诉讼现代化的深水区，而这也从侧面描绘出未来中国刑事审前程序现代化的应然路径。由是观之，回顾中国 1979 年以来《刑

① 冀祥德：《最新刑事诉讼法释评》，中国政法大学出版社 2012 年版，“序言”第 1 页。

② 樊崇义：《2012 刑事诉讼法：解读与适用》，法律出版社 2012 年版，“序言”第 1 页。

③ 在单一的国家对公民的两元社会结构下，国家有绝对的权威，单一的公民作为个体没有与国家对话的实力与地位，所形成的利益机制实际上是偏向国家这一强势集团的，因此在这样的结构条件下所孕育的规则必然难以具备中立性、公正性、普遍性等现代法治特征。

④ 冀祥德：《刑事辩护准入制度与有效辩护及普遍辩护》，《清华法学》2012 年第 4 期。

事诉讼法》的变迁历程，辩护权的扩张呈现出由一审程序为节点向前后诉讼阶段延伸的态势，而伴随辩护权扩张带来的"控辩平等对抗"的格局已经在刑事诉讼的各个阶段确立下来。

辩护权的扩张在优化诉讼构造的同时，也极大地提升了中国刑事诉讼的人权保障水平。尤其是辩护权能的丰富与辩护形态向程序性辩护的扩张，不但增加了犯罪嫌疑人、被告人及其辩护人与侦控机关交涉、对抗的手段，而且强化了诉讼权利遭受侵犯时的救济与保障。事实上，在司法审查机制以及沉默权规则未确立的制度背景下，审前程序中人权保障的实现主要依赖于刑事辩护制度，这尤为凸显了辩护权在中国刑事诉讼中的人权保障价值。

不仅如此，如果将辩护权的扩张与《刑事诉讼法》历次修改的主导因素联系起来作深入考究，我们会发现从权利保障观念的萌生，到人权保障思想的初次显露，再到人权保障理念的深入贯彻，辩护权的扩张可谓征表了人权保障的价值理念在中国刑事诉讼中的演进。这一演进历程不仅描绘出人权保障理念发展的阶段性特征，更重要的是其从法社会学视角提炼出"辩护权的扩张"与"人权保障理念产生、发展"之间的逻辑关联。

总而言之，辩护权的扩张促进了刑事诉讼整体构造的优化，推动了人权保障的进步与发展，可谓征表了中国刑事诉讼的现代化进程。因此，可以说"中国刑事诉讼的发展史就是辩护权扩张史"。

城市重大疫情风险应急防控制度的理念与运行机制*

楚道文**

摘要:重大疫情风险频发已经成为一个重要的城市问题。最优位原则强调重大疫情风险防控在城市治理中的特殊优先地位,体现了目的层面"以人为本"的治理理念,是以人民为中心的发展思想的必然要求。城市是疫情风险防控体系的关键节点,法律应赋权城市政府在初步判断疫情风险的情况下建立起多元主体下沉式社区网格疫情防控运行机制,从而实现风险不转化、疫情不扩散的制度目标。

关键词:城市;疫情风险;防控制度;最优位原则;下沉式网格

基金项目:2020年度教育部人文社会科学研究规划基金项目"环境健康损害赔偿制度研究"(项目编号:20YJA820004)阶段性成果。

一、以最优位原则作为城市疫情风险防控的基本理念

重大疫情风险频发已经成为一个重要的城市问题。城市问题是指城市在发展过程中出现的交通拥挤、住房紧张、环境污染、供水不足、能源紧缺、治安混乱,以及物质流、能量流的输入、输出失去平衡,需求矛盾加剧、公共卫生安全等问题。重大疫情风险属于公共卫生安全问题,是几乎所有其他城市问题在公众健康方面的集中体现。我国城市疫情风险问题十分突出,在近40年来发生了一系列疫情事件,例如,1986年新疆南部地区戊型肝炎暴发性流行,1988年上海市居民因食用毛蚶引发甲型肝炎暴发性流行,1989年西藏昌都地区炭疽突发事件,1997年人感染高致病性禽流感,1999年苏、皖突发O157∶H7出血性

* 第三十二届全国副省级城市法治论坛获奖论文三等奖。

** 楚道文,山东政法学院教授,法学博士。

肠炎大范围流行，2002年底至2003年SARS肆虐人类，2005年四川资阳市人感染猪链球菌病暴发，2008年安徽省阜阳市发生手足口病，以及当前新冠肺炎疫情等。

疫情风险防控制度的建构应以合理的治理理念为价值基础，这是完善疫情风险防控机制的逻辑起点。法治层面的治理理念即法治的原则，是疫情风险防控在法治思维下的价值选择和行动指向。与其他城市公共安全问题相比，重大疫情风险具有以下几个特征：其一，紧急性。疫情风险发生的时间、地点都无法准确预测，往往会突然出现，疫情初期病因不明，传染性强，但若等到蔓延之后再采取措施，后果将十分严重，需要在重大疫情风险发生时尽快采取应急防控措施。其二，扩散性。疫情具有传染性，一般会经历从个体到群体、从疫点到疫区的蔓延过程，应对疫情风险不仅要治疗患者，同样重要的是隔离相关人员，避免疫情的蔓延和扩散。其三，危害大。美国著名历史学家威廉·麦克尼尔讲，疫病是人类历史的决定因素之一，原因就在于疫病直击作为一切文明的根基和核心即人的身体，当众多人的健康与生命因疫病而丧失之时，会导致重大社会、经济影响，在历史上曾多次导致国家城邦的衰落和某些文明的消亡，如欧洲黑死病、安东尼瘟疫、雅典瘟疫都曾因大量人口死亡而导致文明的消亡，即使是战争也很少有如此大的破坏力。新冠肺炎疫情对中国的经济、社会的影响范围之广、幅度之深，是近40年来所未曾有过。因此，在所有城市公共安全风险中，应该将疫情风险防控置于最优先的地位，并将这种理念通过法律制度的方式加以固定，使之成为最优位原则。

最优位原则体现了疫情风险防控在目的层面"以人为本"的治理理念，是以人民为中心的发展思想和"始终把人民群众生命安全和身体健康放在首位"的必然要求。在我国，古人很早就提出了"民为邦本，本固邦宁"，这是我国"民本"思想的源泉。在新时代，从"人"出发，为"人"而治，是国家治理的初心和"为了人民"的使命。重大疫情风险在本质上是一个公共健康问题。"小康"社会首要标准是"康"，包括身体健康、生活富康、国家康盛，而身体健康无疑是"小康"之本。在人口大量聚集的城市区域，如果疫情风险不能得到有效防控，将会造成远大于其他城市问题的损害后果。因此，必须在最优位原则指导下，以全局思维和总体安全观来认识和对待重大疫情风险，一切以人的健康为出发点，将风险不转化、疫情不扩散作为城市疫情风险防控制度的目标，保障人民身体健康和公共卫生安全。因此，在依据最优位原则制定和实施疫情风险防控制度时，应该克服几种错误的认识：(1)认为在对疫病病毒的危害性有定论之前无法采取措施。在重大疫情风险防控中，时间就是生命，如果等到人们对病毒的危害性认识清楚了才采取措施，很可能会因为疫情已经扩散和蔓延而错过了最佳的防控时间关口。我们不能因为科学上尚不确定而怠于采取强有力的预防措施，只要有初步证据证明重大疫情的客观存在并对人体健康和公共卫生安全具有危害性，就应该立即行动。(2)认为对还未确诊的人员无须采取措施。受制于检测技术和人们对疫情和病毒的认识水平，确认被感染者有一个过程。如果仅仅因为未检测、未被确诊而怠于采取隔离、治疗措施，不但会造成患者病情的延误，还会造成更大范围的传染。而且，任何疫情都具有一个潜伏期，许多人即使已经被感染却没有任何症状，但仍然具有传染性，他们的危害性更大、更隐蔽，应该尽快采取隔离等措施。(3)认为在疫情初期就采取医疗以外的综合措施会产生较大的社会经济影响。客观地讲，任何疫情的发生都会产生一定的社会经济影响，而恰恰在最初阶段采取措施"影响"才最小；而且，疫情危害的是人的生命和公共健康，与其他任何所谓的影响相比，防控疫情的扩散都应该是首要的。此外，迟迟不采取防控措施就会因信息不明而产生恐慌，给谣言在互联网等途径的传播留下空间。(4)最优位原则不意味着"蛮干"甚至是为摆脱懈怠、滞后嫌疑的"抢先干"。任何疫情风险防控措施都应该讲究时机和条件，没有"疫情"就没有最优位，"蔓延"和"扩散"就意味着没有落实"最优位"原则。所以，只要确定存在危害人体健康和公共卫生安全的病毒传播就应该立即采取措施，只要是与感染者有关的人员、区域都应该立即纳入防控的范围，即使无法预判社会经济影响也要坚决在医疗措施以外进行社会动员和实施严厉的管控措施，这正体现了将公共卫生安全放在最优先位置的总体安全观。

我国公共卫生安全治理的相关法律规定在一定程度上体现了最优位原则，但也存在不足。(1)"预防为主"是《国家突发公共卫生事件应急预案》规定的第一项工作原则，正说明了该原则在重大疫情风险防控中的特殊作用。《预案》规定的第三项工作原则是"依法规范，措施果断"，要求即使还未确认为公共卫生事件，而只是在"可能发生公共卫生事件"的情况下，也应该及时、有效开展处理工作，而不仅仅是上报信息。(2)重大疫情风险防控最优位原则也可以在《国家安全法》[①]找到支撑，按照该法第 3 条[②]规定，人民安全是总体国家安全观的宗旨，在国家安全体系处于首位。我们当然可以将影响"人民健康"的重大疫情风险防控纳入保障"人民安全"的范畴，这体现了重大疫情风险作为公共卫生安全问题在整个国家安全体系中的首要地位。不过，该法第 2 章"维护国家安全的任务"中将公共卫生安全作为公共安全的内容规定在比较靠后的第 29 条，该规定与"人民安全"的定位不相适应。(3)《突发事件应对法》是重大疫情风险应对的直接法律依据，该法第 3 条界定了"突发事件"[③]，列举的四种突发事件中，公共卫生事件仅属于其中之一，并没有作出优先于或区别于其他突发事件的特殊规定。这就意味着，按照该法对突发事件进行调整时，无法在预防、应急准备和处置等方面突出重大疫情风险的优先性。因此，有必要对《突发事件应对法》等相关法律进行研究和修改，突出重大疫情风险防控的特殊优先地位，把最优位原则作为一项法治原则，使之具有普遍的约束力。

二、以城市作为疫情风险防控体系的关键节点

治理制度的目标必须通过架构治理体系和提升治理能力来实现。在治理体系中，最关键的是治理主体的设定[④]，这是进行疫情风险防控的基础和所有疫情风险防控活动的总前提。习近平总书记在上海考察时强调："城市治理是推进国家治理体系和治理能力现代化的重要内容。"从疫情风险防控的区域层级来看，有全球防控、区域共同体防控（如欧盟等）、国家防控、州（省）域防控、城市防控、县区防控、乡镇（街道）防控、社区（乡村）防控以及更小的住宅小区和村小组防控等。然而，在这众多的防控层级中，只有城市防控是在极度有限的地

---

① 按照《国家安全法》第 2 条规定，国家安全是指国家政权、主权、统一和领土完整、人民福祉、经济社会可持续发展和国家其他重大利益相对处于没有危险和不受内外威胁的状态，以及保障持续安全状态的能力。由于"公共卫生安全"与人民福祉紧密相关，重大疫情风险严重威胁人民福祉，所以"公共卫生安全"应属于该法所规定的"国家安全"范畴。

② 参见《国家安全法》第 3 条，国家安全工作应当坚持总体国家安全观，以人民安全为宗旨，以政治安全为根本，以经济安全为基础，以军事、文化、社会安全为保障，以促进国际安全为依托，维护各领域国家安全，构建国家安全体系，走中国特色国家安全道路。

③ 《突发事件应对法》第 3 条规定："本法所称突发事件，是指突然发生，造成或者可能造成严重社会危害，需要采取应急处置措施予以应对的自然灾害、事故灾难、公共卫生事件和社会安全事件。"

④ Yvan Renou，Thomas Bolognesi，"Governing Urban Water Services in Europe：Towards Sustainable Synchronous Regimes，"*Journal of Hydrology*，Vol. 573(June 2019)，p. 573.

域空间上对高度聚集的大规模常住人群和多重累加的政治、经济、文化资源展开的，城市作为人类文明发展成果的聚集之地，天然成为风险的焦点所在，城市风险防控成为社会各界广泛关注和探讨的重要课题①，它有着所有其他防控层级所不具有的特殊地位，在整个国家的疫情风险防控体系中处于关键的位置，降低风险已经成为现代城市政府的基本目标。② 因此，我们应该以最优位原则为指导，优化疫情风险防控体系，赋予城市以特殊的治理地位。

城市是疫情风险的主要集结和暴发地。(1)城市人口众多，需要大量的自然资源的输入，由于城市比乡村更远离自然，作为自然要素的野生动物、植物甚至是沙土等进入城市以后，改变了原来的温度、湿度、光照和生态系统等"原生态环境"，会导致野生动物、植物、沙土等原生态自然要素本身的变化，也会导致这些自然要素所携带的病毒、细菌的状态发生变化，有的不能适应而死去，有的可能变得更活跃，甚至将人类作为宿主。(2)城市区域内大气污染、水污染、固体废物污染等多种环境问题交叉影响、叠加，会催生一些新的传染疾病。③ (3)城市贫困更容易导致疫病发生。城市贫困区卫生设施落后，卫生环境差，生活垃圾、排泄物在空间狭窄的生活区积聚，有利于传播疾病的蚊蝇蛆虫滋生，增加了人类接触病原微生物的机会，疫病风险也增加了。④ 所以，城市是人群、机构、资源和财富的积聚之处，也是问题、矛盾、风险和危机的积聚之处。⑤ 历史上的大的瘟疫大都肇始于城市。雅典和罗马都是古代城邦，先后发生过雅典瘟疫和罗马安东尼瘟疫。⑥ 中国城镇化是人类历史上最快的城镇化⑦，从新中国

---

① 参见詹承豫、宣言:《城市风险治理中的风险沟通制度——基于30部法律规范的文本分析》,《行政法学研究》2016年第4期。

② 参见[美]凯斯·孙斯坦:《风险与理性——安全、法律及环境》,师帅译,中国政法大学出版社2005年版,前言。

③ 到19世纪的下半期。也有科学家证明,并不仅仅只是病原体能够引起疾病,引起疾病还可能跟环境因素、自身因素有关。例如,当时,德国科学家皮腾科费尔用霍乱弧菌兑水之后自己喝下去了,可能是病原浓度不高,他自己并没有出现霍乱病症,以此,他试图证明,一种病原体能否致病,并不只是与病原体有关,也有可能与环境和自身的免疫力有关。

④ 巴斯德证明了腐败变质是由某种飘浮在空气中的微生物导致的,而不是自然发生的。柯赫制定了一套法则,用科学的方法验证细菌与疾病之间的关系,后来称为科赫氏法则。这是一个非常大的进步。

⑤ 参见莫于川等:《从城市管理走向城市治理》,《行政法学研究》2013年第3期。

⑥ Peng Kang, Linyu Xu, "The Urban Ecological Regulation Based on Ecological Carrying Capacity," *Procedia Environmental Sciences*, No. 2, 2010, pp. 1692-1700.

⑦ 参见李瞳:《城市治理将成发展新重心》,《经济日报》2018年6月13日。

成立初期城镇人口5000多万，一举跃升到2018年城镇人口8.3亿，占总人口的比例也从10%左右增长到59.58%。[①] 可以说，我国在半个多世纪的时间里完成了西方国家几个世纪的城市化进程。伴随着高速的城市发展，我国也普遍产生了较严重的城市问题，如环境污染、城市贫困、交通拥堵、公共服务欠缺等，特别是在突如其来的重大疫情面前，城市因为人口密集、产业集聚、功能多样等特征而面临巨大的应急防控压力，极易引发大规模流行性疾病。[②] 伴随着交通跨越式发展，飞机、高铁、地铁、私家车等为人们的出行带来了更多的便捷，人口流动性空前提高，也使疫情扩散能力大大提高。

我国一直非常重视包括疫情防控在内的城市公共卫生安全问题。《国家卫生城市标准》专门对传染病防治和病媒生物预防控制作了要求。《传染病防治法》在第5条确定了“各级人民政府”是传染病防治工作的领导主体，有责任建立健全传染病防控体系。2015年，中央城市工作会议曾要求：“要把安全放在第一位，把住安全关、质量关，并把安全工作落实到城市工作和城市发展各个环节各个领域。”在当年11月9日中央全面深化改革领导小组第十八次会议上提出了“坚持以人为本、源头治理、权责一致、协调创新”的城市治理原则。紧接着在12月14日的中共中央政治局会议上，习近平总书记强调：“要提高城市管理水平，落实城市管理主体责任，改革城市管理体制，理顺各部门职责分工，严格安全监管，健全城市应急体系。”至此，我国以城市为管理单元的国家治理体系的框架基本形成。[③]

但我们也要看到，我国以城市为关键节点的疫情风险防控法律制度还存在着较大的不足。《国家突发公共卫生事件应急预案》要求“做到早发现、早报告、早处理”，武汉市做到了“早发现、早报告”，但却没有采取强有力的风险防控措施。问题出在了哪里？疫情预警是确认疫情风险并采取防控措施的前提，没有预警(风险)就没有防控。《突发事件应对法》第43条规定，可以预警的自然灾害、事故灾难或者公共卫生事件即将发生或者发生的可能性增大时，县级以上地方各级人民政府应当根据有关法律、行政法规和国务院规定的权限和程序，

---

① 参见中华人民共和国国家统计局：《中国统计年鉴(2019)》，中国统计出版社2019年版，第33页。

② 参见张海波、童星：《中国应急管理结构变化及其理论概化》，《中国社会科学》2015年第3期。

③ 参见丁惠平：《居间往返：支持型社会组织的行动机制——以北京市恩派非营利组织发展中心为个案》，《贵州社会科学》2019年第11期。

发布相应级别的警报，决定并宣布有关地区进入预警期。那么，有无法律对武汉市的“警报发布权”作出规定呢？答案是没有。《传染病防治法》第19条规定，只有国务院卫生部门和省级政府才有发出传染病预警并进行公布的权利。这个规定与《传染病防治法》第38条和《突发公共卫生事件应急条例》第25条规定的疫情信息公布制度是相联系的，疫情暴发、流行时，一般是由国务院卫生部门向社会公布疫情信息，即使是省级卫生部门只有获得授权后才可公布相关信息。再结合《突发事件应对法》第44、45条的规定，只有宣布进入预警期后，县级以上政府才可启动《突发公共卫生事件应急预案》，采取相关措施，否则，即使认为可能发生重大或者特别重大突发事件的，也只能按规定向政府报告，并向有关单位通报。因此，《突发事件应对法》《传染病防治法》等法律并没有赋权，武汉市政府确实无权公布疫情信息，而不公布疫情信息，当然也就无法采取疫情应对措施。

城市疫病风险防控体系是保护人民群众生命安全的首道重要屏障，只有构建起科学的城市疫病风险防控体系，才能有效保障和改善公众健康，维护公共健康权益，提升防控突发疫病风险的能力。危机也可能是机遇。每一次疫病发生都会在一定程度上暴露公共卫生管理制度的问题，也正是在不断吸取教训和总结经验的基础上推动了公共卫生管理制度的现代化。比如“黑死病”在欧洲肆虐期间，拉古萨共和国就设立了检疫制度，这也是现代检疫制度的发源。[①] 1910年鼠疫的流行对中国现代医学及公共卫生的产生有着重要的影响。2003年SARS事件之后，深刻的教训使得人们意识到公共卫生的重要性，我国下大力气改变了原来公共卫生不太受重视的状况，建立和完善了诸如传染病直报等公共卫生管理制度。针对新冠肺炎疫情中暴露的城市疫情风险防控体系问题，我们可以参照突发环境事件的应急管理规定。《突发环境事件应急管理办法》第23条规定[②]，第一，突发环境事件的发生或可能发生的单位是第一顺位的应对主体，突发事件在哪里，应对措施就在哪里，点对点，这是精准防控。第二，突

---

① Robert J. Bennett, “Public Finance, Public Administration and Spatial Policy: Recent Developments in Urban Systems and Policy Responses in the USA, UK and FRG,” *Political Geography Quarterly*, Vol. 5, No. 4(Oct. 1986), pp. 119-133.

② 《突发环境事件应急管理办法》第23条规定，企业事业单位造成或者可能造成突发环境事件时，应当立即启动突发环境事件应急预案，采取切断或者控制污染源以及其他防止危害扩大的必要措施，及时通报可能受到危害的单位和居民，并向事发地县级以上环境保护主管部门报告，接受调查处理。

发环境事件的单位可以在第一时间启动突发环境事件应急预案，而向环境保护部门报告则是在采取积极措施之后“及时”履行的法律义务，体现了一个“快”字，可以真正做到将风险、损失降到最低，这是高效防控。第三，应急预案的启动无需以政府部门的“预警”为前提条件，甚至也不以“发生了”突发环境事件为条件，只要存在发生的“可能”，即可以启动预案和采取措施。这些规定真正体现了“应急”特点。因此，在以城市为关键节点的重大疫情风险防控体制中，要么下放疫情信息公布权限，要么在不修改《传染病防治法》和《突发事件应对法》中的疫情信息公布权限的前提下，允许城市政府在初步判断疫情风险的情况下采取必要的防控措施。

三、以下沉式网格作为疫情风险防控机制的基本模式

所谓机制是指各要素之间的结构关系和运行方式[①]，是一个工作系统中的组织或部分之间相互作用的模式，通过对各个组织或部分的调节，使各要素相互磨合，从而使整个工作系统得以正常运行。[②] 城市重大疫情风险防控机制实质上属于城市公共卫生危机治理的模式选择问题。

“举国救灾”是我国传统的公共卫生安全风险防控机制[③]，但这种模式忽视政府以外其他主体的作用发挥，可能形成对政府的惯性依赖；政府的权威延伸到基层的边际成本越来越高，也会出现所谓的“政府失灵”而不利于风险防控的情形。[④] 另一方面，被动员起来的非政府主体的参与行动存在盲目性、临时性和随意性，甚至出现“志愿失灵”现象。[⑤] 为此，需要在危机减缓与风险防控过程中高度信任地对政府体系之外的组织化行动委以适当对应的放权和授权[⑥]，提供制度化安排和建构组织间协同合作的工作网络。自 20 世纪 90 年代起，我

---

① 参见任静、袁聚录：《城市公共危机事件应急管理机制相关概念与理论析述》，《华北理工大学学报》（社会科学版）2016 年第 6 期。

② 参见莫于川：《柔性行政方式法治化研究：从建设法治政府、服务型政府的视角》，厦门大学出版社 2011 年版，第 34 页。

③ See Grand，Julianne，“The Theory of Government Failure，”*British Journal of Political Science*，Vol. 21，No. 4（1991），pp. 423-442.

④ 参见罗忠桓：《提高应急管理社会参与力》，《中共山西省委党校学报》2015 年第 3 期。

⑤ 参见陈珑凯、唐敏康：《多元主体在城市公共危机管理中的有效参与》，《中国应急救援》2018 年第 6 期。

⑥ 参见刘霞、向良云：《公共危机治理：一种不同的概念框架》，《新视野》2007 年第 5 期。

国各大城市着力提升治理能力，探索构建“政府强、市场灵、社会活”的良性格局。随着城市单位制的消融以及国家对于城市社区直接管控的减弱，城市社区治理的主体开始由一元向多元转变，并逐步形成了街道、社区居委会、社区居民以及社会组织之间错综复杂的制度结构和权力关系。[①] 这种多元主体下沉式社区网格防控机制在应对新冠肺炎疫情中得到了强化和提升。例如，在疫情防控策略上，中央提出了突出重点、统筹兼顾，分类指导、分区施策的要求；国务院联防联控机制印发的《关于科学防治精准施策分区分级做好新冠肺炎疫情防控工作的指导意见》中也提出了“分区分级精准防控”的应对策略。

社区网格是疫情风险防控机制的着力点。任何治理都应该从保障公民权利的立场出发，社区自治恰好满足了这样的需求。[②] 传统的集团理论认为具有共同利益的个体，会采取行动增进集团的共同利益[③]，而个体或群体正遭受的苦难体验是集体行动产生的催化剂[④]。社区是城市的基本构成，在疫情风险背景下，网格内的居民天然地遭受着共同的威胁，是城市疫情风险的最终承载体，他们有采取共同行动对抗疫情风险的动机和需求。[⑤] 因此，以市级的城市疫情防控为轴心，建立市级、区级防控力量下沉到社区组成社区级防控网格是城市疫情防控机制的关键所在。疫病患者的治疗在医疗机构，而疫情风险的防控工作却主要在社区。我国共有近 65 万个城乡社区，是疫情防控的基础环节和前线“战场”。在这次新冠肺炎疫情中，济南市等城市都率先采用了小区封闭管理等网格化疫情风险应对措施，湖北以外的其他省市区的城市也大都较早采取了类似措施。实践证明，这种网格化的管理产生了惊人的效果，新冠肺炎疫情没有在湖北以外所有其他中国城市大规模蔓延，应该归功于网格化治理机制。

多元主体的下沉式协同治理是城市疫情风险防控的运行方式。所谓“下沉式”，是指各级管理人员、专业人员、服务人员都应该下沉到社区参与网格疫情

---

① 参见宋雄伟：《社会组织参与城市社区治理的制度环境与行动策略》，《江苏社会科学》2019 年第 2 期。

② 参见周庆智：《基于公民权利的城市社区治理建构》，《学习与探索》2015 年第 3 期。

③ 参见陈天祥、叶彩永：《新型城市社区公共事务集体治理的逻辑》，《中山大学学报》（社会科学版）2013 年第 3 期。

④ 参见刘能：《怨恨解释、动员结构和理性选择——有关中国都市地区集体行动发生可能性的分析》，《开放时代》2004 年第 4 期。

⑤ 参见林梅、索南曲珍：《新时代城市基层社会治理改革的制度创新》，《科学社会主义》2019 年第 2 期。

风险防控，形成多元主体协同防控机制。例如，疫情风险防控既是一个社会管理问题，也是一个卫生专业问题，应该为每个网格管理组织配备医疗专业人员，以便能够及时发现并初步确认可能的感染者，并根据患者病情需要送到相应级别的医疗机构进行确认、排除和治疗。在协同治理的理念下，政府在发挥主导作用的同时，加强对社会多元主体的支持培育，为社会构建起制度化的沟通渠道和参与平台，使得社会在主管治理、参与服务、协同管理等方面发挥出更大的作用。① 治理主体多元化符合《宪法》的要求，是人民主权原则的切合实际的实现途径。② 在重大疫情风险防控中，我们必须拥有的共识是：仅仅凭借一以贯之的纯行政手段与单向管控的社会动员方式无法高效应对疫情风险，必须能够迅速发展起非政府组织和民间社会力量与政府一道采用下沉到社区的方式共同面对疫情风险，利益相关方通过开放参与、平等协商、分工协作的方式达成城市公共事务的决策，以实现城市公共利益的最大化。③ 因此，政府应对重大疫情风险必须实现从传统管理向现代治理模式的转变，构建起公民个体—社会群体—政府部门—整个国家一体化，点、线、面相结合的动态性、柔性化的疫情风险防控运行机制。④

下沉式社区网格防控机制能够实现疫情精准防控。精准防控是指针对不同区域疫情风险的大小区别对待、有的放矢，做到"循证决策"，"靶向治理"。疫情风险来临之时，如果在整个城市区域内实行平均发力的平面化管理，一方面会造成极大地浪费，另一方面也可能加速疫情的传播速度，因为平面化的治理机制无法实现定点预防，出于趋利避害的心理动机，感染者或密切接触者总是会去最佳医疗点进行检测和救治，他们不但成了移动的传染源，而且最终会导致所谓的最佳医疗点不堪重负，丧失其在疫情中治疗危重患者的托底功能。最终结果是，整个城市的疫情风险防控陷入混乱，疫情的扩散几成必然。因此，疫情风险防控不能盲目进行，无序的风险防控不但会造成极大地浪费、损耗风险应对的潜能，还可能疏漏风险的闸门，转化为严重的现实疫情。网格化的社区是一个相对封闭的区域环境，也是疫情风险防控的第一道关卡，多元主体下沉

① 参见蔺丰奇、李颖慧：《论城市社区协同治理的制度建设——基于社会学制度主义的分析视角》，《行政科学论坛》2014 年第 3 期。

② 参见高秉雄、张江涛：《公共治理：理论缘起与模式变迁》，《社会主义研究》2010 年第 6 期。

③ 参见何增科：《城市治理评估的初步思考》，《华中科技大学学报》(社会科学版)2015 年第 4 期。

④ 参见李奇伟、秦鹏：《城市污染场地风险的公共治理与制度因应》，《中国软科学》2017 年第 3 期。

式治理为有效防控提供了组织保障，通过在社区网格采取隔离、封控、排查等措施实现对社区人员车辆流入流出、体温监测和登记进行全天候管控，对于患者、疑似者、患者密切接触者及来自疫情重点地区的人员等可以分门别类地作出相应预案，进行精准管理和动态监测，阻止或阻断疫情的社区传播[①]，是一种实现关口前移和“外防输入、内防扩散，削峰延时、降低危害”的有效运行机制。因此，下沉式社区网格风险防控机制可以实现以最小的成本实现最优结果，是“风险不转化、疫情不扩散”制度目标的最优路径。

下沉式网格防控机制何时启动？这是城市应对疫情风险的一个关键问题。网格化的对象是人，是对居住、生活在特定区域范围内的人的规范治理措施，而且“网格”是一个微化概念，在地理上表现为治理“点”，属于《传染病防治法》规定的“疫点”，不是《传染病防治法》所规定的“疫区”，在适用《传染病防治法》时，应注意选择恰当的条款。例如，按照《传染病防治法》的规定，认定“大、中城市”为“疫区”并采取“封锁”措施的权限在国务院[②]，这是大、中城市的重点地位决定的，是合理的规定。但是，县级以上地方人民政府有权采取“封闭可能造成传染病扩散的场所”等切断传染病传播途径的措施[③]，并可以对有甲类传染病病例的场所及场所内的特定区域的人员采取隔离措施[④]，并报上级政府决定。这里规定的“场所”当然可以是有疫情风险的“社区(村)”等区域，实际上就是分级分区网格化管理的规定，赋予了城市政府采取隔离疫情风险点和人的“先斩后奏”的权力。

四、结语

在疫情风险防控中，自我防护是第一位，互助是第二位，公助是第三位，而社区网格防控机制则是“三助”的有机结合，已成为中国式疫情风险防控的独特优势。重大疫情风险意味着重大健康损害的可能性，必须在最优位原则指导下，以风险不转化、疫情不扩散为城市疫情风险防控制度目标，构建起下沉式网

---

① 所谓“社区传播”，通常来说，一个地区持续出现感染来源不明的病例，或出现感染来源不明的局部暴发，就算出现了社区传播。一旦形成明显的社区传播，病例的感染来源不容易查清，病例不能及时发现，病例数会快速上升，疫情扩散的风险也会比输入期要大。

② 参见《传染病防治法》第 43 条。

③ 参见《传染病防治法》第 42 条。

④ 参见《传染病防治法》第 41 条。

格防控运行机制。当然，好的运行机制也有其合理性的边界，下沉式城市网格疫情风险防控机制的运行还应注意三个方面的问题：其一，突出法治思维。疫情风险防控属于城市应急治理活动，涉及网格内千家万户和每个人的利益，虽然因为疫情风险防控的需要会采取对行为进行限制、对财产进行征用、对物资进行管控等措施，但是，这些预防措施都应该在法律规定的范围内开展，否则就会引起不必要的抵触，也有损法治的权威。[①] 在新冠肺炎疫情防治中，各地都发生了一些过度执法、任意限制人身权利甚至在居民家中破坏其私有生活用品的管制行为，产生了较坏的社会影响。其二，突出统筹方法。在疫情风险面前，全力防控当然是首要任务，其他所有活动都应为疫情风险防控让路。但应注意到，即使是在疫情风险防控期间，社会仍需要运转，特别是民众的基本生活需要一刻也不能疏忽，一些企业的生产活动也应该持续进行。这些问题如果处理不好，必然会影响风险防控的效果，甚至会冲击已经取得的成绩。所以，必须统筹考虑，协同运作，保障各方面的基本需求，维护经济、社会的稳定，为疫情风险防控创造协调的外部环境。其三，突出科技优势。疫情风险防控的专业性很强，不但需要专业人员的参与，而且，由于疫病的传染性特点，基层网格管理人员也面临着较大的感染威胁，因此，应该尽可能地借助大数据、网络通信、远程检测等现代技术手段，提高治理效率，实现疫情风险的最大可能的防范。例如，在新冠肺炎疫情防控中，大数据技术已经应用于决策、发现、处置的全过程。这些数字化工具有利于公众做好自身防护，阻断疫情传播。[②]

---

① 参见[美]尼古拉斯·亨利：《公共行政学》，项龙泽，华夏出版社 2002 年版，第 34 页。

② Chiara Poletti, Marco Michieli, " Smart Cities, Social Media Platforms and Security: Online Content Regulation as a Site of Controversy and Conflict City, " *Territory and Architecture*, Vol. 5, No. 1, 2018, pp. 1-14.

基于胜任力视角的基层公职人员应急性公共服务能力提升研究*

高海虹**

摘要:突发公共事件中,基层公职人员的应急性公共服务能力水平不仅直接反映出政府治理能力的高低,更是维护社会安全稳定、确保社会经济健康发展的重要因素。胜任力理论能够更加清晰地区分基层公职人员特质,对应急性公共服务能力研究起到导向性作用。本文从胜任力视角探讨新时期突发公共事件对基层公职人员的应急性公共服务能力的要求,以新冠肺炎疫情为例分析基层公职人员应急性公共服务能力的缺失及其原因,并根据胜任力"冰山"理论分别从"冰下"部分、"冰上"部分、"外部"环境三方面提出基层公职人员应急性公共服务能力的提升策略。

关键词:突发公共事件;基层公职人员;应急性公共服务能力;胜任力

伴随社会经济的快速发展,突发公共事件暴发频率不断增高。自 2001 年的美国"9·11"事件、2003 年的 SARS 疫情、2008 年的汶川地震,再到 2020 年的新冠肺炎疫情,这些突发公共事件日益呈现常态化、高频性发展趋势,已经成为损害人民健康、影响人民工作和生活,阻碍社会经济健康发展的一大重要因素。由 2020 年的新冠肺炎疫情来看,其作为全球性重大突发公共卫生事件,不仅对医疗卫生体系提出严峻挑战,同时也是对我国各级政府治理能力,特别是应急性公共服务能力的重大考验。

---

* 第三十二届全国副省级城市法治论坛获奖论文三等奖。

** 高海虹,济南大学政法学院教授,法学博士,硕士研究生导师。

突发公共事件具有预测困难、状况突发、扩散快速、危害广泛以及处置紧迫等基本特点。政府对突发公共事件的管理属于其应急管理职能范畴。政府通过对突发公共事件展开预防、应对、处置和善后等工作,以最大限度减少事件带来的损失及不良影响。基层公职人员既是党和政府各项方针政策的具体组织者和执行者,又是各项公共服务的主要提供者,其公共服务动机和行为模式直接影响着政府职能的发挥和公共服务的供给效率,是突发公共事件的主导者和先锋军。胜任力作为潜在特质,对于基层公职人员公共服务能力的提升具有重要作用。因此,由胜任力视角探讨新时期突发公共事件对我国基层公职人员的应急性公共服务能力的要求,分析当前基层公职人员应急性公共服务能力的缺失及其原因,对于不断提升基层公职人员应对突发公共事件的能力和水平,构建完善的应急管理体系具有重要意义。

一、基于胜任力视角的基层公职人员应急性公共服务能力要求

1973 年,哈佛大学教授戴维·麦克利兰首次提出"胜任力"的概念,他指出:"胜任力是与工作绩效或生活中其他重要成果直接相联系的知识、技能、能力、特质、或动机。"[①]其后一些学者从不同的视角对胜任力展开了探讨,其中关于胜任力特征研究的主要观点有:具有普通胜任、特殊胜任和个人品质等三维度[②],具有任务胜任力、职业胜任力、政治胜任力和道德胜任力等四维度[③],具有自我意识、自我管理、自我动机、社会意识和社会技能等五维度[④]。基层公职人员胜任力是指基层公职人员所拥有的内在与外在特质,这些特质是使其公共服务能力有效提升的关键。结合突发公共事件的特点,基层公职人员胜任力特征可以划分为应急性公共服务动机、服务技能和服务技巧三个维度,可以从这三个维度对基层公职人员的应急性公共服务能力要求进行分析。

(一)具有端正的应急性公共服务动机

基层公职人员公共服务动机是指基层公职人员所具有的超越自我利益、服

---

① David C. McClelland, "Testing for Competence Rather Than for 'Intelligence'," *American Psychologist*, 1973, p. 120.

② A. Tutu, T. Constantin, "Understanding Job Performance through Persistence and Job Competency," *Procedia social and Behavioral Sciences*, 2012, p. 98.

③ 参见刘福成、黄志明:《国内外关于胜任力模型研究的综述》,《赤峰学院学报》2014 年第 20 期。

④ D. Goleman, *Working with Emotional Intelligence*, New York: Bantam Books, 1998, p. 24.

务民众的价值观念和内在意识，其内核是为民服务，为社会利益服务。端正的公共服务动机是建立服务意识强、服务能力佳、专业素质强、服务效率高的基层公职人员队伍的基本前提。面对突发公共事件，人民的健康安全受到严重威胁，必然会产生恐慌、不安和烦躁情绪，也同时会对作为“保护人”的基层政府提出更多要求。而此时，基层公职人员既是普通公民，同样面临着上述心理恐慌，同时又肩负着应急性公共服务的职责。因此，突发公共事件对基层公职人员的应急性公共服务动机提出了更高的要求。佩里将公共服务动机划分为三种类型，即理性动机、规范动机和情感动机。结合突发公共事件的特点，应急性公共服务动机可包括三方面：一是指认可并追求自身效用的理性动机，如积极参与公共政策的制定、公共事务的商定等；二是指遵从各项规则的规范动机，如对政府的忠诚、自我规范以及为公共利益服务的责任等；三是指对国家和社会的情感动机，如正确的政治价值观、对他人的同情心、助人心及自我牺牲等。

（二）具备专业的应急性公共服务技能

基层公职人员的应急性公共服务技能是指在突发公共事件的全过程中，基层公职人员为生产和提供相关公共服务产品而具备的专业知识、技术和能力。基层公职人员的专业性公共服务技能是提供高质量应急性公共服务的决定性条件。首先，基层公职人员需要具备事前预判能力。基层公职人员需要在日常工作中及时捕捉、收集、整理并预判公共危机，尽可能在公共事件发生前进行相应处置，最大程度地减少其发生所造成的损失。其次，基层公职人员需要具备事中应急状况处置能力。在突发公共事件中，基层公职人员需要迅速判断事件的紧急性并做好应急预案，向公众及时公开信息并实施相应的处置工作，争取短时期内化解问题矛盾，防止事态进一步扩大。再次，基层公职人员需要具备善后处置能力。突发事件的结束并非意味着危机的完全消除，基层公职人员需要时刻保持危机感和急迫感，进行实时研判。同时，突发公共事件结束后，特别是事故灾难类事件，基层公职人员还需要具备灾后处置、损失评估和反思总结等能力。

（三）具备科学的应急性公共服务技巧

基层公职人员的应急性公共服务技巧是指在突发公共事件中基层公职人员提供公共服务的方法和手段。突发公共事件本身具有复杂性、多变性等特点，加之公众公共服务需求的多样化，对基层公职人员应急性公共服务的技巧也提出了更高要求。基层公职人员应急性公共服务技巧主要包括三类：第一类是应急协调技巧。突发公共事件中，基层公职人员需要通过制度、政策、法律以及事件信息等统筹协调包括本单位、外部相关单位及民众等的行动，整合多方可利用资源，以便在应急性公共服务供给过程中高效配合、快速化解问题。同时，面对公共突发事件中民众出现的情绪不稳、需求多元等状况，基层公职人员还需要具备良好的沟通联系民众能力和人际关系协调能力。第二类是应急应变技巧。面对突发公共事件，基层公职人员不仅需要具备临危不乱的基本素质，还需要准确掌控事件的发展方向、机智果断地判断调整行动方案以及快速灵活地采取措施处置突发性问题。第三类是正确引导舆论和民众的技巧。在突发公共事件中，基层公职人员需要向广大民众及时公开相关信息、积极正向引导媒体舆论、监督制止各类谣言传播等，为突发公共事件营造良好的舆论氛围。

二、我国基层公职人员应急性公共服务能力存在的问题分析

突发公共事件的应急管理能力是国家治理现代化的重要衡量指标之一，而基层公职人员的应急性公共服务能力则是应急管理能力的重要体现。党的十八大以来，我国突发公共事件的应急管理能力有了大幅度提升。2020 年的抗击新冠肺炎疫情，是对国家应急管理能力的一次重大考验。在这次考验中，我国基层公职人员通过快速投入应急准备、深入推进预防预警、迅速展开应急处置、妥善进行善后恢复等全方位工作，使应急性公共服务工作取得了突出成效，地方政府的应急能力有了显著提升。但与此同时，也暴露出我国基层公职人员应急性公共服务能力存在的一些问题。

（一）基层公职人员公共服务动机方面

基层公职人员公共服务动机主要包括公共利益承诺、公民责任、自我牺牲、公共政策参与和工作动机五个维度。为深入了解基层公职人员公共服务动机状况，本研究团队于 2019 年 6 月至 10 月在山东省、河北省、山西省等地专门针对县处级以下基层公职人员展开了公共服务动机的问卷调查，共发放问卷 4580 份，回收有效问卷 4338 份。调查问卷采用里克特量表 5 级评分法。问卷调查结果显示，就公共服务动机的各维度来看，同情心得分最高，分值为 4.59；其次依次为公民责任、公共利益承诺、公共政策参与和自我牺牲，分值分别为 4.44、4.24、4.16 和 4.04；得分最低的是工作热情，分值为 2.91。总体来说，从

公共服务动机各维度来看，基层公职人员公共服务动机整体状况良好，而工作热情和自我牺牲两个维度还有待加强。

一是基层公职人员的工作热情不足。调查结果显示，就工作热情的各维度来看，得分最低且不足中间分 3 分的为“晋升是最能够激发我努力工作的因素”和“能帮助到我的工作受益人，让我感到充满力量”两项，这两项的分值为 1.96 和 1.59。这表明，晋升和对工作受益人带来帮助这两个因素对基层公职人员激励作用的认同度相对不高。造成这种认识的可能性原因：一方面是基层中当前晋升缓慢，部分基层公职人员对此抱有较低期望值；另一方面是部分基层公职人员忽视民众的利益与诉求，服务意识淡薄，对于与自身利益无关的工作缺乏激情。

二是基层公职人员的自我牺牲精神有待提升。由工作动机中自我牺牲维度的分析结果来看，其中“即便没有报酬，我也乐意为民众提供力所能及的服务”得分最高，分值为 4.34 分；得分较低的是“我经常会为了帮助他人而遭受个人损失”，分值为 3.75 分。这表明基层公职人员具有为民众自我牺牲的主体意识，但是实际行动方面并不是很乐观。在抗击新冠肺炎疫情中，广大基层公职人员不顾个人安危，全身心投入疫情防控工作中，但其中也不乏一些基层公职人员忽视民众的利益与诉求，服务意识淡薄，缺乏牺牲奉献精神，应付了事，甚至编造各种借口逃避参加防疫工作。

(二)基层公职人员应急性公共服务技能方面

近年来，我国多部关于突发公共事件的法规政策相继出台，国家应急体系初步形成，应急资源不断整合加强，各级政府也加大了对公职人员应急能力的培训，公职人员应急性公共服务技能得到加强。但是，伴随当前突发公共事件的频次、级别不断升高，也暴露出基层公职人员应急性公共服务技能方面存在的严峻问题。

一是事前预判和预警能力不足。突发事件的爆发都会有一个较长的酝酿时间，在此时间段内如果能够及时识别、科学研判，则可极大程度地降低事件发生的概率和危害性。但是，由于部分基层公职人员预警意识不足、缺乏判断能力、警惕性较低等因素，以至于不能察觉突发公共事件的诱发性因素，而最终导致事件的发生。另外，由于基层公职人员缺乏应有的专业知识储备、准确有效的共享信息、科学严谨的分析技术等，而导致对突发公共事件的预测不足或偏离方向，从而加大了应急工作开展的难度，加重了损失程度。

二是决策的科学性和果断性不足。突发公共事件具有突发性、无序性、破坏性以及信息的不确定性等特点，更加考验基层公职人员的决策力与执行力。在抗击新冠肺炎疫情中，部分基层决策者能够保持清醒头脑，广泛听取多方意见，快速果断作出决策，从而使疫情很快得到了有效控制。而与其形成鲜明对比的是，有的基层决策者患得患失、举棋不定，而相关基层公职人员也不能准确定位自身的职责和所肩负的责任，没有及时为决策者提供准确的信息和必要的专业知识，从而造成最佳治理时机的延误。例如，疫情中"从武汉跑回北京的刑满释放人员黄女士"事件，正是由于某女子监狱对刑满释放人员释放后如何进行隔离未能做到科学、谨慎决策，自武汉到北京的各种检查中基层公职人员未能严格执行决策，进京后街道社区的基层公职人员未能严查严控等一系列原因造成的。此类所谓的"疏漏"最终造成的是感染人群的增加、公众的恐慌不满以及重大经济损失。

三是事中执行和善后处置能力不足。突发公共事件的应急性公共服务供给是一个闭合式过程，基层公职人员的事中执行和善后处置能力是两个至关重要的环节。部分基层公职人员缺乏专业理论知识和应变能力，不能够依据实际状况科学分析状况的轻重缓急，只是被动地上传下达或应付了事，或是畏惧承担责任隐报瞒报实情，致使突发公共事件的处理效果无法达到预期，甚至造成民众不满情绪爆发。在新冠肺炎疫情工作中全国有数千名基层公职人员因为故意隐瞒疫情状况、宣传不力、执纪不严、玩忽职守等原因而被问责。另外，突发公共事件的处置过程中还存在形式主义的问题。如疫情期间，某地教育局下发了《关于报送 2020 年春季开学前服用大锅药情况的通知》，要求所有学生都要自费服用"大锅药"，并且上传喝药照片统计上报，引起民众轩然大波。此事件中，该教育局存在对自身职责权限认识不清、缺乏科学认知、形式主义作风等多方面问题，最终不仅没有起到对学生的"防护"功效，甚至因家长抢购药品而加大了病毒传播风险，引发学生、家长及社会民众的恐慌与不满情绪。

（三）基层公职人员应急性公共服务技巧方面

应急性公共服务技巧贯穿于突发公共事件的全过程，良好的协调沟通力有助于整合资源、化解矛盾，灵活的应急应变力有助于迅速妥善处理突发状况，积极的舆论和民众引导力有助于缓解民众恐慌情绪、营造良性舆论氛围。但是由于我国基层公职人员面对突发事件的经验较少，所以应急性公共服务技巧方面仍然存在许多问题。

一是应急协调性不足。突发公共事件中的协调性主要表现为内部协调和外部协调两方面。从内部协调来看,当前我国各部门内部在纵向上具有比较完备的管理系统,但是依然存在部门间分工不明确、管理脱节、协作性不强等问题。而外部协调的问题则更为严重。由于许多突发公共事件是跨区域性、综合性的,其区域范围往往涉及多个地区,其相关部门则可能涉及医疗、交通、环境、民政等多部门,同时涉及部分企业和社会团体。各区域、各部门间如果缺乏协作性,整个危机治理体系将无法正常运转。例如,新冠肺炎疫情中入境人员实施集中隔离的初期,有部分入境人员由于到达国内后直接转机而未被要求在国际到达地实施集中隔离,而回到属地后相关部门也未能进行及时查核,造成有入境人员自行回家后病情发作,从而波及大量民众。这正是入境管理部门与属地管理部门协调协作不足造成的。

二是应急应变性不足。突发公共事件的突发性和扩散性要求基层公职人员能够迅速判断、果断处理各种问题。然而,由于我国目前还没有建立完备的应对突发公共事件的分类分层应急机制,各级政府部门也缺乏不同类型突发事件的应对规则和应对策略,加之有些基层公职人员应急应变意识不强、手段单一,甚至存在“畏惧承担责任”或“多一事不如少一事”的心理,所以常常因处理不及时、处理方式不得当等而导致事态恶化、民众不满等严重问题产生。例如,2020 年 3 月 11 日武汉市发生某社区管委会使用环卫车辆为居民运送平价肉的事件。事件发生后虽然相关部门立即进行了致歉、回收及更换,但是民众的不满情绪却难以平复。该事件的发生,一方面是由于相关部门公职人员应急手段不妥当,在车辆不足的情况下未能考虑到卫生安全问题;而另一方面来看,自环卫车辆派出到装运后进入社区需要经历多个环节,但是各环节的负责人员均未对此事提出异议,这也反映出应急性服务各环节中在应急手段、协作配合等方面存在的严重缺陷。

三是动员引导性不足。突发公共事件是媒体和公众关注的焦点,如果缺乏规范的社会参与动员机制,对事件的报道和宣传不能够做到客观真实、及时公开、正向引导,很容易使非客观事实占据上风,从而阻碍正常应急性服务工作的开展。当前,我国在突发公共事件的动员引导工作中主要存在两大问题:第一,公职人员社会参与动员机制不足。例如,在新冠肺炎疫情中湖北省纪委监委宣布,湖北省红十字会在接受和分配捐赠款物工作中存在不担当不作为、违反“三重一大”规定、信息公开错误等失职失责问题,反映出当前我国社会参与动员机制不足、监督缺位等问题。第二，公职人员对事件舆论的引导性不足。自新冠肺炎疫情初始，各类与疫情相关的不实信息大量出现，严重干扰了正常疫情工作的开展，例如，一则“双黄连口服液可抑制新型冠状病毒”的不实信息出现后，全国各地药店几乎被抢购一空，不仅对疫情防控起不到任何缓解作用，反而加大了公众恐慌。究其原因，主要是由于相关部门信息发布和快速反应机制不足，公职人员未能为突发公共事件积极创设良好舆论氛围。

三、胜任力视角下基层公职人员应急性公共服务能力的提升策略

在胜任力特征研究中比较经典的是“冰山”理论，即把胜任力比作冰山，把个体的素养根据其具体表现形式划分为“冰下”部分和“冰上”部分。[①] “冰下”部分即个人的隐性特征，如个体动机、特质、社会角色等，属于内隐性表现，难以测量且短期内不易改变；“冰上”部分即个人的基本能力，如知识、技能、技巧等，属于外在性表现，易于测量且短期内可以改变。因此，不少学者指出，胜任力可以根据其内隐与外在特征的不同经由分层训练和发展来加以增强。

根据“冰山”理论，基层公职人员应急性公共服务能力的提升可以根据其胜任力特征，分为“冰下”部分和“冰上”部分。“冰下”部分即基层公职人员的动机、意识、价值观等内隐特征，虽然短期内难以改变，但是经过长时间的培养、熏陶也是可以改变的；“冰上”部分即应急性公共服务技能和技巧，这两方面是基层公职人员的外在表现，可以通过能力培训、经验积累、协调合作等方式短期内予以提升。另外，本文认为由于突发公共事件的特殊性，其服务体系及相关机制的构建作为“外部”环境，也会对应急性公共服务能力起到重要影响作用，是基层公职人员应急性公共服务能力提升的重要因素之一。

（一）“冰下”部分：树立正确的应急性公共服务意识

物质决定意识，但意识具备能动的反作用。应急性公共服务意识，即基层公职人员能够意识到自己在突发性公共事件中所承担的公共服务责任，具有积极主动为公共服务客体提供优质服务的认知和理念。上述关于基层公职人员应急性公共服务能力存在的问题分析中，其中包括缺乏工作热情、自我牺牲精

---

① Anne Tieman, “Craft and Capacity in the Public Service,” *Australian Journal of Public Administration*, Vol. 74, No. 1, 2015, p. 76.

神不足、畏惧承担责任、工作中患得患失等在内的许多问题主要是由于服务意识不足造成的。因此，树立正确的应急性公共服务意识是基层公职人员做好应对突发公共事件工作的基本前提。

第一，培养基层公职人员的现代公共精神。服务型政府的核心价值理念是公平正义，其公共权力来自于人民。基层公职人员必须将现代公共精神作为核心价值导向，将为民服务、向民所需作为指导原则贯穿融入整个工作过程中。培养基层公职人员的现代公共精神主要可以从两方面入手：一是通过学习培训、讨论交流、树立典型等形式不断深化公职人员对现代公共精神的理解，逐步引导基层公职人员将现代公共精神内化于心；二是加强对基层公职人员公共精神的测评，将其作为基层公职人员入职考核、工作考核等的重要测评指标之一，以保障基层公职人员队伍的基本素质。

第二，增强基层公职人员的危机责任意识。公职人员具有较强的责任意识是服务型政府、责任型政府构建的前提基础。在突发公共事件中，基层公职人员更需要具有危机预警、危机防范和危机处理的责任意识，才能够身先士卒、从容镇定地做好危机防范和应对工作。增强基层公职人员的危机责任意识，一方面，应当培养基层公职人员常备不懈的危机意识。大多突发公共事件表面上看是突然暴发的，但其往往具有较长时间的内隐酝酿期，基层公职人员应当在日常工作中保持危机敏锐性，善于发现问题，做到防患于未然；另一方面，各部门应当通过开展危机教育，加强相关专业性培训，增强基层公职人员对危机的认知、辨别能力，不断强化危机责任意识。

第三，促进自我实现，树立独立行政人格。根据马斯洛需求层次理论，自我实现是个体最高层次的需求。行政人格是行政人员职业道德意识的升华，通过促进基层公职人员的自我实现，使职业道德意识逐步升华而形成独立行政人格，这是构建服务型政府，也是实现对突发公共事件有效治理的必然要求。促进基层公职人员的自我实现，一是帮助基层公职人员明确自身权利和义务。基层公职人员只有明确自身权利范围和职责义务才能够具有是非曲直的评判力，才能够树立正确的工作目标，促进自我实现。二是认识自身优势和能力。基层公职人员应当充分发掘自身专长和潜能，在工作中明确实现自我的途径。作为组织，也应当通过树立爱岗敬业典范，增强物质和精神激励等手段，提升基层公职人员工作成就感，促进他们的自我实现意愿。

（二）“冰上”部分：加强基层公职人员应急性公共服务的技能和技巧

1. 加强基层公职人员应急性公共服务技能

基层公职人员应急性公共服务技能的高低直接决定着其是否能够在突发公共事件中提供符合民众需求的应急性公共服务，是保证政府公共服务职能实现的关键因素。党的十九大报告指出，要加强基层党员干部队伍建设，提高发展经济能力、改革创新能力、依法办事能力、化解矛盾能力、带领群众能力等五大能力，明确了基层公职人员公共服务能力提升的方向。因此，基层公职人员应急性公共服务技能的提升，需要以“五种能力”为导向，结合突发公共事件的突出特点，从加强常态化培训、提升科学决策能力、提升应急处置能力等三方面加以推进。

首先，加强应急性公共服务技能的常态化培训。我国应急性服务教育培训体系还不够完善，依然处于突击性培训的状态。相关部门应加强对公职人员应急性服务的常态化教育培训，在应急服务意识、应急专业知识、应急实践技能等方面对基层公职人员进行分类分层培训，培训可采用线上学习、集中培训、课题研究、模拟演练等多种形式展开。另外，根据突发公共事件当前频发性、常态化发展的趋势，相关部门还应当密切跟踪各类突发事件的发展特点和发展趋势，不定期开展升级式培训，以整体性地提升基层公职人员的应急性服务技能。

其次，提升基层公职人员的科学决策能力。很多情况下，基层公职人员面对紧急状况来不及向上级请示，必须果断决策，因此，基层公职人员必须具备应急状况下的科学决策能力。科学决策能力与突发公共事件自身的复杂性、决策人的认知与能力、公众的参与支持力度等因素具有密切关系。因此，基层公职人员应注意培养三方面能力素质：一是在日常工作中注重观察积累、信息收集与分析，提高信息处置能力以及对异常情况的洞察力；二是培养遇突发状况的良好心理承受力和应急应变能力，以便对瞬息万变的突发状况进行冷静思考；三是增强对工作的统筹与整体把握能力，避免面对突发状况作出片面、非客观决策。

再者，提升基层公职人员的应急处置能力。基层公职人员在突发公共事件中的应急处置能力主要体现在现场处置和善后处理阶段。提升应急处置能力，一方面需要提升依法行政能力。在突发公共事件中基层公职人员需要“把握第一时间”并采取应急措施，而依法行政、规范行政是行事之基础，这就需要基层公职人员注意学习把握相关法规制度，不断积累实践运用经验。另一方面，需要提高应急执行能力。突发事件要求基层公职人员把握最佳时机、行事果断、敢于负责，能够在有限时间内分清轻重缓急，合理整合安排有限资源，并能够与公众保持良好沟通，确保行政效率。这就需要基层公职人员在日常工作和培训中端正心态，注重培养自身的应急执行能力。

2.提升基层公职人员应急性公共服务技巧

科学恰当的技巧是有效解决问题的有力保证。与一般性公共服务相较而言，应急性公共服务更具复杂性、多变性，基层公职人员在处理各种问题时更加需要注重方式方法，避免采取主观随意的态度。基层公职人员应急性公共服务技巧的提升应从加强服务主体间的协作联动、注重信息公开与舆论引导、广泛动员社会力量参与等三方面展开。

首先，加强公共服务主体间的协作联动。当前我国公共服务主要是以行政区划为供给辖区，而突发公共事件往往跨越多辖区且涉及部门众多，这就给应急性公共服务的提供带来困难。因此，加强公共服务主体间的协作联动主要包括：一是要加强各辖区、各部门间的协作，尽快构建全国联网的公共服务供给体系，使公众可以随时随地地接受应有公共服务。二是要加强部门之间职能交叉业务的协作联动。突发公共事件中经常出现民众办事不知该去哪个部门、有些业务找不到分管部门、部门间业务相互推诿等现象，因此，应当通过细化公共服务项目、明确供给职责、加强部门协作联动等方式，促进公共服务供需一体化发展。

其次，注重信息公开与舆论引导。突发公共事件中的信息公开和及时更新是一项重要的公共服务，科学合理的舆论引导是缓解公众紧张心理、遏制事件蔓延的重要手段。第一，各级政府应当充分利用现代信息手段建立完备的应急信息发布平台，基层公职人员在突发事件发生后应尽快向社会发布信息并及时更新信息，消除民众恐慌，获得民众的理解、支持和信任。第二，基层公职人员应当注重媒体的舆论引导。一方面通过及时发布信息使政府部门成为信息披露的主导渠道，控制信息传播走向；另一方面要与媒体建立良好的沟通关系，使媒体对事件进行客观报道，对公众进行正面引导。第三，加强突发公共事件的舆情分析。通过对各类信息进行舆情分析，为服务管理提供科学依据，同时制止和减少谣言，防止事态的扩大化。

再次，广泛动员社会力量参与。随着突发公共事件发生频率越来越高、涉及范围越来越广、状况越来越复杂，单纯依靠地方政府的力量难以完成公共服务供给，因此，广泛发动企业、非政府组织等社会力量的参与是化解危机的有效途径。其一，基层公职人员应当在日常工作中加强与民众、企业、非政府组织等社会力量的沟通交流，增进相互信任，以便在突发事件中能够更加充分的获取社会力量的理解和支持。其二，突发事件中各级政府应当向社会及时公开信息、说明危害性、面临的困境以及防御措施，以缓解民众心理焦虑、争取社会力量的广泛参与。其三，加强国际间的交流合作。以新冠肺炎疫情来看，突发公共事件特别是突发公共卫生事件极易对全球造成威胁，因此，应当通过加强国际间的交流密切关注各国突发事件、加强经验交流、拓宽处置思路，及时阻止危机蔓延。

（三）“外部”环境：完善应急性公共服务体系

应急性公共服务体系是指政府作为主要供给主体，为公民提供所需的应急性公共服务而建立的体系。应急性公共服务体系的完善不仅是高效处理突发公共事件的基础保障，也是基层公职人员应急性公共服务能力提升的有效渠道。

首先，建立分类分层应急响应机制。近年来中央和各地方政府建立了较为完备的应急管理机制，但是具体到各基层部门和单位而言遇到突发事件还往往处于“等待上级指示”的状态，以至于因“等待”而失去最佳时机。突发公共事件涉及领域广泛，各级政府应当根据突发公共事件所涉及的不同领域和对各领域可能产生的影响力进行细致划分，使各相关部门和单位明确自己职责范围内可能遇到的突发公共事件的类别、层级、特征等，并据此制定与本地实际状况相符合的预警、救援、处置等预案。同时，利用现代信息技术建立信息联动和保障机制，以便在突发公共事件过程中实现各部门间的信息互动和良性协作，确保应急工作有序开展。

其次，完善应急性公共服务的监督评估机制。在突发公共事件的整个过程中，完善的监督评估机制是提升基层公职人员应急性服务工作效能的关键环节。主要包括：其一，各级政府应当加快完善与应急性公共服务相配套的法律制度，明确各监督主体的责任，使监督能够有法可依、有据可循，能够规范、有效的运行。其二，应当在法制监督的基础上加强社会监督，不仅要加强公共服务客体的监督力度，还应当在突发公共事件的各阶段及时公开事件信息及处置状况，接受媒体和广大民众的监督。其三，应当建立相应的应急性公共服务评估指标体系，对基层公职人员的工作内容、工作效果进行评估考核，严防滥用职权、懒政怠政问题的出现。

再次，健全应急性公共服务的激励与问责机制。通过完善应急性公共服务的激励与问责机制可以激发基层公职人员投入应急性公共服务的动力，防止基层公职人员玩忽职守、逃避责任。一方面，各相关部门应当加快完善精神激励、物质激励、晋升激励等激励机制，以增强基层公职人员的服务意识，改进服务态度，提高服务效率。另一方面，还应当完善责任追究机制。各相关部门应当对不同部门、不同岗位的权责进行明确划分，对于突发公共事件发生前、中、后各环节的权责作出详细规定，促使基层公职人员在突发公共事件中各司其职、各尽其责。

重大公共卫生事件中的刑法立场与立法检省*

李祥金　吴小帅**

摘要：在重大公共卫生事件中的防控中，应当以风险刑法理论为借鉴，确立重大公共卫生事件中的刑法立场与方法。在立场上，刑法干预前置，实施积极的一般预防，改变结果本位的犯罪化立场。在方法上，适度扩大犯罪圈，采用多元立法模式。启动单行刑法立法，实行典型附属刑法立法，有针对性灵活立法，以规制风险，保护新的法益。

关键词：重大公共卫生事件；风险刑法；刑法立场；刑法立法

人类对自然的探索一刻也没有停止，自然灾害和人为灾害使得人类面临着各种各样的风险。重大公共卫生事件的暴发可能导致无法预测的严重后果，其影响可能超越国界成为全球事件。自2019年末新型冠状病毒肺炎疫情暴发以来，国家在公共政策方面采取了一级响应的管控措施。刑法作为最为严厉的国家反应，在保障和促进生活共同体安全方面应当有所作为。在这方面，风险刑法理论为我们开启了新的视角。以风险刑法为视角，通过考察与借鉴，确立重大公共卫生事件中的刑法立场，找出刑法应对方法，具有理论和现实意义。

一、重大公共卫生事件中的刑法立场

风险刑法理论不仅对西方国家的刑法体系产生了影响，也为我国刑法理论和刑事实践提供了镜鉴，在重大公共卫生事件中，传统刑法向风险刑法甚至安

---

* 第三十二届全国副省级城市法治论坛获奖论文三等奖。

** 李祥金，山东建筑大学法学院教授，法学博士，硕士研究生导师。吴小帅，山东建筑大学法学院副教授，法学博士，华东政法大学在站博士后，硕士研究生导师。

全刑法的转向就有了现实基础。而如何用风险刑法理论中的立场，运用其中的某些技术和具体制度来完善我们的刑法体系，则是风险刑法理论的价值意蕴之所在。

（一）重大公共卫生事件中的风险

人类社会面对的风险主要有两种，一种是自然风险，另一种是人为风险。重大公共卫生事件中的风险，与风险刑法立论基础的风险并不相同。

第一，重大公共卫生事件的风险具有自然与人为双重属性。风险刑法立论基础的风险具有人为性，但重大公共卫生事件中的风险则具有自然与人为双重属性。疫病具有自然属性，疫病与人类历史相伴而生，共同成长。① 因此，有人认为由自然风险带来的危险远远大于人为风险带来的危害，人为风险被夸大。② 在新冠肺炎疫情发生后，有些人认为病毒可能来源于蝙蝠，于是群情指向滥食野生动物，然而目前为止并未有病毒来源的确切证据。病毒皆有宿主，但病毒的散发可能源于很偶然的事件，不能排除滥食野生动物而散发，疫情的发生具有自然与人为双重属性。

第二，重大公共卫生事件的风险具有确定性。风险社会所描述的风险是一种不可知的可能发生的风险，这种风险是否发生具有不确定性，对这些捉摸不定的因素基本上无法用以往的经验来消除。③ 但重大公共卫生事件中的风险则具有确定性，疫情出现意味着病毒在人与人之间发生了传播。疫病与平常人们所患的疾病不同，通常患病因为有针对的药物和医疗措施，在人的可控范围，疫病的可怕之处在于病毒是新型的、人类未知的，更在于病毒的传染与流行。据《说文解字》析："疫者，民皆病也。"司马光将疫解释为："疫，病流行也。"④而清朝学人杨璇的解释则更进一步："盖疫者役也，如徭役之役，以其延门合户，众

---

① 以中国为例，可以说几乎历朝历代都有疫病发生，人类一直在与瘟疫相生相伴相斗，仅清朝光绪年间就有 10 个年头有瘟疫发生，1910 年 10 月至 1911 年 4 月发生在我国东北的大鼠疫死亡 6 万余人，著名医生伍连德首次明确"肺鼠疫"，采用现代医学的消毒、隔离、焚烧尸体、交通管制等手段，第一次以人类医学的正确认识和有效干预控制了瘟疫。据《清代江南的瘟疫与社会》记载，仅在清代就发生过天花、鼠疫、霍乱、麻风病等瘟疫，随着疫苗的发现和各种医疗措施的实施接种，这些疫病已经绝迹和得到有效控制，但在现代又出现了埃博拉病毒、SARS 和新型冠状病毒。

② 参见[英]斯科特·拉什：《经济全球化时代的风险文化与风险社会》，薛晓源、周战超：《全球化与风险社会》，社会科学文献出版社 2005 年版，第 150 页。

③ 参见[德]乌尔里希·贝克等：《自反性现代化——现代社会秩序中的政治、传统与美学》，赵文书译，商务印书馆 2001 年版，第 119 页。

④ （清）桂馥：《说文解字义证》卷二十二，清道光三十年至咸丰二年杨氏刻连筠簃丛书本。

人均等之谓也。”[①]可以说疫病所到之处，一视同仁，无分贫富与贵贱，均有染疫不治的可能。疫情一旦发生，人人都有感染的可能风险已经不再是风险，而是转化成了现实的危险，风险是确定的。

（二）重大公共卫生事件中应有的刑法立场

通过对风险刑法理论的考察，我们认为重大公共卫生事件中应确立如下刑法立场。

第一，用刑法控制风险。重大公共卫生事件的发生，政府需要通过有效地管理来降低疫情风险，保护人们的生命和健康安全，这是政府的基本职能，也是政府的基本政治责任。政府的管理职能是通过公共政策来实现的，在重大公共卫生事件中，把控制风险的制度安排贯彻到行动中去，才能最大程度地解决风险。[②] 控制风险以安抚公众成为重大公共卫生事件期间压倒性的政治需要，公共政策的内容应当是加强疫情防控和管理社会秩序。公共政策的秩序功能决定了它必然是功利导向的，刑法固有的政治性与工具性恰好与此导向需要相吻合。现代国家更需要通过有目的地系统使用刑法达到控制风险的政治目标，刑法不再为报应与谴责而惩罚，主要是为控制风险进行威慑。[③] 重大公共卫生事件不同于一般疫情，疫情暴发后如果管控不力或者不服管控，人人都会成为潜在的病毒携带者，人人都有被感染的风险。虽然重大公共卫生事件中的风险与风险社会所描述的风险不同，但风险刑法理论为我们提供了确立重大公共卫生事件中刑法立场的新路径。

第二，刑法干预前置。在重大公共卫生事件中，应当把人民的生命健康放在第一位，在生命健康面临风险时，立法者应考虑将刑法的干预前移。在风险刑法和安全刑法的提倡者看来，安全而非个人权利才是刑法的首要价值，刑罚的发动也不再受人权保障的制约，而是以有效维护共同体安全为依归。个人权利与自由让位于共同体的安全，刑法的适用是安全维护而非人权保障。[④] 即使在人权的层面，生存权是最基本的人权，在重大公共卫生事件中，生命受到威胁时人权的其他内容应当向生命权转移，向共同体安全转移。

---

① （清）杨璇：《伤寒瘟疫条辩》卷一，清乾隆五十年刻本。

② 参见卢建平：《风险社会的刑事政策与刑法》，《法学论坛》2011 年第 4 期。

③ 参见劳东燕：《公共政策与风险社会的刑法》，《中国社会科学》2007 年第 3 期。

④ 参见董邦俊、王振：《风险社会中刑法人权保障机能之危机》，《云南大学学报》（法学版）2010 年第 1 期。

风险刑法出于防范风险的目的考虑面向未来的法益保护。从保卫社会安全的角度主张在某些重要的领域从规制实害前移至规制风险，从罪责层面主张弱化因果关系强调客观的风险才是归责的基础，以预防必要性来代替非难可能性。[①] 在重大公共卫生事件中，面对猝然而来的风险，刑法应将管控风险和民生安全作为基本的价值取向，通过吸收风险刑法理论的合理内核，将刑法干预的早期化和预防性处罚作为我们在重大公共卫生事件中的刑法立场。

第三，实施积极的一般预防。无论是重大公共卫生事件还是在风险社会的语境中，都应当注重刑法社会保护机能的强化，充分发挥刑法对风险的控制功能，对高度危险犯罪的预防与控制将更加重视积极的一般预防功能。[②]

传统刑法以结果为本位，但在面临危险甚至是高度危险的情况下，刑法不再等待社会危害结果的出现，而是震慑带有社会风险的行为。在刑法的立法上，危险犯的设立最能体现一般预防思想，尤其是抽象危险犯的设置能够更好地防患于未然，抽象危险犯的构成要件设置是一种对法益提前而周延的保护，刑法规范除追求报应外，还承担着预防的功能且这种预防应该是积极的。在重大公共卫生事件中，为了更好地防控疫情带来的风险甚至是危险，不能再拘泥于传统刑法的罪责刑的规范体系，特殊预防和报应之目的应当让位于积极的一般预防。当然，重大公共卫生事件中的刑法预防以及制度设计，应当尽量在保持刑法的稳定性和传统性的基础上来进行。积极的一般预防思想和具体罪名以及罪状的设置完全可以在单行刑法和附属刑法甚至在刑法解释中予以体现。

二、重大公共卫生事件中的刑法应对方法

在重大公共卫生事件中，疫区的风险已经转化成了现实的危险，非疫区也面临着被感染的风险。适度扩大犯罪圈，是重大公共卫生事件的特殊情境下疫情防控、社会防控和社会治理的客观需要。“刑法是一种社会治理和社会控制的机制，它也就只能谋求社会的目标。”[③]尽管有学者认为风险刑法有违刑法谦抑，甚至违反法治，致使刑法的评价对象违反了法的规范期待，但是我们不得不

---

① 参见王拓：《风险刑法：风险社会下传统刑法的必要补充》，《检察日报》2010 年 4 月 26 日。

② 参见姜涛：《风险社会之下经济刑法的基本转型》，《现代法学》2010 年第 4 期。

③ ［德］克劳斯·罗克辛：《刑事政策与刑法体系》，蔡桂生译，中国人民大学出版社 2011 年版，第 76 页。

承认，人类无时不面临着各种风险，风险虽然可以被行政法规制[①]，但是如果不能被刑法直接评价，刑法的评价功能和规范指引功能将会被削弱，刑法的预防目的将会被漠视，陷入单纯报应主义的泥潭。在重大公共卫生事件中，保护民生和安全防控是刑法面对的立法现实。重大公共卫生事件中，疫区面对的是已经转化为危险的风险，非疫区的风险指数也会因为疫区的危险而不断升高，风险一旦转化为危险，危险一旦转化为危害，就必然造成法益侵害，这种侵害可能是无法控制的不可修复的系统性侵害。为了防范这种危险，可以动用刑法进行主动干预、早期干预和一般预防，以危险犯立法取代实害犯立法，因此，在重大公共卫生事件的特殊社会状态中，有必要改变传统刑法的滞后性、被动性，使刑法的镇压性功能向预防性功能转变，通过设立新的超个人法益来保障以及加速实现刑法的扩大化与灵活化。[②]

第一，适度放宽入罪条件。在重大公共卫生事件期间，为了防止疫情蔓延，在某一地区或者全国实行一级、二级响应，社会的运转与非疫情期间发生了很多、很大的改变，适度放宽入罪条件，有现实需要。其中最简便易行的方法是设置新的犯罪构成要件，增添新的罪名，有针对性地将非疫情期间按民事侵权、行政违法给予民事制裁、行政处罚的行为予以犯罪化。

第二，改变结果本位的犯罪化立场。按照风险刑法理论，为了控制不可知的人为风险，主张将刑法干预起点前置，不以结果和实害为定罪处罚前提，注重对危险犯的刑法打击。在重大公共卫生事件的防控中，可以吸取风险刑法的合理内核，在犯罪化立场上由结果本位向多元化转化，从结果犯降格为危险犯，甚至从具体危险犯降格为抽象危险犯。具体危险犯的危险是法定构成要件要素，而抽象危险犯的危险虽然不是法定构成要件要素，但它是判断行为是否该当构成要件的实质根据。[③] 抽象危险犯设置是刑法干预早期化、扩张化、能动化的典型立法表现，是刑法应对风险的基本策略。[④] 但在重大公共卫生事件中，如果采用灵活的立法方式，不改变刑法而是采用单行刑法的立法方式，完全可以

---

① 参见金自宁：《风险行政法的前提问题》，《华东政法大学学报》2014 年第 1 期。

② 参见[德]埃里克·希尔根多夫：《德国刑法学：从传统到现代》，江溯、黄笑岩等译，北京大学出版社 2015 年版，第 173 页。

③ 参见[德]克劳斯·罗克辛：《德国刑法学总论》第 1 卷，王世洲译，法律出版社 2005 年版，第 278 页。

④ 参见陈兴良：《风险刑法与刑法风险：双重视角的考察》，《法商研究》2011 年第 4 期。

避免“风险刑法的刑法风险”。

第三，取消部分犯罪的目的要件。在传统刑法中，有一些罪名是目的犯，目的犯之目的属于超过的主观构成要件要素。这一要素的存在，在追诉犯罪时控方需要对其举证证明。在重大公共卫生事件期间，一方面一些犯罪的目的并不具有确定性，另一方面为了减轻控方的举证责任，可以考虑取消犯罪目的，从而能够在事实上扩张既定罪名的适用范围。如前所述，在重大公共卫生事件中，疫情风险具有自然和人为双重属性，虽然目前尚未确定病毒来源，是否与滥捕、滥杀、食用野生动物有关，但是与此有关的犯罪，在犯罪目的这一主观构成要件要素上，是可以取消评判的。

第四，重置犯罪主观故意与过失的界限。在重大公共卫生事件期间，涉及重大食品安全事故、哄抢物品、哄抬物价的案件将比非疫情期间发案率要高，为了防控疫情的需要，有必要淡化故意和过失的界限，加大对犯罪的追究力度。比如，食品监管渎职犯罪的设立，立法者关注的焦点是客观要件，对主观上是故意还是过失并不关注。在重大公共卫生事件中，对于食品、药品类犯罪可以不再关注主观方面的故意和过失之分，将主观罪责要素统一规范性地降格评价为过失，为不影响刑法的稳定性可以以单行刑法的立法方式，增加此类犯罪的规定。

三、重大公共卫生事件中的多元化刑事立法模式

1979 年刑法典颁布之后，我国根据司法实践先后颁布了 24 个单行刑法，但在 1997 年刑法典颁布之后将单行刑法悉数收归刑法典，实行刑法典单轨立法模式，为世界主要国家所独有。[①] 刑法典作为规定犯罪和刑罚及其罪刑关系的规范体系应当具有权威性和稳定性，但是，随着社会的变迁和社会结构的多元化，刑法典单轨模式日益显露出弊端。因此，应当总结 1997 年以前刑法典、特别刑法和附属刑法三元立法模式的经验，构建适应犯罪控制与社会治理需要的刑法立法模式。在重大公共卫生事件中，刑法应当合理地组织对犯罪的反应，采用灵活的立法模式，及时惩治与防控疫情有关的犯罪，改单轨立法模式为多元立法模式，构建以刑法典为主，特别刑法为辅的立法体例，形成单行刑法、

---

① 参见储槐植:《议论刑法现代化》,《中外法学》2000 年第 5 期。

附属刑法、判例法并存的体制,以充分发挥刑法的功能。[①]

(一)启动灵活的单行刑法立法

在刑法的体系中,不仅有刑法,还有单行刑法和附属刑法,但是,多年来,我国已经放弃了特别刑法的立法方式。在重大公共卫生事件的特殊情形下,在所有国人的生命健康受到重大威胁,甚至疫情可能在全球蔓延的情况下,采用特别刑法的立法方式,针对与疫情相关的犯罪有针对性地及时制定发布单行刑法,具体、明确地规定相关罪刑规范,避免在刑法典单轨模式下的反应迟钝,及时打击犯罪,是很有必要的。

1. 针对捕杀、售卖、餐食野生动物的刑法立法

目前在我国的某些地区有食用野生动物的恶俗,有使用野生动物特别是珍稀野生动物及其制品的癖好。武汉新冠肺炎疫情的暴发,引起人们对餐食野生动物的愤怒和反思。杜绝食用野生动物、减少使用动物制品,有利于人与动物、人与自然的和谐共处,有利于减少疫病的发生。在现行《刑法》中已经有了关于珍稀野生动物的立法,但针对捕杀、售卖、餐食一般野生动物的刑法立法还相对阙如,捕猎、捕杀、贩卖、购买和食用野生动物对生态环境造成了严重破坏,有引发疫病的巨大风险。在保持刑法典稳定的情况下,在重大公共卫生事件中以单行刑法对捕猎、捕杀、贩卖、购买和食用野生动物的行为予以犯罪化。

2. 针对生物安全的刑法立法

武汉新冠肺炎疫情暴发以来,病毒的来源问题引发关注。2020 年 2 月 14 日,中央深改委会议也提到了"生物安全"问题,要求针对这次疫情暴露出来问题和不足,抓紧补短板、堵漏洞,把生物安全纳入国家安全体系,尽快推动出台生物安全法。生物安全应当成为一个国家公卫安全的重要指标,对于生物实验室的管控问题应当引起我们的高度重视,如果管控不当,造成泄漏,有引起疫情灾难的可能和危险。从病毒实验室对病毒的研发、储藏到如何管制废弃物、如何穿脱隔离衣、如何处理实验动物等都要有严格的作业程序,制定相关实验室生物安全规范,逐步完善生物安全法规是当然之举。但是,仅有行政规范是不够的,在重大公共卫生事件中,对于违反规范的行为应当纳入刑法,在刑法的立法中应当作出相应规定,当然最好是以单行刑法的立法方式。

① 参见劳东燕:《风险社会与功能主义的刑法立法观》,《法学评论》2017 年第 6 期。

3.针对信息安全的刑法立法

在重大公共卫生事件中,人们极度关注疫情信息,在互联网高度发展的今天,人们获取信息的途径除了主流媒体,更多来自自媒体。2003 年“非典”疫情以来,为应对公共突发事件我们先后制定颁布了《突发事件应对法》《传染病防治法》《食品安全法》《突发公共卫生事件应急条例》等法律、法规和条例,但这都是行政性质的规范,而且存在多部门多头立法的不协调现象,在重大公共卫生事件的特定时期,在有关疫情信息的违法犯罪呈增长态势的情形下,仅仅依靠行政法规必然导致法律保护力度不足情况的发生。在重大公共卫生事件中,防控疫情风险、保障公众健康和公共卫生安全成为社会公众的普遍心态和价值选择,个人法益保护相应地受到限缩,“超个人法益”上升至重要位置。为此,有必要以单行刑法的方式针对信息安全进行刑法立法。

4.针对危害疫情防控的刑法立法

在重大公共卫生事件中,隔离是被证明防控疫情蔓延的有效措施。在疫情防控期间,拒绝隔离、脱离隔离情节较轻的给予教育或者行政处罚,但是疫情期间发生的此类案件中,确诊或疑似病患及其他防疫对象本应隔离治疗或者隔离观察,却故意隐瞒自己的病情、行踪轨迹和曾接触人员等情况,引发或造成病毒传播风险,严重危及公共安全,给他人生命安全和身体健康造成严重侵害。在传统刑法中,如果将足以危害公共安全但不构成其他具体犯罪的行为均认定为以危险方法危害公共安全罪,可能导致将“以其他危险方法”作为成为危害公共安全罪的“兜底”条款,以危险方法危害公共安全罪会形成新的口袋罪。[①] 但在重大公共卫生事件中,涉疫情的以危险方法危害公共安全罪的入罪条件不能再局限于《刑法》第 114 条、第 115 条规定的以传染病病原体等物质危害公共安全的行为方式。可以在单行刑法中,对确诊病人、病原携带者和疑似病人设置不同的认定方式,不同的行为主体在不同情况下实施的抗拒疫情防控行为,分别以以危险方法危害公共安全罪、妨害传染病防治罪和妨害公务罪、过失以危险方法危害公共安全罪、寻衅滋事罪等定罪处罚。

(二)实行典型的附属刑法立法

附属刑法是行政法律中所包含的有关犯罪、刑事责任和刑罚的条款,我国

---

① 参见陈兴良:《口袋罪的法教义学分析:以危险方法危害公共安全罪为例》,《政治与法律》2013 年第 3 期。

1997年《刑法》将之前130余个附属刑法条文收归刑法，我国目前虽有附属刑法规范，但已经没有典型的附属刑法。

随着社会的进步和法的发展，自然犯基本固定，法定犯和行政犯越来越多，世界各国越来越重视附属刑法的立法方式。附属刑法虽然依附于行政法等法律，但已成为刑法典之外的独立法源，典型的附属刑法是在行政法律中独立规定行政犯的构成要件和法定刑，这已成为多数国家的通例。① 但是，我国的附属刑法规范只是在各种行政法律中加了一句"构成犯罪的，依法追究刑事责任"，没有独立的犯罪构成要件和法定刑，形同虚设，因此，有必要改变这种笼统式的附属刑法立法模式。② 我国目前的附属刑法规范不是严格的罪刑规范，因没有规定明确的刑罚裁量方式，仅仅具有援引功能和宣示意义，应当在附属刑法规范中明确规定具体刑罚内容，使其成为名副其实的刑法规范，成为独立法源真正意义上的行政刑法。③ 在重大公共卫生事件中，我们可以借鉴国外刑法典与行政刑法双轨模式完善我国的附属刑法立法，既可以保持刑法典的稳定性又可以节约立法成本。

（三）强化针对性的刑法解释

首先，应当加强立法解释。1997年《刑法》颁布实施后曾出台一些立法解释，但频率不是很高。在重大公共卫生事件中，可以通过立法解释规制风险，保护新的法益。在重大公共卫生事件中，立法解释既要顾及立法原意，坚持罪刑法定原则，也要考虑法的目的性，既要符合法律规范性也要符合政治价值要求。比如，立法解释《中华人民共和国刑法第三百四十一条、第三百一十二条的解释》，通过对刑法规定的细化与突破进行源头控制，规范评价指引人们形成良性的生活方式和饮食文化。对刑法规定的细化与突破解释，是立法权限内的创法举措，在解释类型上属于扩大解释。该解释是针对野生动物的保护作出的立法解释，既通过刑法保护动物也有助良性生活方式的形成，有利于人与自然的和谐，减少疫病的引发。在重大公共卫生事件背景下，应当多一些此类立法解释，来规范引导人们的行为。新冠肺炎疫情暴发以来，我们看到，2020年2月24日发布了《全国人大常委会关于全面禁止非法野生动物交易、革除滥食野生动

① 参见梁根林：《刑法修正：维度、策略、评价与反思》，《法学研究》2017年第1期。

② 参见孟庆华：《附属刑法的立法模式问题探讨》，《法学论坛》2010年第3期。

③ 参见张明楷：《行政刑法辨析》，《中国社会科学》1995年第3期。

物陋习、切实保障人民群众生命健康安全的决定》,该决定的发布非常及时,但最好再通过立法解释的方式,对其中严重危害社会的行为予以定罪处罚。当然,依照《立法法》,全国人大常委会制定法律解释,必须通过特定的程序,须经过全国人大或全国人大常委会以法定程序表决通过。

其次,加强司法解释。重大公共卫生事件中,应当从规范目的角度,从社会公理、行业规则、人伦常理、社会安全和秩序的需要以及社会发展需要等几个方面对刑法规范进行一定的扩张解释,寻求其合目的性。2020 年 2 月 6 日,最高人民法院、最高人民检察院、公安部、司法部联合制定了《关于依法惩治妨害新型冠状病毒感染肺炎疫情防控违法犯罪的意见》。该意见就是司法解释性质的文件,意见的发布非常及时。在新冠肺炎疫情肆虐,举国抗击疫情之际,对那些妨碍疫情防控同时具有严重社会危害性的违法犯罪行为,应当依法予以从严惩治。同时,依法严惩抗拒疫情防控措施的刑事犯罪,并不意味着抛开一贯的宽严相济的基本刑事政策。“两高两部”制定发布《意见》,具有宣传教育功能和符合司法实际状况的司法提示功能①,司法机关认定和处理此类犯罪也应当坚持宽严相济。

① 参见曲新久:《“非典”时期的“典型”反应》,《政法论坛》2003 年第 3 期。

论行政应急性原则的适用*

陈　明**

摘要:行政应急性原则是在国家和社会处于紧急状态时适用的一项例外的行政法原则,它允许政府实施没有法律依据甚至与法律相抵触的行为,以便于消除紧急状态,维护社会秩序和公共利益,其存在有必要性和正当性。但在现代法治国家,即使是这样一种例外原则仍不能脱离行政法治原则的限制。行政应急性原则只能在紧急状态下适用,而且主要是通过行使紧急权力来实现的。因此,紧急状态的决定和宣布权,紧急权力行使的主体和范围都要受到一定限制,政府采取的各种措施应符合"比例原则",而且,紧急状态下政府的各项行为也要受到法律的监督和制约。

关键词:应急性原则;紧急状态;紧急权力;比例原则

前言

在现代行政法中,行政法治原则被公认为行政法的基本原则,它指行政主体行使行政权力,管理公共事务,必须具有法律授权,并依据法律规定。法律是行政机关据以活动和人们对该活动进行评价的标准。① 但"法律原则是需要证成的东西,原则是有分量的"②。行政法治原则只能在正常情况下适用,不能机械地适用于一切情况。当国家或社会出现战争、暴乱等紧急情况时,就只能适

---

* 第三十二届全国副省级城市法治论坛获奖论文三等奖。

** 陈明,济南市中级人民法院执行二庭庭长,法学硕士。

① 参见应松年主编:《行政法学新论》,中国方正出版社 1999 年版,第 44 页。

② [美]迈克尔·贝勒斯:《法律原则——一个规范的分析》,张文显等译,中国大百科全书出版社 1996 年版,第 13 页。

用它的例外原则——行政应急性原则。

一、行政应急性原则的含义及其存在的必要性和正当性。

所谓行政应急性原则(又称为“行政应变性原则”)是现代行政法治原则的重要内容,它是指在某些特殊的紧急情况下,根据国家安全、社会秩序和公共利益的需要,行政机关可以采取没有法律依据或与一般性法律相抵触的行为。[①]

应急性原则作为行政法治原则的例外是必要的。丹宁勋爵曾说过:“如果威胁很严重而且迫在眉睫,我们可以不经审理就拘捕他们;我们可以根据秘密情报采取行动;我们还可以修改自然公正原则,所有这些都是保护我们自己,使我们免于毁灭所必需的。”[②]自古至今,世界各个国家和社会在正常运转中都不可避免出现一些紧急状态,例如战争、政变、动乱、恐怖活动、大规模流行传染病、重大自然灾害等威胁国家安全和独立、社会稳定以及公共利益的情形。当这些情况发生时,在正常的宪政体制下的行政职能明显难以执行,为了捍卫国家统一安全,维护社会秩序和公共利益,保障公民的生命财产安全,有权的行政机关可以采取非常紧急措施,即采取法律未规定的或与一般法律相抵触的行为,在一定程度上限制或剥夺公民、组织的权利和自由,这些紧急措施在法律上视为有效。正如哈耶克所说:“自由社会的基本原则主张,政府的强制性权力只能被用于实施普遍的正当行为规则,而不得被用来追求特定的目的。……然而需要指出的是,当人们力图长久维持自由秩序的目标受到威胁的时候,人们就不得不暂时中止上述那项基本原则的实施。”[③]

应急性原则允许政府可以采取没有法律依据甚至与法律相抵触的行为,这显然与一般的法治理念格格不入,但世界各国法律制度中却又都确立了该原则或不自觉地适用着该原则,那么它存在的正当性是什么呢?关于应急性原则的正当性,我国著名的行政法学泰斗王名扬教授指出有种“特殊情况”理论,即指在一般情况下不合法的行政行为,在特殊情况下可以成为合法的行为,这是用

---

① 参见罗豪才主编:《行政法学》(修订本),中国政法大学出版社 1999 年版,第 59 页。

② [英]丹宁勋爵:《法律的界碑》,刘庸按、张弘译,法律出版社 1999 年版,第 267 页。

③ [英]弗里德利希·冯·哈耶克:《法律、立法与自由》第 2、3 卷,邓正来等译,中国大百科全书出版社 2000 年版,第 450 页。

例外的合法性理论代替正常的合法性理论。[①] 任何法律都有一定的适用条件和情况，把法律条文是用于立法者所没有意图适用的情况，不符合法律的真正目的。任何政权在其重大利益受到法律的威胁时，都不会遵守法律。因此，特殊情况理论的产生和存在，有其必然的社会根源。可见，应急性原则的正当性在于其适用条件的特殊性和适用时间的暂时性。公众为了自己的切身利益，以期在正常社会秩序下生存和生活，在紧急状态下乐于交出更多的权利。这也正是我国公众对政府的各种限制个人自由的措施表示理解和认可的原因。我们可以说，应急性原则的要旨就在于"不管现行法律有无规定，需要本身就是法律，为了维持国家的存在，甚至可以破坏现行法律，任何法律在国家的存在受到严重威胁时，必须让步"[②]。

二、行政应急性原则的具体适用

行政应急性原则的适用主要是通过行使紧急权力来实现的。所谓紧急权力，就是有关国家机关在紧急状态下，根据国家安全、社会利益或公共利益的需要，在必要范围内实施的特别权力。它主要是一种行政权力，具有单方面性、强制性、涉及对象的广泛性等行政权的一般特点。政府在紧急状态下享有紧急权力对于有效、及时组织和运用国家各种资源，采取强有力的措施，尽快消除危险，度过危机的作用无疑是巨大的。但是，因为紧急权力可以集正常状态下的立法权、执行权甚至司法权于一体，成为一种集合权力。因而，紧急权力是一种极具危害性的权力，它可能会对国民的基本人权，对于法治造成威胁。这种威胁具体体现在两个方面：一是紧急状态中紧急权力的行使会侵犯公民权利和国家利益；二是紧急状态消失后，把持这种紧急权力的人可能仍会继续运用这项权力为自己谋利。因此，即使在紧急状态下对于紧急权力仍需要进行规范。因而，紧急权力即使作为在紧急状态下行使的一种非常权力，它的行使也不能毫无限制，其适用是有条件的，必须得到规范。像许多西方国家都制定了旨在规范紧急权力行使的"紧急状态法"。例如英国的《紧急状态权力（防御）法》、法国的《紧急状态法》、美国的《国家紧急状态法》以及苏联的《紧急状态制度法》等。考察西方发达法治国家的经验，结合我国正在形成和积累的经验，笔者认为应

---

① 参见王名扬：《法国行政法》，中国政法大学出版社 1988 年版，第 218 页。

② 王名扬：《法国行政法》，中国政法大学出版社 1988 年版，第 148 页。

从以下几个方面对紧急权力进行规范：

（一）必须存在明确无误的紧急状态，这是紧急权力行使的必要前提

紧急权力是一种极其危险的可以不受现行法律约束的权力。若在正常状态下，任何紧急权力的行使都会因为其缺少应有的必要性而被归于违法，它必须在紧急状态下才能被行使。那么出现什么情况属于紧急状态呢？美国的行政学者认为："紧急状态将被宽泛的解释为这样一些情况：由于发生某种（事实上的或声称的）对国家构成威胁的非同寻常的事由，政府中止公民的某些权利。"[①]具体说来，紧急状态主要包括战争、政变、动乱、恐怖活动、大规模罢工、严重暴力犯罪成风、流行传染病突发蔓延、自然灾害等情况。紧急状态是常规状态被破坏的结果，从这个角度来讲，任何社会都可能交替性地存在两种状态或两种性质有别的社会秩序，两种状态存在的根本区别在于，在正常状态下，社会的各成员之间尽管也存在冲突和矛盾，但总体上讲，社会处于一种和谐有序之中，绝大部分社会成员的生命、财产以及各种宪法权利都能得到法律保障；而在紧急状态下，原有的、和谐的秩序受到威胁甚至已经被破坏，公民的生命、财产和各种自由遭到了重大威胁，死亡和动荡是这种状态下社会的经常现象。基于这样的一种本质区别，宪法对于两种状态下的国家权力和公民权利分配采取了不同的方式，在紧急状态下，国家权力的分配及运行和公民基本权利的享有与正常状态时存在巨大差别。具体而言，紧急状态下需要权力高度集中行使，能够迅速作出反应并下达命令，这种权力带有"专制"的色彩，而公民基本权利的行使则受到多重限制，社会资源必须随时听从权力的调遣。而这时就涉及一个至关重要的问题，即谁有权力决定和宣布紧急状态的出现或存在？因为该权力一旦被错误行使将会给国民甚至整个人类带来巨大危险，关于这一点我们人类历史上已经有过惨痛的教训。二战前的德国在国会纵火案后旋即颁布的《保卫人民与国家安全法令》宣布国家实行紧急状态，而当时的实际情况是，纳粹为了防止所谓"共产党暴动"，故意捏造的一种"紧急状态"。但这却不仅成为纳粹统治的基础，同时也宣告了德国作为宪政国家的终止。[②] 所以为了避免人类悲剧的重演，笔者认为：

---

① ［美］亨金、罗森塔尔：《宪政与权利》，郑戈等译，三联书店1996年版，第223页。

② 参见［德］英戈·穆勒：《恐怖的法官——纳粹时期的司法》，王勇译，中国政法大学出版社2000年版，第42页。

首先，享有紧急状态决定和宣告权的机关不应该是可以实施紧急措施的机关。因为如果紧急状态的宣布权和采取应对措施的权力集于一个机关或者一人之手，则极易造成紧急权的滥用。如果有人可以任意地通过宣布紧急状态并采取应对措施来谋取政治利益，那么可能所有的情形都会变成一种紧急状态，“任何人或任何机构只要能够通过宣告紧急状态而攫取到这种紧急状态的权力，那么该人或该机构便是真正的主权者”[①]。因而，必须把紧急状态决定和宣布权与紧急权力行使权交由不同国家机关行使。

其次，紧急状态的出现即意味着政府可以采取一切其认为必要的措施，公众的许多宪法权利如人身自由权，言论自由全都可能受到限制或剥夺，所以有权决定和宣布紧急状态的主体必须是可以对公民的基本权利作出规定或限制的机关。在我国，根据《宪法》和《立法法》的有关规定，可以规定公民基本权利的机关只能是全国人民代表大会及其常务委员会。此外，我国《宪法》第 62 条规定：全国人大有权决定战争和和平问题。第 67 条规定：在全国人大闭会期间，全国人大常委会有权决定战争状态的宣布；决定全国总动员或局部总动员；决定全国或者个别省、自治区、直辖市的戒严。第 80 条规定：国家主席有权发布戒严令，宣布战争状态，发布动员令。可见，就中国的宪政体制而言，宪法赋予了全国人大及其常委会较为充分的紧急状态决定权，而国家主席则享有紧急状态的宣布权。

最后，紧急状态的决定和宣布也必须遵循一定的程序。法国《宪法》16 条规定：总统在宣布紧急状态前必须同总理、两院议长和宪法委员会主席正式磋商。美国 1776 年《国家紧急法》规定：总统宣布紧急状态时，必须指出宪法的或法律的根据，立即把紧急状态的宣告提交国会，并在联邦登记上公布。[②] 根据中国的宪政体制，紧急状态的出现可由国务院向全国人大及其常委会提出（当然也可由全国人大及其常委会直接决定），经全国人大及其常委会审议决定，由国家主席通过主席令宣布。

（二）紧急权力的行使主体和范围

紧急权力作为一种必要但又十分危险的权力，并不是所有的机关在紧急状

---

① ［英］弗里德利希·冯·哈耶克：《法律、立法与自由》第 2、3 卷，邓正来等译，中国大百科全书出版社 2000 年版，第 451 页。

② 参见王名扬：《美国行政法》（上），中国法制出版社 1995 年版，第 149 页。

态下都可行使。它只能由法定有权机关或有权机关依法委托的其他机关组织实施,无权机关确有必要行使了紧急权力,事后应由有权机关确认有效。例如法国的《宪法》和美国的《紧急状态法》都明确规定:总统在紧急状态下享有"非常权力"。英国 1940 年的《紧急状态权力(防御)法》规定:公民必须把他们自身、他们的服务以及他们的财产置于英王陛下(英王政府)的支配之下,只要陛下(政府)认为此种支配对于保证公共安全,进行王国防御,维持王国秩序或有效的从事战争或维持社会生活所必需的供应或服务来说是必要的、合适的。[①]在我国,紧急权力的行使只能属于行政机关,权力机关和司法机关不能行使紧急权力。首先,这是由我国《宪法》和组织法规定的国家机关之间的职能分工所决定的。其次,紧急权力作为一种在紧急状态存在时采取非常应对措施的组织和命令权,其首要目标是采取高效率、迅捷的应对措施消除紧急危险,而行政机关则恰恰具有采取相应措施的经验、知识和专门技术。另外,紧急权由国务院统一领导行使,在具体过程中其也可根据消除紧急危险的实际需要,授权或委托其他相关机关、组织一定的紧急权力,采取紧急措施。

紧急状态下政府的紧急权力仍有一定的范围,是有限度的。根据古典的宪政理论,自然状态下的人们享有充分的自由、生命和财产权利,但却由于缺乏一个维持秩序的公力机构而陷入混乱之中,每个人朝不保夕。这显然是一种紧急状态。为了应对这种紧急状态,每个人都交出一部分权利形成公共权力并组建了政府,以维持社会秩序。政府和公共权力存在的价值就是维持一个和谐的社会秩序,最大限度地保护公民的权利和自由。但当紧急事件危及甚至对正常秩序造成既定侵害时,为了应对这种紧急危险,必然需要一种集中、强化和扩大化的国家权力,而国家权力的任何扩大趋势,都将导致公民权利和自由的损失。因而,在紧急状态下,公民必定会失去一些法定权利。如德国《魏玛宪法》第 48 条规定:为了应对紧急状态总统可以使用武力来恢复"公共秩序和安宁",临时停止宪法规定的某些公民权利。[②] 但是,在紧急状态中应当中止公民哪些方面以及多大范围的宪法权利,是任何一个追求保障公民权利和自由的宪政国家必须面对并应加以妥善解决的问题。

就各国的宪政实践来看,因紧急状态而失去权利的范围大多包括人身自

① 参见[英]詹宁斯:《法与宪法》,龚祥瑞译,三联书店 1997 年版,第 224～225 页。
② 参见何勤华:《德国法律发达史》,法律出版社 2000 年版,第 139 页。

由、居住和迁徙自由、住宅不受侵犯,通信自由、结社自由、言论自由,罢工权等方面。一些国际性的人权公约对紧急状态下保留人权的最低标准也作了明文规定。如1953年生效的《欧洲人权公约》、1969年生效的《美洲人权公约》等,1976年生效的联合国《公民权利及政治权利国际公约》第4条规定:即使在威胁国家安全的公共紧急状态时期,像生命权、不受酷刑、不得为奴或者做奴役、无罪推定、不受有溯及力的法律的约束,思想自由、良心和宗教的自由等基本权利都不得被克减。[①] 我国作为世界人权公约的批准国,紧急权力的范围应以上述公约所规定的公民不得被剥夺的基本权利为限。

(三)紧急权力行使过程中"比例原则"的适用

在紧急状态下,行政机关可以不遵守妨碍它采取必要行动的法律规则,可以不受现行法对其权限范围的限制,可以不遵守法律规定的程序和形式,甚至可以不遵守法律规定的内容,但是,毛雷尔在讲到法律保留原则时说:"对突然出现的情况,如自然灾害,特别是经济危机,不需要(事先)授权。在特殊的'紧急情况'下,人们可能接受补充性的行政权限,但不得以实际情况为由废除法律原则。否则,人们的基本权利就将失去即时救助。"[②]所以,政府的一切紧急行为应符合比例原则。一般情况下,所谓比例原则,是指行政机关在采取行政行为时,应当全面权衡有关的公共利益和个人利益,采取对公民权利造成限制或者损害最小的行政行为,并且使行政行为造成的损害与所追求的行政目的相适应,又称为"禁止过度原则"或者"最小损害原则"。[③] 该原则是德国行政法的创造,起源于19世纪末期的警察国家观念。根据该观念,国家机关干涉公民权益的正当性应当根据社会目的而定,干涉措施必须与效果及其所要保护的利益成比例。"目标和手段之间的关系必须具有客观的对称性,禁止任何国家采取过度的措施;在实现法定目的的前提下,国家活动对公民的侵害应该减少到最低程度。"[④]德国行政法学者将比例原则进一步分为三个下位原则:(1)适应性原则(suitability)。政府措施必须适合所追求的目的或者所要实现的目标。(2)必要性原则(necessary)。政府措施必须是必要的,即行政机关在其职权范

---

① 参见刘海年、李林、[瑞士]托马斯·弗莱纳:《人权与宪政》,中国法制出版社1999年版,第257页。

② [德]哈特穆特·毛雷尔:《行政法学总论》,高家伟译,法律出版社2000年版,第113页。

③ 参见马怀德主编:《行政法与行政诉讼法》,中国法制出版社2000年版,第68页。

④ [德]哈特穆特·毛雷尔:《行政法学总论》,高家伟译,法律出版社2000年版,第106~107页。

围内没有对公民自由侵害更小的措施可供采取。(3)(狭义)比例性原则(proportionality)。有关措施对限制的权益来说,应当是相称的。

比例原则是专门针对行政裁量权而提出的法律原则,它使行政机关在行使自由裁量权时的余地缩小到最小的限度,有时甚至使行政机关的裁量权缩小为零。鉴于比例原则与行政裁量权之间的特殊关系,可以认为,行政裁量权的范围越大,比例原则的重要性就越大。而在紧急状态下,政府为迅速有效地应对突如其来的危险所行使的紧急权就是一种急剧扩张了的变态似的自由裁量权,它有时甚至同时包括立法权、行政权、司法权。因而,在紧急状态下,比例原则的适用,对于制约和指导政府行为[①],保护公民权利,具有极为重要的意义。当然,在紧急状态下适用的比例原则与正常状态下的比例原则并不完全一致,它具有其特殊性。笔者认为,紧急状态下的比例原则应包含以下内容:

第一,适合性。政府所采取的紧急措施必须与消除紧急状态,恢复社会秩序,保护人民生命安全的目的相适合。

第二,必要性。紧急状态只能使必要的行政措施成为合法,政府的紧急措施都须是为消除紧急状态所必需的。值得注意的是,这里的必要性是指"绝对必要性",即对目的实现情况来说,所采取的措施是绝对必要的(absolutely necessary),除此之外,别无他法;或者说,政府的措施与其他可供选择的具有相同效果的措施相比,必须对公民自由权利的侵犯或损害最少。如上例,政府控制新冠人群扩散的目的,可通过在车站、码头、机场对旅客进行体温检测,对体温超过 37.3 摄氏度的人进行隔离观察的方式达到;也可通过实施戒严,禁止所有人员出城的方式达到。在两种方式中,政府之所以必须采取前者而非后者是因为,在相同效果下,前种方式对公民自由权利的侵犯要比后种方式小得多。因此,在紧急情况下,行政机关如果能以合法的手段或对公民损害较小的措施维持公共秩序和保证公务运行时,就不能采取违法的手段或对公民损害较大的措施。

第三,至于第三个下位原则——比例原则,笔者认为它并不适用于或者更确切地说不必适用于紧急状态下紧急权的行使。这里的比例原则是狭义的比例原则,它要求行政机关在经过适合性和必要性的考虑之后,所设定或者选择

---

① 本文所说的"政府行为"都是指政府实施的除外交、国防等国家行为以外的所有行为,不一定限于行政行为。

的措施可能产生的成本或者损害必须与所追求的行政目的对称。[①] 该原则要义之一是，如果行政机关所追求的目标过小，而采取的措施所造成的损害过大，那么行政机关即不得采取该行政措施，就要放弃行政目的。然而在紧急状态下，消除紧急状态的目的是必须要实现的，不得放弃。此时只能根据必要性原则，选择采取成本最低或者造成损害最小的措施，而这又恰恰是比例原则的另一要义。从这个意义上可以说，比例原则已融入必要性原则之中，二者合而为一。所以说，在紧急状态下，狭义的比例原则已没有适用的必要。

三、紧急状态下对政府行为的司法审查

韦德认为，在法治社会里不应存在无限制的权力，不受任何监督的权力必然导致滥用。例如在纳粹时期的德国，法院与政府官员“坑瀣一气”“心照不宣”[②]，对纳粹政府的行为放弃监督，甚至通过判决予以支持，助长了纳粹分子的气焰，任凭希特勒在德国进行独裁统治，给世界人民造成了巨大灾难。所以紧急状态下政府的行为必须接受法律的监督和制约。对政府行为的司法审查既是对公民主观权利的救济，又是对政府行为的客观审查，这两个功能共同实现于同一过程中。司法审查的价值之一或主要价值在于实施法治原则，法治原则是司法审查的基本原则，也是其价值所在。[③] 紧急状态下对政府行为的司法审查同样具有很多特殊性，其中主要涉及以下几个问题：

(一)公民对政府的紧急行为可否提起司法审查

诚然，在紧急状态下，公民要失去很多在正常情况下所享有的法定权利，但这并不表明公民毫无权利，正如前文所述，此时公民仍享有一些不可剥夺的权利，如生命权，不受奴役的自由，思想、信念和宗教自由等。况且，根据具体情况，不同的公民被剥夺的权利的程度也不同。“有权利必有救济”，而救济的前提是诉权的存在。诉权，是指国家赋予当事人请求司法保护，进行诉讼活动的基本权能。[④] 因而，即使是在紧急状态下，受害人也享有诉权，它是任何时候都不得被剥夺的，国家应该为受害人提供充分的救济途径和方式，这也是现代社

---

① 参见马怀德主编:《行政法与行政诉讼法》，中国法制出版社 2000 年版，第 80 页。

② 参见[德]英戈·穆勒:《恐怖的法官——纳粹时期的司法》，王勇译，中国政法大学出版社 2000 年版，第 44 页。

③ 参见刘善春:《行政诉讼价值论》，法律出版社 1998 年版，第 16 页。

④ 参见刘家兴主编:《民事诉讼法学教程》，北京大学出版社 1994 年版，第 30 页。

会衡量一个国家法治和文明水平的重要标志。所以说，为应对紧急危险，政府适用应急性原则，可以采取它认为必要的任何行为，但只要公民认为政府的紧急行为违反法治原则，侵犯了他的权利，就可要求特定法院行使行政审判权对该行为进行司法审查。至于被诉紧急行为是否违反了行政法治原则则交由法院去判断。

(二)法院对政府紧急行为审查的标准

这也是紧急状态下对政府行为进行审查最特殊、最核心的问题，因为紧急状态下政府适用应急性原则，可以采取没有法律依据甚至与法律相抵触的行为，所以在正常状态下法院对政府行为的合法性进行审查的标准在紧急状态下已无法完全适用，对"适用法律法规错误，违反法定程序，超越职权"的政府行为不能一律定为违法而撤销。紧急状态下，法院对政府紧急行为的审查标准是：

(1)紧急状态是否存在，以及存在的范围和时间。存在明确无误的紧急状态是紧急权力行使的必要前提，因而如果某地某时不存在紧急状态，那么法院对政府行为的司法审查就应按照正常状态下行政诉讼法所规定的标准进行。例如，美国联邦最高法院在 1866 年的一个判决中，宣告林肯总统在内战期间规定印第安纳州的某些刑事犯罪由军事法院管辖的决定违法，因为印第安纳州不是战区，不存在紧急状态。① 如果存在紧急状态，则应按以下两个标准对政府的紧急行为进行审查。

(2)审查政府行为的目的和动机。在处于紧急状态的国家和社会中，并不是政府的所有行为都是紧急行为，政府所实施的紧急行为只是那些为了或适合消除紧急状态目的的行为。若经审查，被诉政府行为的实施目的与消除紧急危险无关，那么法院同样应按行政诉讼法的有关规定判断该行为的合法性。

(3)审查政府行为的性质是否超过了必要的限度，是否与当时的情况相适应。在紧急状态下，政府有广泛的自由裁量权，但法院若经审理认为，为了达到同样的行政效果，政府在明显可以采用合法的或对公民损害较小的措施维持公共秩序和保证公务运行的情况下，而采取了违法的或对公民损害较大的措施，那么该行为就是违法的。

(三)司法审查的结果

对于政府在紧急状态下所实施的紧急行为，法院经审查认为不符合上述比

---

① 参见王名扬：《美国行政法》(上)，中国法制出版社 1995 年版，第 150 页。

例原则,应予以撤销;但若行为的撤销会对紧急危险的消除极为不利,可以不予撤销而判决政府负担赔偿责任。对于符合比例原则的紧急行为应予维持,当然为了公平起见,也可判决政府负担无过错的补偿责任。

四、结论

综上所述,行政应急性原则虽然突破了严格的行政法治原则,但由于该原则的适用仍受到一定限制,仍要接受法律的监督,因而它并不是行政法治原则的抛弃,而是行政法治原则的矫正,是用例外的法治代替了正常的法治。这就不难理解,从广义上说,应急性原则并没有脱离行政法治原则,而是行政法治原则内含的特殊重要内容。正如最近很多行政法学者所建议的,我国应尽快制定“紧急状态法”及其配套法律法规,将紧急情况下的政府行为纳入法治的范围,以建立和完善我国的行政应急机制。

市域社会治理中的司法贡献

——以J市法院行政审判大数据应用为例*

曹　磊**

摘要：随着智慧法院建设的深入推进，人民法院司法审判大数据海量增长。发掘蕴藏在司法大数据中的丰富信息，探索司法案件与社会活动、政府行为之间内在的关联与规律，是人民法院延伸司法功能、积极参与社会治理的创新举措。司法大数据种类繁多、信息量巨大，社会治理的内涵更是无限丰富，对两者关联关系进行全过程、全方位的研究，工程量浩大，决非朝夕之功可以完成。鉴于司法大数据在社会治理中的功能、方式和面临的难题具有共通性，适宜先开展司法数据分类和治理范围限定的样本研究。社会治理效果如何，行政诉讼指数是晴雨表。以J市法院行政审判大数据对市域社会治理的贡献为例，解读当前行政审判大数据参与社会治理存在的不足及原因，探索司法大数据深入分析应用的路径，可为该领域的实践展开与理论研究提供参考。

关键词：市域；社会治理；行政审判；司法大数据

市域社会治理，是以地级市行政区划为范围，以市域问题与市域风险为对象，以市域各构成单元为构成要素的有机协同、共同发展为目标的社会治理。①地级市政府既具有直接领导协调基层政府解决纠纷的职责，又具有向上级政府或领导机关争取政策和资源支持的能力。因此，市域社会可以实现区域治理的独特性与社会治理共通性之间的连接与平衡，在国家治理体系中地位攸关。随

---

* 第三十二届全国副省级城市法治论坛获奖论文三等奖。

** 曹磊，济南市中级人民法院四级高级法官，法学博士。

① 参见陈忠、吴伟：《市域社会的治理逻辑：发展趋势与伦理选择》，《光明日报》2020年4月20日。

着社会的快速发展，经济结构深刻变革、利益格局深刻调整、思想观念深刻变化、社会结构深刻变动[①]，社会矛盾空前复杂、风险丛生。传统的治理模式、理念和方法面临严峻挑战。这要求治理主体针对社会运行过程中出现的新问题与时俱进塑造创新思维，善于运用新技术、新知识提升社会治理能力。人民法院的行政审判工作通过纠正违法和不当行政行为监督行政机关依法行政，是推进法治政府建设的关键环节和反映政府治理效果的重要场域。人工智能迅猛发展的当下，人民法院正乘着科技东风，深入推进法院信息化建设，全力建成智慧法院。信息化过程中，海量司法数据滚雪球般累积下来，并随着时间的推移而愈加庞大、愈加蕴藏超凡的价值。运用大数据揭示司法审判工作与社会活动、政府行为之间的规律与关联，探析隐藏在大数据背后的社会发展规律及社会治理新需求，进而为市域社会决策科学化、治理精准化、公共服务高效化提供智识支持，具有重要的理论与实践意义。

一、行政审判及其数据对市域社会治理的功能

社会治理的主要任务是协调社会关系、调解利益格局，化解社会矛盾、解决社会问题，增强社会活力。行政审判通过案件的审理回应当事人诉求、解决社会纠纷，引导并规范社会主体的行为，是参与社会治理的一种重要方式。大量案件汇聚形成的司法大数据可以揭示社会中潜在的问题和风险，为社会治理划定重点、摸清方向。

（一）法治是社会治理的终极选择

人类社会自剩余产品出现开始，便产生了利益分配的难题，接受社会所有人委托、旨在维护所有人权利的公权力组织——政府——应运而生。政府存在的理由决定着政府与生俱来的职责，即公平合理地依照每个社会主体的付出和贡献向其分配应得利益。“纵观各种不同的治理体系，可以发现，真正‘治理’着社会、能够有效形成社会服从的，是‘社会公正’的维护机制。”[②]因此，“公正是施政的目的”（笛福语），更是社会治理的主要理念。实现公正是一个社会的最高理念，是得到广泛认同的价值基础，只有这个基础，社会才能建立起良好的秩

① 参见江必新、王红霞：《论现代社会治理格局：共建共治共享的意蕴、基础与关键》，《法学杂志》2019 年第 2 期。

② 张静：《社会治理、组织、观念与方法》，商务印书馆 2019 年版，第 33 页。

序，追求不同利益的个人才能遵循共同的行为准则，人们才能对善恶进行区分，对正义有肯定的期待。[①] 在漫漫的社会发展过程中，不同时期的治理者尝试运用了皇权、道德、宗教、法律等多种社会控制手段，以避免和解决利益分配产生的冲突，维护社会秩序的稳定。“尽管社会控制的规则很多，但其中最为重要的社会规则莫过于法律规则。”[②]因为法律具有普遍性、公开性及形式正义的特性，这决定了法律能够使权力被控制在确定的范围或者说权力边界公开明晰，便于权力的相对方和社会公众监督和评价，慑于对违法后果的恐惧，掌权者必定谨慎从事，不敢超越法律雷池一步。[③] 基于此，在诸多治理规则中，法律规则在经历各种社会制度的反复检验后，以最显著的治理效果和最强大的进化能力，获得包括我国在内的现代国家一致的推崇，被奉为现代化社会治理的至上手段。“社会治理的时代转型，既是一场社会领域实践变革，也是一次思维领域的范式更新，其最根本的是摒弃阶级斗争思维、矫正专政思维、淡化管理思维，代之以法律思维、法治思维、法理思维。”[④]经过不懈的思想解放努力，治理者已明确了实现社会公正的治理目的，达成了依法办事的法治共识。在法治思维的规范下，行政机关必须依照法律规定形成决策，执法机关（者）必须在法定权限范围内、依照法定程序履行职责，平等公正地对待每一个社会主体，当行政主体怠于履行法定职责、超越权限或滥用职权等违法行为造成行政相对人的权利受到侵害时，受害人有权通过诉讼途径获得司法救济。

（二）行政诉讼指数是社会治理效果的晴雨表

党的十九大报告强调，完善党委领导、政府负责、社会协同、公众参与、法治保障的社会治理体制。要实现社会治理的现代化，必须对参与社会治理的各方主体准确定位、合理分工，充分发挥各主体功能并高度协同。政府是社会治理中主要的力量，但治理现代化需要政府充分调动其他力量，抛弃以往大包大揽、包办一切的治理传统。司法机关则应当在确保独立、公开、公平、公正审理案件的同时，树立服务大局的意识，主动作为，延伸司法功能范围，为社会治理提供坚强的法治保障。“法治政府的基本要求和目标是职能科学、权责法定、执法严

---

① 参见高志刚：《论司法公正与社会公正的关系》，《当代法学》2002 年第 9 期。

② 江必新、程琥：《国家治理现代化与司法公正》，中国法制出版社 2016 年版，第 89 页。

③ 参见赵宝华：《程序控权与社会和谐》，人民出版社 2011 年版，第 139 页。

④ 张文显在 2019 年 1 月 12 日“新时代社会治理的法治思维和法理思维”专题研讨会上题为《中国社会治理的法治思维》的致辞。

明、公开公正、廉洁高效、守法诚信。”①法治政府这一目标是否实现需要通过法定程序和标准进行评估;政府及其所属部门的行政行为是否合法,则要经受法院的审查和评判。行政审判充当了政府与相对人之间的居中角色,对政府的行为进行终局评判,这种评判具有显著的规则性、程序性和透明性,为处于相对弱势一方的相对人提供公平表达诉求、与强大政府进行平等对抗的平台。这体现了法律对权力的制约性,是法治社会最为基本的要求。司法权的介入使得国家社会互动中的二元结构转置为以法院为节点的三元结构,能够防止政民利益冲突泛政治化,有助于法治政府建设。② 法院的审判工作包括刑事审判、民事审判和行政审判,每一项审判工作都以各自不同的方式作用于社会,参与到社会治理之中。

行政审判参与社会治理的方式最为直接,特别是在市域社会的治理活动中。理由有两点:一是法治政府、诚信政府是社会治理的基础。“法治,简单地说,实际上是对权力和权利关系的合理配置,是对国家权力的控制。而权力控制中最重要的是对行政权力的控制。”③只有建立一个高度权威的、令人信服的政府,方可承担社会治理过程中综合协调作用,协同各方治理力量积极参与社会治理,合力促成社会治理目标的实现。行政审判的基本目标是对政府行政行为的监督,政府行政行为是否合法合理,直接关系到社会治理的成效,审判过程、结果及形成的规则意识对政府持续性的行政行为具有很强的指引作用,从而提升政府依法治理的意识和能力,促进法治政府建设,提升政府地位和权威。二是市域两级法院解决了该区域内绝大多数行政案件。依照我国行政诉讼法规定,以县级以上政府为被告的行政案件,中级法院为一审法院,以乡镇政府或县级以上政府所属部门为被告的行政案件,均由基层法院管辖。从最高人民法院统计数据看,除去由中级法院一审管辖的上诉案件须由高级法院作出终审判决外,其余约 95%的行政案件均在市域两级法院审理终结。因此,市域两级法院的行政诉讼指数,可以较为准确地体现地方法治环境、法治意识以及政府依法行政状况等指标,进而反映市域范围的社会治理成效。

---

① 卓泽渊:《新时代法治国家建设笔谈》,《现代法学》2018 年第 1 期。

② 参见孟天广、王翔:《国家社会关系视角下的非诉行政执行制度:基于司法大数据的分析》,《治理研究》2019 年第 6 期。

③ 孙笑侠:《法律对行政的控制:现代行政法的法理解释》,山东人民出版社 1999 年版,第 22 页。

（三）司法大数据是发现社会问题与风险的天然渠道

“司法大数据可以通过分析纠纷发生的规律性，为社会治理提供问题归纳和风险研判。”[①]大数据时代一改传统数据分析的样本收集，强调数据尽可能的完整性和混杂性，帮助人们更进一步接近事实的真相。大数据借助于强大的数据计算法则和计算能力，其数据挖掘和分析能力超出传统统计学的抽样样本的局限性，使接近于全体的数据分析成为可能，研究结果更具有普遍的应用价值。其能够通过一定的运算法则，将事物之间通过相关关系搜索列入量化数据分析的范畴，其所提供的是事物之间的相关关系而非简单的因果关系。[②]“通过分析大而全的事例归纳出共性特征，最终得出非确定性结论或者说作出概率性、可能性推断。”[③]建设充满活力、和谐有序的社会的治理目标，决定了社会治理的对象是社会中存在的问题与可能现实化的风险，因为“治理”必须针对需要进行“治”和“理”，而不能为追求治理而治理，将治理对象空虚化、抽象化。当今社会发展一日千里，新生事物层出不穷，新纠纷、新问题随之而来，蝴蝶效应、多米诺骨牌效应在社会风险的发生与升级过程中变得更加明显。社会问题和社会风险的快速变化，造成治理难度的增加，这要求治理主体对于社会问题的发现更加精准、风险的预警更加及时。

行政纠纷集中展现了社会民众对政府行为的不满。进入法院的纠纷多，既反映了民众依法维权意识的提升，更在很大程度上体现了社会治理中存在的问题。进入法院的纠纷能够更直观、更集中地发现突出的社会性问题，发现社会潜在风险发生的苗头，为提前介入、夯实社会治理基础提供参考。除去部分当事人滥用诉权提起诉讼外，行政诉讼案件的发生，意味着行政机关的行政行为或不作为侵害了行政相对人的权益。通过对行政审判司法大数据的分析，可以更为准确地发现社会治理中存在的问题及其与政府行为之间的关联关系，并预测出社会可能出现的治理风险种类与风险发生的概率。

---

① 蒋惠岭：《司法大数据能为我们带来什么？》，《人民周刊》2018年第3期。

② 参见刘金华：《论司法大数据与裁判文书公开》，马宏俊：《司法大数据与法律文书改革》，知识产权出版社2019年版，第64页。

③ 郑一卉：《范式与方法：对大数据环境中社会科学研究的反思》，《新闻知识》2016年第1期。

二、J 市法院行政审判参与社会治理的功效与不足

多年来，J 市法院[①]行政审判在依法公正审理案件的同时，通过《全市法院年度行政案件司法审查报告》(俗称"行政审判白皮书"，以下简称白皮书)、府院联席会、司法建议、公布典型案例等多种方式延伸行政审判职能，参与社会治理。

(一)J 市法院行政审判参与社会治理的主要方式

一是白皮书。白皮书是法院以司法大数据形式作出的年度行政案件审判分析报告，每年年初向社会发布并向相关机关报送、抄送。白皮书被赋予的主要功能之一是通过系统梳理、深度剖析和挖掘对策，助推行政机关提高依法行政能力和水平，实现人民法院和行政机关在更高层次上的良性互动。[②] 白皮书主要包括三部分内容。第一部分是行政案件总体情况和行政审判新特点，主要包含如下信息：(1)全市两级法院一二审收结案件数量、增长幅度与近年来的趋势；(2)不同行政管理领域案件数量、占比及增减原因；(3)不同行政机关作为被告的案件数量、案由、占比及增减原因；(4)不同行政行为类型案件数量、案由、占比及增减原因；(5)行政协议类案件数量及诉讼请求类型；(6)原告要求附带审查规范性文件案件、一并解决民事争议案件、检察机关提起行政公益诉讼案件数量。行政审判新特点则主要是根据统计数据分析年度行政审判呈现出的与往年不同的规律性变化，人民法院为提升审判质效、参与社会治理而采取的创新工作机制与举措等。第二部分是行政机关在行政执法与行政诉讼中存在的问题。主要包含如下信息：(1)行政执法中存在的程序问题、事实认定问题、法律适用问题与行政机关化解纠纷数量等；(2)行政应诉中行政机关对应诉的态度、行政机关负责人出庭应诉率、应诉人次、诉讼过程中对当事人诉求的关切与处理等；(3)人民法院发出的司法建议数量、接收机关、回复情况及效果等。第三部分是促进依法行政和行政应诉工作的意见建议。建议意见侧重于依法行政、政务诚信、依法应诉、纠纷化解等意识和能力的提升。[③]

---

① 文中"J 市法院"指 J 市中级人民法院，"J 市两级法院"则包含 J 市法院和辖区内基层法院。

② 参见章志远：《我国行政白皮书研究》，《行政法学研究》2018 年第 4 期。

③ 参见 J 市法院 2019 年度《全市法院行政案件司法审查报告》，篇幅所限，仅提取了与本题关联最紧密的内容；报告书附件为《全市法院年度十大典型行政案例》。

二是府院联席会。府院联席会是政府及其所属机关通过与人民法院通力合作，促进数据共享、风险发现、共商共治，以实现社会治理能力提升和治理水平现代化。从实际运行情况看，府院联席会主要有两种形式。一种是定期定时的常态化会议。主要会商如下事项：行政机关负责人出庭应诉问题，案件中相关社会风险评估与化解问题，数据信息及时交换互通问题，行政纠纷调解和解与实质性化解工作，行政复议、行政诉讼、司法建议、生效裁判执行（不予执行）等重要信息的报送问题，重大社会影响案件、重大信访或舆情案件、行政机关工作人员涉嫌在履行职务期间的严重违法违纪线索等。另一种是因特别事项召集的临时会议。一般情况下，是在行政机关行政管理和执法过程中遇到疑难、社会影响深远或涉诉风险较高的决策或执法行为时，为了最大程度上实现决策的正确性或行政行为的合法性，临时与法院进行沟通磋商，以获得法律层面专业的指导。当然，法院在审理案件特别是调解纠纷过程中，遇到需要多部门协同处理的事项时或是遇到疑难专业问题时，也会邀请被告以外的政府相关部门会商处理。

三是司法建议。司法建议是指人民法院在行使审判权时，对与案件有关但不属于人民法院审判工作所能解决的问题，向有关单位和个人提出的合理化建议，其目的在于使有关单位堵塞漏洞、改进工作、完善制度、消除不利因素。[①] J市两级法院在一年内向各级政府、所属部门以及相关单位共发送司法建议二三十件。说明J市两级法院在参与社会治理方面，具有较强的主动性和较高的精准性。

四是行政典型案例。近年来，最高人民法院、各省高级人民法院、市中级人民法院甚至部分区县级人民法院会在每年的年初发布上一年度十大行政典型案例，典型案例一般具有代表性、疑难性或新颖性特点。案例以行政机关败诉案件为主，因为相较于行政机关胜诉案件而言，败诉案件具有更大的分析价值和警示教育意义。案例通常包括基本案情、裁判意见和典型意义三部分。典型案例的主要目的在于促进政府规范行政行为，依法行政。J市法院选取的十大行政典型案例，通过电视、法院微信客户端、报纸等媒体向社会发布，同时作为行政审判白皮书的附件向相关机关单位发布。

---

① 参见林莉红：《行政诉讼法学》，武汉大学出版社2009年版，第245页。

（二）J 市行政审判大数据应用存在的不足

整体看来，人民法院已经通过多种方式最大限度地将行政审判及其大数据贡献于社会治理工作，但大数据时代背景下，社会治理现代化对司法大数据的应用有了更高的要求。上述四种方式中，府院联席会和司法建议两种方式并非司法大数据，本文不再探讨。典型案例是大数据中的小数据，属于大数据应用的方式之一，当前效用发挥尚可；白皮书主要是对行政审判各项指标和数据进行统计分析，是人民法院尝试以司法大数据参与社会治理的主要方式，但从司法大数据深入分析应用的目标而言[①]，尚存在不足。一是统计数据不够全面。J 市法院各项统计数据主要包含年度收结案件数量、种类和增幅，行政机关败诉案件数量、比例、败诉机关分布、败诉类型及原因，行政机关负责人出庭应诉比例等。这其中，很多信息和数据比较简单、甚至偏差。对于大数据实证研究而言，这些统计数据远远不足。二是关联分析缺乏深度。白皮书内容大多是对于数据的整理和传统的司法规律、现象描述，因果关系分析过于粗浅。J 市法院对于行政审判中所发现的执法和应诉中存在问题的归纳广泛存在于其他法院，并且这些问题归纳欠缺对反映本年度、本区域行政审判最为显著的变化、最值得关注的问题的探索发现。然而，对于社会治理真正能够起到贡献作用的审判数据分析，应当是可以反映法律制度运作的实际状态，揭示背后的深层次原因，进而提出有专业化的理论解读和有针对性的治理建言，进而“帮助治理者审慎但有效地改造世界”[②]。三是司法审查建议流于形式。白皮书中向行政机关提出的建议包括法治思维养成、诚信政府创建、应诉行为规范、纠纷实质化解等四个方面，涵盖了行政纠纷预防和化解的全过程，但难以避免的是与“全”相伴而生的“空”。大都是放之四海而皆准的原则性建议，缺乏问题针对性。另外，

---

① 白皮书是当前人民法院利用司法大数据统计分析参与社会治理的传统方式和主要方式，而非唯一方式。随着智慧法院的建设快速推进，大数据应用愈加受到重视，在最高人民法院大力推动下，多地法院开始关注并开展司法大数据分析应用研究，并取得了丰硕的成果。仅 2019 年，受到最高人民法院表彰的关于司法大数据应用于社会治理和法治政府建设方面的研究成果就有：吉林省吉林市中级人民法院完成的《基于司法大数据的法治政府建设成效分析》，南昌铁路运输中级法院完成的《法治政府建设成效分析研——以司法指数体系建构为视角》，浙江省临海市人民法院完成的《基于司法大数据的法治政府建设成效分析研究》，北京市第二中级人民法院完成的《司法大数据与当地社会治理联动态势关系研究——以北京地区近六年金融审判工作情况为透视蓝本》，广西壮族自治区南宁市良庆区人民法院完成的《司法大数据与当地社会治理态势联动关系分析研究》等。详见《最高人民法院办公厅关于 2019 年全国法院司法大数据专题研究完成情况的通报》（法办〔2020〕2 号）。

② 苏力：《好的研究与实证研究》，《法学》2013 年第 4 期。

就社会治理需求而言，虽然行政审判所遇到的绝大多数问题属于行政执法和应诉过程中的问题，但难免因法律规范或行业标准的适用问题而涉及地方人大及其常委会、行业协会，或接受授权或委托行使行政权力的单位等。人民法院对这些行政机关以外的社会治理主体存在的问题，关注不足。

（三）行政审判大数据应用研究不深入的原因

其一，审判是法院主业，数据统计优先服务于审判。法院进行司法数据统计的主要目的是为了研究审判规律与趋势、发现审判过程中存在的问题，进而提升裁判质效、统一裁判尺度，为更好地完成今后的审判任务制定方案。向社会提供据以研究的数据只是法院统计的司法大数据的副产品，为社会治理建言献策也仅是法院审判业务的延伸功能。其二，办案压力超大，无闲暇之时。自2015年新行政诉讼法实施以来，人民法院受理行政案件的数量大幅增长，连续五年均保持在10%～15%的增长速度，给行政审判带来前所未有的压力。同时，法官在审理案件时需要填写数十项信息，内容甚至包括案件当事人的职业和学历等。有些案件信息的录入甚至超过裁判文书制作所花费的时间，有些信息从卷宗里根本无法获取。劳力耗神的信息录入虽有助于数据库的增容，但对于法官而言则纯粹是一种负担。法官及其他辅助人员不得不将主要精力投入到审判及相关工作本身。其三，科研能力有限，实力不允许。白皮书或其他形式的司法大数据统计分析报告研究的主力是研究室研究人员、法官、法官助理甚至书记员，基本没有大数据研究方面的专业人士。况且，即使专司法学研究的科研人员，尚难以科学、熟练地运用数理统计等分析手段与方法展开统计学意义上的定量分析，更遑论在研究中进行数理模型的建构，从而在定量研究的方法上与统计学、社会学、经济学等其他学科展开对话。[①]

三、行政审判大数据深度应用于市域社会治理的路径

人民法院通过化解纠纷，规范社会治理主体的行为，司法的过程实质上是对各种社会治理主体社会活动的评价、规范和引导过程，因此，依法公正审理行政案件工作本身就是人民法院参与社会治理的有效行动。但如果对已有的司法大数据进行深入分析研判，则可为社会治理作出更深远的贡献。

---

① 参见左卫民:《一场新的范式革命？——解读中国法律实证研究》,《清华法学》2017年第3期。

(一)汇总司法案件中暴露的法律问题,提高市域立法质量

2015 年修订的《立法法》将享有立法权的主体扩容至设区的市,这有助于提升区域立法的针对性和效率,但地方立法部门难免会因为捞政绩而进行立法比拼。[①] 这种多主体快速立法造成一个非常严峻的现实问题:地方立法不规范、混乱,经常出现与上位法不一致甚至冲突的地方立法,有些地方甚至出现以政府规范性文件改变或替代法律、法规和规章的情形,还有为达成立法目标而进行的重复立法和为了追求规模而拼凑的僵尸条款。J 市法院司法统计数据显示,行政行为因法律适用错误、不当而被判定违法成为行政机关败诉的主要原因之一。笔者通过对 J 市法院行政庭 11 名法官进行访谈发现,每个法官在其每年审理的案件中,平均都要遇到三五件因地方立法模糊、歧义、不一致而引发的解释难题,亦时常遇到规范冲突选择适用问题。在我国,立法者与司法者的法律职业分工和职能明显不同,司法者的任务是适用法律,原则上应当遵从立法者所制定的法律、法规和规章以及规范性文件,尊重立法者规则设定的权力。但是,司法过程中,当遇到法律规范之间存在冲突、含义不明、规范不当等情形,司法者凭借经验理性和价值判断,借助法律方法技艺消除法律的矛盾、欠缺,修正法律的不当,在此过程中所生成、创设的裁判规则对于立法部门修订既有法律、制定新法有着重要的参考价值。对涉及解释、冲突、漏洞的案件和规范性文件附带审查案件进行统计分析,从制度实践效果层面找出市域地方立法中存在的瑕疵并向立法部门提出立改废的司法建议,将有助于立法部门及时修正错误、完善立法。这实际上发挥了司法特有的"立法后评估"的功能。另外,地方立法中,经常会涉及对上位法适用范围和标准的具体化。但是各个区域的经济、社会、民俗等具体环境条件不同,因此应当考虑各区域的实际情况,但每一个区域的具体情况究竟与其他区域有多大的差别,仅仅凭立法者的主观感受难以做出精确判断,需要翔实的资料来辅助判断[②],此时,通过对行政审判大数据进行分析,能够为立法部门提供准确的量化参考,找到市域立法修改废的重点和抓手,提升立法的科学性和精准度。

---

① 文中"地方立法部门",包括省级以下具有立法权的地方人民代表大会及其常委会、地方人民政府。

② 参见程琥:《法治政府评估研究》,中国法制出版社 2019 年版,第 325 页。

（二）探明司法案件中预示的社会风险，助力政府科学决策

由于信息的不对称，行政机关在进行社会管理活动时，很多时候处于一种非理性决策和经验决策的状态。而社会治理面临的最大难题就是风险的不可控性和不可预测性，这也是社会治理现代化必须解决的难题。法院审理案件实际上等同于对行政机关行政行为进行抽样检验，只是这种抽样并不是随机的，而是在当事人认为行政行为可能存在违法情形时的定向，这意味着进入法院的案件数量虽少，却具有相当广泛的代表性。“大数据之所以能够带来神机妙算般的超凡价值，关键在于对数据的分析、挖掘、加工、提炼，能够从海量的数据中分析和提取出有规律的信息，能够对未来趋势进行预测的信息，进而影响和改善我们的决策。”①传统社会治理中，政府在进行重大决策时，主要依靠“专家咨询＋集体委员会讨论”的经验判断和模糊的逻辑推理确定重大社会影响的行政行为是否、何时以及如何实施。这种决策机制是自上而下的，传统社会治理模式决策粗放简单、侧重宏观。随着科技的发展，部分决策事项逐渐通过模型推演和数据统计的方式进行量化处理，以更加科学地完成决策行为。“数据驱动的决策方法正在改变社会治理的决策过程，借助大数据技术，可以获取有关社会治理的大量数据信息，并通过分析挖掘有价值的信息，逐步建立数据分析应用体系，为决策者的科学决策提供可靠依据，从而促进社会治理决策科学化。”②社会治理决策正在实现从简单粗放向精准分析预测、从关注宏观向注重微观主体数据的两大转变，实现科学决策。③ 对行政受案数量与案由变动情况进行分析，对引发群体性诉讼案件的原因与走向进行分析，对政府败诉案件进行类型化分析，能够最为直接地反映以往政府决策行为的科学性，为今后同类行为的发展态势提供精确的数据解答，进而助力政府决策。例如，对全市范围内所有国有土地上房屋类案件数量、诉讼请求、所涉片区、政府胜负等情况进行统计分析，可以评估政府在房屋征收过程中的征收主体与程序是否合法、风险评估是否准确、补偿标准与安置方案是否适当等等。

（三）提炼同类案件中蕴含的裁判规则，规范行政权力行使

包括行政执法在内的所有行政行为，本质上均属于广义的法律适用行为，

---

① 倪寿明：《充分挖掘司法大数据的超凡价值》，《人民法院报》2017 年 6 月 23 日。

② 孔杰：《大数据时代社会治理的困境与路径创新》，《行政与法》2019 年第 12 期。

③ 参见曾红颖：《创新社会治理：行动者的逻辑》，社会科学文献出版社 2019 年版，第 150 页。

因为任何权力均来自法律的明确授权，权力的行使必须遵守法定的程序。在进入司法程序之前，行政机关和行政相对人对法律、法规、规章和规范性文件的理解可能会产生歧义，行政相对人虽然享有陈述、申辩的权利，但决定权仍然掌握在行政机关手中，因此，行政机关在对法律理解适用上具有专断性，难免出现偏差，进而出现不同机关掌握标准的不一致。进入诉讼的案件，经常会涉及对法律规范理解适用问题的争议，人民法院作出的裁判通常会对不同的理解进行评价并作出终局的解释。在最高人民法院严格要求裁判尺度统一的当下，人民法院对同类案件作出的裁决必将日趋一致。行政执法中的行政惯例，"往往来源于一线执法人员的执法智慧和治理经验，蕴含着行政机关对不确定法律概念、法律未明确规定事项以及法规范本身具体适用等方面的技术性判断，对于弥补法律漏洞、规范行政执法具有重要的作用"[①]。在经过法院司法评判确认后，更具有样本作用。从大量同类案件中提取裁判规则，作为行政行为作出的标准，自然会最大程度上实现执法尺度的统一，并经得住司法的审查。就市域社会治理而言，有些行政行为的尺度具有地域性区分，这种情况下的统一应当是一定区域内的统一，而不能不顾实际情况机械地适用同样的标准。例如，对集体土地征收行为，不同的区域因土地预期收益的不同而应采用不同的补偿方案和标准，对市域内已生效司法案件进行统计分析，便可获知不同区域的不同方案和标准、社会民众的接受程度以及法院司法审查的结论。

政府权力清单是权力公开透明运作的一项制度设计，是对各级政府及其所属部门权力数量、种类、运作程序、适用条件和行使的详细统计，为权力划定清晰界限。[②] 权力清单可以提高政府行政活动的透明度，减少任意的自由裁量，提升行政效能。机构设置改革如火如荼的当下，机构新设、重组与分立的情况频繁发生，各机构的职权范围容易产生重叠、落空和边界不明。对政府败诉案件进行类型化研究，总结败诉的原因，对于因行政机关超越职权作出行政行为的案件进行梳理，可以有针对性地对权力清单进行修正。

（四）释放典型案例中承载的法治理念，增强官民用法能力

大数据是由小数据即司法案例累积而成，小数据是大数据研究的基础。大

---

① 胡斌：《行政执法案例指导制度的法理与构建》，《政治与法律》2016年第9期。

② 参见郑成良、高志刚等：《法治政府建设的理念与路径》，上海人民出版社2017年版，第113～114页。

数据发现的是整体的规律、因果关系与关联关系,作为小数据的案例则可以完整展示裁判的全过程,有助于开展针对性的精准研究。大数据研究必须包含对典型案例的细致研究,以实现宏观与微观的结合、抽象与具体的平衡。典型案例的选取同样离不开对大量案例的分类和整理,从大量案例中经过比较筛选后脱颖而出的案例,才有资格作为最具代表性、最有研习价值的案例。世界各国行政法的重要原则都是从判例中产生的,例如法国的行政法甚至都没有编纂成法典。司法案例被称之为"活法之源",案例在我国行政法中的地位同样非常重要,尊重先例,将成为我国行政权自我法律约束的主要途径。"只有经过法官之手作出裁判,才能进一步明确'法律是什么'。裁判的过程不仅是对法律语言的复述过程,也是将法律与社会联结的过程。"①法院和政府通过行政典型案例的发布,可以畅通了解行政司法的渠道、丰富社会公众监督行政行为的方式。政府官员通过对典型案例的研习,训练法律思维、增进对法律的理解,从案例中总结胜败诉案件的得失,为以后依法行政积累经验。行政执法人员可以通过案例正确把握行政行为合法与违法的界限,规范日常执法行为,从源头上减少纠纷的发生。社会治理一个重要的方面是追求全民守法,民众守法程度的高低决定着社会治理效果的优劣。发布弘扬社会主义法治精神的典型案例,可以增强全社会厉行法治的积极性和主动性,形成守法光荣、违法可耻的社会氛围,有助于指引社会公众依法从事生产生活、形成理性的诉讼理念,使全体民众成为社会主义法治的忠实崇尚者、自觉遵守者、坚定捍卫者。

四、结论与建议

(一)结论:司法大数据应用价值大,挖掘难度高

司法大数据的深入应用,可以提升地方立法的质量,提升政府决策的科学性,预测并预防社会潜在风险,提升官民学法用法守法能力,深入地参与到社会治理的全过程之中。新时代的社会治理,需要思维转变和理论前瞻。人工智能和大数据主导的信息时代已然到来,作为社会治理的主体,不应更无法排斥这样的时代,必须转换姿态、改变传统思维、拥抱信息时代,将大数据分析研判作

① 最高人民法院第三巡回法庭:《最高人民法院典型行政案件裁判观点与文书指导》,中国法制出版社2018年版,第4页。

为新时代社会治理的主要抓手，深入挖掘司法大数据中的信息资源，提升市域社会治理能力的科技水平。但是，司法大数据的应用研究，不仅需要科技人才和政策研究人员，更需要法学特别是从事过审判实务的专业人员；司法案件中很多数据信息涉及国家秘密、商业秘密或个人隐私，必须通过特别程序获得使用权限并严格把握应用边界；将司法大数据深度应用于社会治理是一项极具现实意义的浩大工程，特别是目前法院系统内外部仍然存在数据无法全面互联互通的问题[①]，仅仅通过政府、法院或第三方科研机构一己之力均难以完成。

（二）建议：成立市域司法大数据研究院

2016 年 11 月，最高人民法院党组决定成立中国司法大数据研究院，研究院的主要职责是通过对司法大数据的深入研究，全面推进智能技术在司法工作中的深度应用，为案件审理、审判执行、司法管理、社会治理提供全方位智能辅助。研究院共设八个研究中心，其中社会治理研究中心主要负责通过对司法大数据的分析，支持社会治理理论体系的发展和精准化社会治理能力的形成。地方层面，早在 2016 年初，广州市中级人民法院就建成了广州法院大数据管理分析平台。就市域社会治理现实需要而言，国家级、省级（司法）大数据研究院负担大量科研任务，无暇顾及市域范围内的数据分析，而基层区域的案件大数据不够充足全面且科研能力较薄弱，难以胜任司法大数据的深度分析工作。因此，有必要成立由党委和政府主导、法院参与、科技公司助力的市域司法大数据研究院，以打破不同部门之间的数据信息壁垒，汇集多专业人才，整合财力和物力等资源，争取政府政策支持，保障司法大数据应用研究精准服务于市域社会治理。J 市法院的行政、民事、刑事案件数量均连年处于增长趋势，这种趋势与该市所在 S 省以及全国法院受案形势相一致。未来将有更多的司法大数据进入数据库，市域司法案件数量足以满足大数据研究的需要，并体现市域范围治理的特点与需求。

---

① 参见刘雁鹏：《司法大数据建设的现状、困境与对策》，《中国社会科学院研究生院学报》2019 年第 5 期。

公共卫生法治体系优化路径探究*

衣光军　雷宇非**

摘要:此次新冠肺炎暴露出我国的信息披露和预警制度、医疗物资储备体系等存在问题。在新冠肺炎被基本控制的后疫情时代,我国需积极构建完备的公共卫生法治体系以提升突发公共卫生事件的防控和救治能力。本文从新冠肺炎疫情出发,对比世界卫生组织颁布的《国际卫生条例(2005)》,梳理出我国公共卫生法治治理体系存在的不足,对进一步优化公共卫生法治体系提出建议。

关键词:公共卫生法治;《国际卫生条例》检察机关参与

此次新冠肺炎疫情带来的公共卫生危机给国家治理能力带来了空前挑战,对国家公共卫生体系以及社会治理提出了更高的要求,各国需要在发展目标、治理机制方面作出积极调整。后疫情时代,在国内疫情防控进入常态化防控阶段,如何将肺炎感染人数降至可控范围内,同时又能安全稳定地实现经济复苏,这是对国家治理能力和治理体系的一次考验。在"非典"之后,我国逐渐建立起公共卫生法治体系,但是此次疫情也暴露出许多问题,现存的公共卫生法治治理机制亟待优化。

一、《国际卫生条例》与我国的公共卫生法治体系的演进

(一)《国际卫生条例(2005)》下的传染病防控机制

基于全球化的特征,公共卫生问题早已不是一国内部的事情,需要各国的

---

* 第三十二届全国副省级城市法治论坛获奖论文三等奖。

** 衣光军,济南市人民检察院副检察长。雷宇非,河北经贸大学法学硕士研究生。

联合行动。世界卫生组织负责积极推进和改善全球公共卫生情况，于 1951 年通过了《国际公共卫生条例》(1969 年变更为《国际卫生条例》)，后经多次修订[①]，现适用《国际卫生条例(2005)》。《国际卫生条例(2005)》(以下简称《条例》)对传染病的预防、控制和合作与援助都作出了较为详细的规定。

1. 监测与报告义务

《条例》规定了缔约国的监测与通报义务，即缔约国如果发现本国发生了可能对国际社会公共卫生安全造成威胁的所有事件，必须在评估信息后的 24 小时内通过《条例》下指定的国家归口单位向世界卫生组织通报。[②] 报告的内容包括病例定义、实验室检测结果、危险的来源和类型、病例数和死亡数、影响疾病传播的情况及所采取的卫生措施，必要时，应当报告在应对国际关注的潜在突发公共卫生事件时面临的困难和需要的支持。[③] 通报之后，缔约国也应该继续及时地向世界卫生组织报告公共卫生信息。如上文所述，缔约国监测与通报的对象为“可能构成国际关注的突发公共事件的所有事件”和所采取的“任何卫生措施”，而原来的条例的监测对象是霍乱、鼠疫和黄热病。这就要求缔约国在全国范围内建立起高效的公共卫生监控体系，必须考虑地域、技术、经济等其他因素，加强突发公共卫生事件报告的能力建设。

2. 加强意见指导

《条例》监测与报告制度的确立是为了确保世界卫生组织能够在短时间内评估收到的突发公共卫生事件信息并及时对世界各国发出预警信息，提出相关建议，内容包括疾病传播的可能性和是否应当采取控制交通与贸易的措施。当世界卫生组织接收信息后，对突发公共卫生事件的风险作出评估，及时向国际社会通报，这些措施会减少疾病在世界范围内大面积传播的可能性，更准确和透明的信息也会减少国家限制措施对贸易与旅行的负面影响。

3. 突发事件处理机制

《条例》中公共卫生突发事件处理机制官方称为“国际关注的突发公共卫生

---

① 《国际卫生条例》于 1969 年、1973 年、1981 年和 2005 年修订。

② 参见《国际卫生条例(2005)》第 7 条：“缔约国如果有证据表明在其领土内存在可能构成国际关注的突发公共卫生事件的意外或不寻常的公共卫生事件，均应向世界卫生组织共享相关公共卫生信息。”

③ 参见《国际卫生条例(2005)》第 6 条。

事件”(Public Health Emergency of International Concern，PHEIC)[①]，宣布是否存在PHEIC由总干事决定，总干事能够根据程序提出临时建议或长期建议，包括检疫、隔离措施等，临时建议发布后三个月自动失效。[②] 当一种疾病被确定为PHEIC时，主要产生以下两方面影响：第一，给予未发生疫情国家在卫生措施方面的建议，警示所有国家做好疫情防控工作，减少疾病的传播；第二，贸易限制措施和航空管制。2020年1月31日，世界卫生组织宣布在中国暴发的新冠肺炎疫情为PHEIC后，多国宣布从武汉撤侨，邻近国家封锁边境，涉外企业贸易停滞。为了避免一些国家采取过度的限制措施影响国际贸易，世界卫生组织在PHEIC官方报告的第二部分“结论和建议”中指出：“没有理由采取不必要的措施干涉国际旅行和贸易。”这意味着世界卫生组织并没有限制人员与物资的流动，而是建议各国应该谨慎采取限制贸易与国际旅行的措施。[③]

（二）我国公共卫生法治体系的演进

作为《条例》的缔约国，2003年SARS暴发后我国逐步建立起公共卫生法律体系。2003年，我国颁布了《突发公共卫生事件应急条例》，该条例首次规定了应急处理机制、信息披露制度等，为应对突发公共卫生事件提供了更加明确具体的法律依据。在此基础上，《传染病防治法》开始实施，明确规定了各部门主体在传染病防治方面的义务，疫情上报制度以及监督制度。随后几年，我国依次发布了《国家突发公共卫生事件相关信息报告管理工作规范》《国家突发公共事件总体应急预案》等部门规章与法规。2007年颁布《突发事件应对法》，结合我国实际情况对突发公共卫生事件进行了梳理，将其按照事件性质、危害程度、涉及范围划分为特别重大、重大、较大、和一般四级响应等级，有效地控制和减少突发事件带来的负面影响，提高整体的应急防控能力。

除法治保障体系优化外，全国各地的联防联控能力建设进一步提高。在抗击非典中，充分发挥基层组织的作用，初步形成省市县三级联防机制。在本次新冠肺炎疫情的防治中，国家卫生健康委员会在2020年1月1日成立疫情应

---

① 参见《国际卫生条例(2005)》第12条。

② 参见《国际卫生条例(2005)》第15条。

③ 参见石小娟：《新型冠状病毒疫情对我国进出口贸易的影响及应对》，《天津法学》2020年第1期。

对处置领导小组，建立联防联控机制。2 月 5 日建成并启用首批三家方舱医院[①]，派出医护人员支援武汉，实行对口支援，采用网格化管理方式。相比 2003 年的防控机制，本次防控更加精准化、高效化。[②] 此外，在对新冠病毒科学防护与宣传教育方面，互联网媒体发挥了重要作用。在日常的教育中，我国缺乏对应急救灾与科学防护知识的普及，国家借助发达的互联网络在疫情期间向公共及时传递疫情信息、澄清谣言，引导公众理性认识新冠病毒，有利于国家整体提高抗击疫情的能力和应对突发公共卫生事件风险的能力。

二、我国公共卫生法治体系存在的问题

（一）公共卫生立法体系尚有不足

上文提到 2003 年之后我国逐步建立起的公共卫生法治体系除《传染病防治法》外，其他公共卫生立法侧重突发公共卫生事件的应急机制，而关于预防公共卫生安全事件的发生，即从源头控制公共卫生安全事件的相关立法还尚有不足。所以，一方面要加快制定公共卫生安全相关立法，如《生物安全法》。生物安全对于当今的社会而言，不仅仅会对生态环境造成影响，更重要的是，它已经成为人类生命健康的重要问题。另一方面，要修改现有的公共卫生法治体系。本次疫情让野生动物保护重新回到公众的视野当中。《野生动物保护法》的立法目的是保护、拯救珍贵、濒危野生动物，维护生物多样性和生态平衡。该立法目的在当前的情况下已经不能满足社会对生物安全的需要，国家需要借助《野生动物保护法》的修改来实现禁食野生动物，维护人民公共卫生安全的需要。此外，《野生动物保护法》的保护对象只是珍贵、濒危的陆生、水生野生动物和有重要生态、科学、社会价值的陆生、水生野生动物。而对于其他陆生、水生野生动物没有规定。

（二）疫情信息发布制度不完善

我国《传染病防治法》《突发公共卫生事件应急条例》等法律规定，预警信息发布权由国务院卫生行政部门和省、自治区、直辖市人民政府卫生行政部门行

---

① 参见中华人民共和国国务院新闻办公室：《抗击新冠肺炎疫情的中国行动》第一部分“中国抗击疫情的艰辛历程”，2020 年 6 月 7 日，http://www.scio.gov.cn/ztk/dtzt/42313/43142/index.htm。

② 参见锁箭、杨涵、向凯：《我国突发公共卫生事件应急管理体系：现实、国际经验与未来构想》，《电子科技大学学报》（社科版）2020 年 3 月。

使。卫生行政部门收到疫情信息通报后指派疾病预防控制机构组建由相关技术专家组成的流行病学调查队伍，调查、核实疫情信息。[①] 疫情信息发布制度不完善主要体现在以下两个方面：

第一，疫情信息发布权主体层级高，反应机制缓慢。回顾整个2020年上半年的抗疫历程，重要的疫情信息发布对于整个社会的防疫措施有着不可估量的作用。但是在新冠肺炎疫情暴发初期，重要疫情信息的发布延迟使我们付出了巨大的代价。从2019年年底，武汉市便出现了多起“不明原因的肺炎”，一方面，这种新型病毒所导致的传染病特征难以判断，疾病预防控制机制没有及时科学地检测病毒，因而发布过一些错误信息，这使得他们在向社会发布疫情相关信息时显得格外谨慎；另一方面，我国的预警信息发布权属于国务院卫生行政部门和省、自治区、直辖市人民政府卫生行政部门。[②] 当武汉医院接收病例后，层层上报至武汉市卫健委、湖北省卫健委，国家卫健委派专家赴武汉调查后发现病毒的强传染性之后，武汉政府才启动了突发公共卫生事件一级响应。武汉市市长在接受采访时表示，地方政府在获得疫情信息之后必须获得授权才能披露。[③] 因地方职能部门的公共卫生安全风险意识淡薄以及疫情信息发布权的主体级别较高，使得疫情信息延迟发布，错过了最初病毒传播防控的关键时期，引发公众的普遍质疑。

第二，虚假信息掩盖真实信息。有一线医务人员在疫情暴发初期通过非官方渠道发布了病毒具有传染性等相关信息警示公众，公众与政府之间的信息不对称产生了大量的虚假信息，公安机关对有关医务工作者的事后训诫也引发了关于是否应该建立吹哨人制度的探讨，公众对地方政府的信任度下降。由此可以看出，病毒的临床表现对于疫情信息的确认与发布的价值还未受到足够重视。

以上表明，疫情信息发布的及时性和准确性对提升公众信任感和政府公信力有着重要意义，在完善的疫情信息发布制度与公众的社会监督之下，人员、物资才能达到最优配置，政府才能与公众建立良好的沟通机制，提高应对突发公

---

① 参见董文勇：《坚持并完善政府疫情信息发布制度》，《小康》2020年第7期。

② 参见《传染病防治法》第19条：“国家建立传染病预警制度。国务院卫生行政部门和省、自治区、直辖市人民政府根据传染病发生、流行趋势的预测，及时发出传染病预警，根据情况予以公布。”

③ 参见刘嫚：《如何鼓励疫情风险预警和发布？专家：应为发布机关设“免责条款”》，2020年7月20日，南方都市报，https://www.sohu.com/a/373245084_161795。

共事件的效率。

(三)医疗防护物资储备机制不健全

医疗防护物资的储备和调配是突发公共事件的事前预防和事中控制的重要阶段。根据《突发公共卫生事件应急条例》,应急设施、设备、救治药品和医疗器械等其他物资应当由国务院相关部门和县级以上人民政府及其相关部门保证物资储备。国务院在全国范围内有调配储备物资、交通工具等相关设施的权力。

2020年伊始,在新冠肺炎疫情最严峻的时期,全国各地尤其是疫情的中心——湖北出现了医疗防护物资严重不足的情况。当时,工业和信息化部副部长王江平先生在发布会上表示:"湖北省一个月需要的防护服是300万件,但是符合中国标准的产能许可的有40家企业,总产量每天只有3万件,供需矛盾十分突出。"全国各地医院以及药店的口罩和防护服仅备日常之需,储备物资非常少。同时,春节期间大量工人休假,原料供应不足,人员和材料配备不充足的情况下防护服的产量远远达不到每天3万件,让原本缺乏医疗物资的重点疫区雪上加霜。除此之外,全国各地和海外捐赠的部分口罩也不符合医用标准,[①]疫区医院无法使用;口罩库存告急,一些人通过互联网购物平台囤积口罩,造成医疗物资浪费。由此可以看出,虽然法律法规对医疗防护物资的储备作出了安排,但是存在落实不到位的情况,即使相关部门履行了法律职责,但是基础的储备物资难以应对大规模疫情的发生,医疗物资储备制度亟待完善。

(四)职能部门责任缺失

上文提到,在新冠肺炎疫情期间,国家在防控过程中暴露出来的短板。体现在:

政府风险应对意识不足。无论是疫情信息的迟延发布,还是不充足的医疗物资储备,深层次的原因是相关职能部门的责任缺失,根据《传染病防治法》《突发公共事件应急条例》的相关规定,我国行政机关负责传染病的疾病预防控制与监管工作。[②] 突发公共卫生事件预警制度失灵折射出地方政府对于突发公共卫生事件敏感性不高,在公共卫生领域的信息披露持过于谨慎的态度。因

---

① 在2003年SARA疫情之后,国家标准化管理委员会批准发布了GB19083-2003《医用防护口罩技术要求》,其内容不断修订,现适用GB19083-2010。

② 参见《中华人民共和国传染病防治法》第5、6条,《突发公共卫生事件应急条例》第4、6条。

此，强化政府风险应对意识，在常态化社会治理中注重风险意识培养在后疫情时代显得尤为重要。

检察机关监督缺位。检察机关对行政机关在日常的突发公共事件应急管理体制建立与完善中缺乏监督，对于行政机关履行职责，检察机关也应该充分发挥监督职能，督促行政机关及时、有效的履行职责。[①]

三、我国公共卫生法治体系优化路径探析

完善的公共卫生法治体系应当在事前预防、事中控制、事后处理三个阶段提供相应的法治保障体系。《生物安全法》等相关法律的立法应当在事前起到预防公共卫生事件发生的作用，对于疫情发布制度、物资储备制度等的完善应当着重达到事中控制的要求，司法机关依法参与公共卫生治理是对事后罪责的回应。

（一）完善疫情信息发布制度

上文提到，因地方职能部门的公共卫生安全风险意识淡薄以及疫情信息发布权的主体级别较高，使得疫情信息延迟发布，不合理的信息披露制度引发公众的普遍质疑。《条例》第 5 条规定了缔约国的监测义务，要求缔约国在一定时间内发展、加强并且保持具有发现、评估和通报事件的能力。这对缔约国要在短时间内获取信息、评估信息以及通报信息作出了要求。

在 2020 年之前，我国已经建立起突发公共事件网络直报系统，但是在新冠肺炎疫情期间，该系统并没有发挥出重要的作用。

首先，疫情信息发布权主体需要规范。在《传染病防治法》中，国务院行政部门和省级政府具有预警信息发布的权力，而在《突发事件应对法》中，县级以上地方政府具有向其行政区域内公众发布预警信息的权力。两者都是全国人民代表大会常务委员会制定的法律，《传染病防治法》于 2004 年实施，《突发事件应对法》于 2007 年施行，两者是旧的特别法与新的一般规定，故不适用于新法优于旧法和特别法优于一般法的原则。王锴教授指出，在这种情况下，应当适用《立法法》第 92 条的规定，由全国人民代表大会常务委员会裁决。预警信

① 参见王朝阳：《战"疫"中，如何优化公益诉讼检察方式，提升疫情防控质效：需将制度优势转化为治理效能》，《检察日报》2020 年 3 月 24 日。

息的发布权主体级别不宜设置过高，疫情信息层层上报需要各级部门的核实，基于传染病的特殊性可能会错失控制传播的关键时期。

其次，加强对网络虚假信息的规制。根据《条例》第 9 条的规定，世界卫生组织可以从非官方渠道获取一国的传染病信息。这一方面要求政府应当及时发布疫情信息回应社会关切，另一方面公安机关和检察机关对于网上散布散播的虚假信息要加强打击力度，消除公众恐慌，维护社会公共卫生安全。

疫情信息发布的及时性和准确性对提升公众信任感和政府公信力有着重要意义，在完善的疫情信息发布制度与公众的社会监督之下，人员、物资才能达到最优配置，政府才能与公众建立良好的沟通机制，提高应对突发公共事件的效率。

（二）建立常态化、标准化的应急物资储备机制

《条例》要求缔约国应当加强和保持快速有效应对国际关注的突发公共事件的应急核心能力，以便能快速反应疫情。[①] 对于突发公共卫生事件的应急核心能力之一就是应急物资保障能力。习近平总书记在中央全面深化改革委员会第十二次会议中指出，要健全统一的应急物资保障体系，把应急物资保障作为国家应急管理体系建设的重要内容，要优化重要应急物资产能保障和区域布局，做到关键时刻调得出、用得上。建立常态化、标准化的应急物资储备制度，就要根据城市人口规模在定点医疗机构、基层社区、医药企业以及药店以立法形式建立分类储备制度，满足国家在应急状态下的刚性需求。同时需注意突发公共卫生事件分级响应机制与防控物资调配制度相匹配，即突发公共卫生事件分级响应机制的启动需要伴随防控物资调配机制的启动，以此来保证疫区物资的使用。

在建立常态化、标准化的应急物资储备机制中要充分重视地方各级疾病预防控制中心的作用，明晰公共卫生相关职能部门在储备物资、发放物资和运送物资过程中的不同职责，如卫生健康委员会、慈善组织、交通部门、市场监督管理局之间的职能分工，在相关部门之间搭建医疗应急物资储备与调配平台，实现医疗数据和物资储备的跨部门信息共享，提高应对突发公共事件中调配物资的灵活性，实现高效的跨部门协同机制，避免出现各地哄抢物资，物资分配不均

---

① 参见边永民：《国际法视域下的新冠肺炎疫情应对》，《法学杂志》2020 年第 4 期。

等此类问题。

（三）司法机关依法参与公共卫生治理

公共卫生法治保障体系中的事后处理主要体现为以司法机关为主体的事后追责。检察机关在打击公共卫生领域犯罪行为，维护社会稳定中发挥着重要作用。在肺炎疫情威胁人民生命健康安全的同时，检察机关依法参与公共卫生治理是健全公共卫生体系不可忽视的力量。检察机关参与公共卫生治理主要通过司法办案、法律监督与公益诉讼的途径。

在司法办案方面，2016 年修订的《野生动物保护法》缺乏对公共卫生安全与野生动物保护监管责任的关注。检察机关在办理涉疫情防控犯罪案件中应当保持谦抑性和谨慎性，坚持打击与保护并重。应当重点打击扰乱非法狩猎、疫情防控、哄抬物价的相关犯罪，例如非法捕猎国家保护野生动物，生产销售假冒伪劣防护产品药品、医疗器械等，暴力伤害医护人员。从防控大局出发，准确把握涉企案件法律政策界限，注意防止把经济纠纷认定为刑事犯罪。坚持利于生产与防控的原则，落实宽严相济的刑事司法政策和认罪认罚从宽制度。同时，在司法办案中应当与人民法院、公安机关和司法行政机关保持协作，确保涉疫情防控犯罪案件顺利侦察、起诉、审判、执行。最高人民检察院多次发布妨害肺炎疫情防控犯罪的典型案例，有利于检察机关依法从严从快打击涉疫情防控犯罪，在特殊时期解决案件疑难问题，维持正常的社会秩序。

在法律监督方面，检察机关可以督促行政机关依法及时公开疫情信息，满足公众需求，把握好公众健康权与个人信息保护之间的关系。对行政机关和相关组织在保护野生动物、肉类食品检疫等方面存在的监管问题及时提出检察建议督促行政机关依法整改，勇于担当，切实履行职责，从源头防范公共卫生风险。

2020 年 3 月 31 日，全国首例网上开庭审理的销售伪劣口罩民事公益诉讼暨保护公共卫生安全民事公益诉讼案在杭州互联网法院当庭判决。生产伪劣口罩，对消费者的健康权造成损害，也对不特定主体的生命健康安全造成损害，必须通过公益诉讼解决此类案件。党的十九届四中全会通过的《中共中央关于坚持和完善中国特色社会主义制度、推进国际治理体系和治理能力现代化若干问题的决定》中提出，要拓展公益诉讼案件范围。新冠肺炎疫情所引发的公共卫生安全问题属于社会公共利益的范畴，检察机关应当充分发挥公益诉讼的监督职能，提起公共卫生安全公益诉讼，重点关注生产销售伪劣医疗用品、野生动物保护、环境污染以及食品的安全检疫,有利于从源头防范公共卫生风险,维护人民生命健康安全,也是落实党中央关于"拓展公益诉讼案件范围"的要求。[①]

四、结语:后疫情时代下的国家公共卫生体系

一国疆域无法抵挡全球化带来的环境、卫生等问题。在新冠肺炎被基本控制的后疫情时代,中国将继续支持世界卫生组织在全球公共卫生领域的领导地位,继续遵守《国际卫生条例(2005)》中缔约国义务,立足国际,加强和保持快速有效应对国际关注的突发公共事件的应急核心能力,进一步优化国内公共卫生法治体系,坚持"人类卫生健康共同体"理念,以科学、客观、负责任的态度积极推进和参与公共卫生与人类健康领域的国际合作。

---

① 参见陈明山、邵淑琼:《检察机关发挥公益诉讼职能助力重大疫情源头防控的建议》,《法制生活报》2020年5月27日。

论突发公共卫生事件治理的反思与法治化应对*

钱继磊**

摘要:正在发生的此次突发公共卫生事件给包括中国在内的整个世界带来严重危机。中华民族的全民战"疫"赢得了难得胜利,同时也付出了巨大代价。这不但需要我们对成功的经验进行总结,更应当理性反思和分析在治理体系与治理能力方面的不足之处,从而为更有效预防和应对类似突发危机提供更理性、更有效的思想指引、制度安排和措施部署,有力促进我国治理体系和治理能力的现代化。而这一现代化实现的有效途径应当建立在现代法治的范式转换之上并在此基础上进行合理的制度安排。

关键词:突发公共卫生事件;社会治理;法治化;范式转换

一、问题的提出

2020 年,注定是人类历史上极为不平常的一年。因为刚进入新年不久,一场突如其来的疫情让人类措手不及,不得不面临人类极为罕见的巨大挑战,使人类置于严重的危机之中。人类不得不仓促开启全民抗"疫"新模式。然而,对于如何采取有效措施积极应对此次疫情,人类并没有太多经验可以成功借鉴。因为此次疫情的罪魁祸首"新冠病毒"之"狡猾"与"威力"可谓前所未有,这使得已经进入 21 世纪科技高度发达的人类面对它也颇为困难,需要在一边与死神搏斗,挽救生命,一边在与时间赛跑中艰难地探索,寻求有效遏制和预防此类病毒的良策。在此战"疫"中,中国人民,尤其是中国的医护工作者作出了极大牺

---

* 第三十二届全国副省级城市法治论坛获奖论文三等奖。

** 钱继磊,齐鲁工业大学政法学院副教授、法律系主任,法学博士、博士后。

牲、投入了巨大成本与心血，成为目前世界上唯一有效且成功控制此次疫情的国家和民族。这不仅体现了党中央的英明领导和社会主义制度的优越性，也再次彰显了中华民族的聪明智慧和不可战胜的伟大精神。

在此次的全民战“疫”中，不论是社会各界还是专家学者，不论是官方还是民间，对其中的成功经验和措施作了比较多的总结。然而，人类社会的进步不仅仅是建立在对成功经验的梳理与总结之上，还更应当对既有的思想、制度、政策及措施进行反思，找出其中的不足，进而为以后更好地预防、应对类似的问题提供更为理性的思想指导、更有效能和逻辑的制度安排和更为有序的普遍实践。这是因为，在某种意义上讲，人类的进步与其说是不断从一个成功走向另一个成功的人之“主观建构或设计”过程，毋宁说是从一个个教训中走向成功的不断“渐进试错”的结果。[①]

而且，从当前我国全面推进法治中国建设以及提高国家治理体系和治理能力现代化之目标角度，此次的战“疫”对我国的治理体系和治理能力也是一个极大的考验，同时也提供了一次难得的寻找差距与不足的机会，有助于我们认清当前我国治理体系与治理能力现状与“人民日益增长的美好生活需要”[②]之间还存在着的差距，从而为加快法治建设步伐，尽快使我国治理体系与治理能力与党和国家的要求、人民的期待和社会的需求相适应提供了一面镜子、一个抓手。

可见，从国家战略和社会需求角度需要我们通过对全民战“疫”过程进行总结和反思，为我们讨论相关问题提供坚实的现实需求基础。同时，若从学术研究及人类知识增量方式角度，即便是学界已经对此问题进行了难以计数的研究和讨论，并取得了丰硕成果，但这并非构成我们停止进一步反思和阐释的理由，因为人类的思考与反思应当永远在路上，只要人类还在进步中。因此，这就需要我们对这一相关问题进行梳理、总结，并在此基础上进行法理反思，为提供更理性、更有效的中国特色治理方案提供可持续的法治化理论支撑。

---

① 参见[英]哈耶克：《哈耶克论文集》，邓正来译，首都经济贸易大学出版社 2001 年版，第 10 页。

② 习近平：《决胜全面建成小康社会　夺取新时代中国特色社会主义伟大胜利——在中国共产党第十九次全国代表大会上的报告》，人民出版社 2017 年版，第 11 页。

二、全民战“疫”中的中国治理智慧

此次全民战“疫”尽管整个中华民族为此付出了无比艰辛，作出了巨大牺牲，但其中也彰显了中华民族无穷智慧和我国制度的独特优势。这需要我们对其中表现出来的智慧性经验进行总结。具体而言，这些智慧性经验至少体现在如下方面：

第一，坚持中国共产党的领导，贯彻党对疫情的精准把握基础上的果断决策。面对前所未有之疫情，我们党中央科学把脉，果断决策，始终坚持以人民为中心，把人民的生命健康放在首要位置，作为制定战“疫”方针政策的根本原则，合理调动一切要素、资源、人力物力，全国上下一盘棋，相互支援，全力战“疫”。这为赢得此次战“疫”胜利提供了坚实的领导力量和科学的方针政策。这是我们党的全心全意为人民服务宗旨在中国特色社会主义新时代下的具体体现。也正是在此精神原则的指导下，我们各行各业党员干部，尤其是医护行业的党员干部，身先士卒，主动请缨到最危险的地方去，竞相挺在抗“疫”、战“疫”的第一线，涌现出一大批最美的“逆行者”，成为“新时代最可爱的人”。可以说，如果没有党中央的英明决策，没有强有力的党组织保障，没有广大党员干部身先士卒，就不可能取得此次战“疫”的胜利。

第二，坚持科学战“疫”与全民战“疫”相结合的原则。此次战“疫”是一场没有硝烟却极为艰难的异常特殊之战役。它既不是一般意义上的人与人之间那种传统战役，也不是类似于恐怖行为的人与人之间非传统战争，而是人与自然、人与特殊生物之间的较量。因此，对于此类疫情，只凭一腔热血不可能取得胜利，而是要依靠专业人士的科学研究技术与措施。而绝大多数的其他民众是自觉遵从这些措施规定，不是通过专业人士的“积极作为”，而是通过自己的“消极不作为”来实现的。其中，也有不少各行各业的普通民众通过自己作为志愿者的各种积极行为参与了此次战“疫”，为此作出自己的积极努力和难得贡献。也就是说，如果没有广大医护工作者及相关专家学者的科学研究和努力探索，并制定出科学合理有效的方案措施，没有广大民众的有力配合和坚守，也就不可能取得此次战“疫”的胜利。

第三，坚持国内战“疫”与国际合作相结合。面对此次突发疫情，我们深知当今的中国和中华民族已不可避免地处于全球化的世界结构之中。不可否认的是，整个国际社会已成为一个风险共同体与命运共同体。作为在世界上具有重要影响力的负责任的大国，我国一开始就与相关国际组织及其他国家地区保持密切联系与合作，及时通报和分享相关信息及成果，积极主动提供力所能及的帮助或协助，为人类社会作出积极、巨大的独特贡献。同时，中国的积极努力和主动作为也赢得了世界上大多数国家的支持和赞赏。由此，如果没有着眼于全球的宽广视野，没有着眼于未来的人类共同风险意识，没有作为负责任大国的担当精神，我们的战"疫"也不可能取得真正意义上的全面胜利。

三、突发公共卫生事件治理与法治化

尽管我们在此次全民战"疫"中取得了诸多智慧性经验，但同时也暴露出一些问题，与我国人民和社会所期望的现代化国家治理体系与治理能力之目标还存在不少差距。如果从具体措施视角，我们或许会总结出不少不足。但从学理角度，我们应当抓住问题的实质与核心，以将看似众多、繁琐而复杂的表象问题连根拔起，从而为找到解决问题的关键要害提供更有力的理论依凭。比如说，我国对疫情的法治化防御的有效制度安排还没有真正建立起来。这表现在，一旦出现未知且极为严重危险的突发事件时，相关制度、体制机制并没有得到及时而有效的自我触发和启动，而是呈现出失灵或半失灵状态。究其原因，一方面是与我们当前的相关立法的缺失以及既有法律法规之间的不一致、不协调等有关系，另一方面也与法治意识、法治思维、法治信赖、法治习惯还没有在相关机关部门及其工作人员、普通民众等真正广泛而牢固地树立起来密切相关。更为根本的原因则是，我们对法治的真正内涵还未真正领悟，对法治的精髓及其重要性还缺乏认识，对法治的系统体系性、可操作制度安排还缺乏足够的经验和科学的技艺。

由此，需要我们立足于中国特色社会主义新时代，着眼于解决当下社会面临的突发公共卫生事件带来的风险与危机相关问题，旨在实现国家治理体系与治理能力现代化目标，对治理与法治学理上的内在勾连与逻辑关系作进一步的探讨与阐释。

如果仅从词源看，"治理"在我国很早就出现了，如《荀子·君道》就有"明分职，序事业，材技官能，莫不治理，则公道达而私门塞矣，公义明而私事息矣"；《汉书·赵广汉传》则有"壹切治理，威名远闻"；《孔子家语·贤君》也有"吾欲使官府治理,为之奈何”。这里的“治理”有管理、统治之义。然而,严格意义上讲,“治理”应该属于公共管理学的范畴,是20世纪90年代才在全球范围内逐渐兴起并被认可的概念,主要强调的是,两个及以上规则之间出现空隙、冲突、重叠时,或者在相互竞争的利益之间需要协调时才发挥作用的原则、规则、规范或决策程序等。可见,治理与统治、管制不同,它指的是一种由共同目标支持的活动。其背后蕴含着主体非唯一、利益多元、规则遵守和程序正当等法理前设。因而,治理的主体并非完全指政府及其公共权力,也并非完全依靠国家公权力之强制力来实现,而是意味着政府主导、社会参与、制度约束等元素。治理的类型既包括政府治理,又包括社会治理;既包括城市治理,又包括乡村治理;既包括国内国家治理,又包括国际的全球治理等,是广泛影响各个领域的现代社会范畴。

而“法治”则是一个在古代中西方社会存在很大差异的范畴。在我国传统社会,“法治”通常与法家学派及其思想主张联系在一起,如先秦时期的诸多法家代表人物及其系列变法,强调“以法治国”等。然而,中国古代的法家所倡导的法,在今天看来,主要是指刑法和刑罚,且实质是君王主导下的家法,在立法权上与普通民众并没有必然关系,也无所谓程序及其正当性问题,更没有平等等现代理念。在西方社会,“法治”思想主要源于古希腊的“三贤”,尤其是以亚里士多德为代表的强调“众人之治优于一人之治”理念,认为法治之内涵不仅包括被“普遍遵守”,而且法治之法本身应当是“良法”。[①] 尽管后来的思想家对何谓良法进行过多种诠释,但依然没有摆脱亚里士多德对法治的两个核心判准的框架。

其实,从前面对治理的简要梳理与阐释,我们也可发现,在现代社会,治理与法治之间存在内在关联。若从社会治理角度,近现代西方学者敏锐地认识到,法与法治在社会治理中占据的极为特殊和重要的地位,总结道:“自十六世纪以来,法律已经成为控制的最高手段了。”[②]

就现代社会而言,简言之,所谓“法治”,即法的统治、法的治理,或者依法统治、依法治理。也就是说,现代意义上的法治是与人治相对的一个范畴。两者最大的区别之一是法与人的最终位次关系。现代法治之法所反映和体现的应

① 参见[古希腊]亚里士多德:《政治学》,苗力田译,中国人民大学出版社1994年版,第135页。
② [美]罗斯科·庞德:《通过法律的社会控制》,沈宗灵译,商务印书馆1984年版,第131页。

当是民众或人民的共同意志，并依据法定程序获得正当性地位而得以颁行，是兼顾形式法治与实质法治且坚持形式法治或程序法治优先原则的结果。它不仅应是现代国家的治理方略，也应是整个社会的行为原则，更应是广大民众的普遍思维习惯和生活方式。

当然，必须补充指出的是，如柏拉图所言，法治并非人类的最优治理方式，而是在尚未满足人治条件前的一种次优选择。因为，法治不仅需要庞大的人力物力及时间成本，而且其规则治理的抽象性及一般性与社会问题的多样性及复杂性之间往往存在间隙；还有法治需要通过证据来作为处理问题的依据，而证据真实与客观真实之间可能存在着不一致，因而无法完全确保实质正义的实现，等等。不过，如果人类能够一直存在具有无穷理性的智慧和无上的道德，做洞察秋毫、不偏不倚的“哲学王”[①]式的人物，那么人治无疑是最好的治理方式。然而，我们无法保证这样的人物总是会出现，也无法保证能够培养出这样的人物。而一旦这样的人物断层，那么个人的偏好与随意与权力的结合将可能会使得人治之实现条件丧失。因此，依法治理虽然不是最理想的，却是迄今为止可依凭的看得见摸得着的良善治理方式。

此外，过去的人类社会普遍经验以及中国社会发展历程也都告诉我们，依法治理仍然是目前较为理想的治理方式和途径。就我国而言，漫长的传统社会并没有留下多少依法治理的实践经验和文化传统来让我们继承和借鉴，而处于当前世界结构中作为发展中的大国又面临极为复杂和繁琐的问题、困难要解决，因而我国同样也需要通过确立和践行依法治理的原则和途径，一方面是为了有效解决发展中面临的诸多问题，另一方面是为了实现中华民族伟大复兴的中国梦，而且实现法治文明本身也是伟大中国梦的重要组成内容。这也是我们国家之所以把“依法治国，建设社会主义法治国家”用宪法确立下来作为基本国策之一的重要原因，更是我们党将全面推进依法治国作为“四个全面”重大战略之一的深刻用意。

然而，与其说依法治理是一种治理方式和途径，毋宁说更为根本的是一种思维方式和思维习惯。而思维方式的确立与思维习惯的养成并非一日之功，从一种到另一种的转换需要极为艰辛而漫长的过程。对于中国这样的大国尤其

---

① ［古希腊］柏拉图：《理想国》，郭斌和、张竹明译，商务印书馆 1986 年版，第 214～215 页。

如此。尽管我们从知识角度认识并接受依法治理并非太难，然而，一旦在处理实际问题，尤其是在紧急时刻处理突发问题时，往往会无意识地选择原有的思维方式和行为习惯，形成了思维和行为路径依赖。这也是在面对此次疫情时，习近平总书记提出“越是到最吃紧的时候，越要坚持依法防控”①的要求的重要原因。

而与其他治理方式相比，现代法治之治理可以最大限度地减少人的随意性，使公正、科学、合理的措施与方法以最快时间得到全社会成员的高效而普遍遵守，少走弯路，从而尽快实现预定目标。这是因为，如果公正、科学、合理的措施方法通过法定程序转化为法律法规后，理想状态下，法治自身特有的触发机制就应该及时有效地发挥作用，而无需经过人为的临时决议与安排并层层指令性启动。也就是说，在依法治理已成为普遍思维方式和行为习惯下，当满足法治触发的条件和标准时，法律法规所规定的体制机制就应当自我启动和运行，而相关机关部门、社会组织团体、普通民众等也应各司其职、各尽其能，履行好自身的岗位职责。无疑，这种普遍建立起来的真正法治将会对于预防、应对和解决包括突发公共事件在内的社会事务与问题都有着极为独特的优势与作用。

进一步讲，现代法治之精髓与其独特功能，与其说是体现在对已经出现或发生的既有社会问题及民众纠纷的解决，毋宁说是在对尚未出现或发生的社会问题及民众纠纷的有效预防上。如果说前一层次功能是传统的、显性的、表面的，而后一层面则是新进的、隐形的、深层的。前一层次往往体现在法治的专业领域的最后层面，而后一层次则体现在法治的社会普遍范围内的根本层面。比如说，对于惩罚性、强制性表现最为突出的刑法而言，之前我们通常认为其最主要功能在于打击犯罪，以保护人民生命财产安全，而晚近的刑法学则认为刑法的功能更在于预防犯罪行为的发生。这也是刑法学界倡导现代刑法文明所要求具备的谦抑性品格之重要法理依凭。

由此可见，现代社会的治理与法治在法理上具有天然的内在勾连与逻辑一致性。离开了现代法治及其所依凭的法理，治理就会沦为统治，就会遮蔽治理背后所蕴含的公共性、民主性、公平性等内涵。而现代法治本身的内容就是治理，即通过治理来实现法治自身所秉持的精神价值。对类似于这种紧迫、严重

① 习近平:《越是到最吃劲的时候，越要坚持依法防控》,《光明日报》2020年2月14日。

的突发公共卫生事件而言,我们更应当强调而非无视、秉持而非放弃、践行而非排斥现代法治之治理。因为只有如此,才可能从根本上不断推进治理体系与治理能力现代化。而这就需要我们认真而严肃地对当下突发公共卫生事件的治理理念、思维、制度及实践等方面进行反思,进而实现其现有范式的升级转换。

四、突发公共卫生事件治理的范式转换

在对突发公共卫生事件治理范式如何转换展开讨论与阐释之前,我们有必要对范式这一范畴作简要阐释。"范式"(Paradigm)是一个西方的范畴,最早由美国科学哲学家托马斯·库恩提出。这一范畴构成了库恩历史主义科学哲学的核心。后来这一范畴不仅在自然科学界引起热烈反响与认可,而且还逐渐扩展到社会科学界,并受到高度重视和广泛采纳。就目前而言,我国法学界通常把"范式"诠释为"一种理想模型,一种框架,一种思维方式,一种理解现实的体系,科学共同体的某种共识"①。本文认为,"范式"范畴不仅具有学术共同体意义上的重要价值,而且对于社会共同体而言,同样也具有很强的解释力和统摄力。也就是说,就本文所讨论的突发公共卫生事件治理论题而言,整个社会成员作为共同体的思维方式、行为习惯的升级转换同样可以用"范式"来进行有效表征和合理解释。

具体而言,当前突发公共卫生事件治理的范式转换至少应当从以下方面来阐释、理解和落实:

首先,从当前突发卫生事件治理所强调的"抗""战"应对范式转换为对突发卫生事件治理的预防范式。从应对到预防范式的转换是现代法治的最高境界和根本精髓之所在。如果做到这一点,对于越突发紧迫的事件,就越能做到未雨绸缪、有的放矢、有条不紊、从容面对。这就如同人之身体健康意识和观念,其最高境界是通过养生预防疾病的可能发生,而非已经患上了疾病再去治疗,因为只要疾病已经发生,再多的金钱、再高明的医术往往也无法治愈到未发生疾病前的健康水平和状况。由此,与患病后治疗相比,养生预防疾病发生不仅能够达到最佳效果而且还是最经济、成本最小的方式和途径。

对于包括突发公共卫生事件治理在内的国家社会治理也是同样的道理。

---

① 张文显:《法哲学范畴研究》,中国政法大学出版社2001年版,第371页。

然而，这种从应对到预防的范式转换，却对整个国家社会等方方面面提出了更高的要求，是对一个国家社会、一个民族的综合国力的挑战。具体而言，这不仅是对自然科学与人文社会科学研究水平的重大挑战，对国家社会综合治理体系和治理能力的严重考验，也对包括政府及其职员、普通民众的法治意识、法治素养、法治思维与法治习惯提出了极高要求。鉴于本文论旨及篇幅所限，笔者不从自然科学技术方面对这一问题进行探讨，而主要从社会科学角度对这一问题展开思考和讨论。尽管我们可能一还时无法能够完全实现这一范式转换目标，但至少应该在理念上形成向这一目标努力迈进的共识，并有计划有步骤地推进实施。具体而言，作为在践行法治中国建设中具有核心地位和发挥引领作用的机关部门及其相关人员，在普及与践行这一理念中应该发挥积极的表率作用，引导整个社会逐渐树立与现代社会和中国实践需求相适应的法治治理观。

这虽然是价值理念、思维方式与思维习惯方面的内容，但实现的难度也很大，却也是不断推进治理体系和治理能力现代化之目标的最为根本的途径和方式。它同样也是我们有效预防解决突发公共卫生事件的金钥匙和总开关。而下面的几个方面则是这一总目标的具体展开，为这一总目标的实现提供具体基础和配套性保障。

其次，从当前突发卫生事件治理所体现的政策主导范式转换为法治主导治理范式。上述理念虽然根本，但是却需要具体模式来落实与推进。这就需要在实现模式上由政策主导范式向法治主导范式转换。在现代社会，面对复杂而有发展迅猛的社会现实问题，政策具有灵活性、高效性等优势，但是其不足之处也很明显，即缺乏可持续性、稳定性和权威性等，对于相应权利责任的划分及其后果承担也不具体明确，往往会导致执法、司法权限的模糊，从而不利于长期的治理效果的持续，更不能发挥全方位、日常性的预防功能。因此，在现代社会，尤其是面临诸多未知风险形成命运共同体，我们唯有通过公平、科学的法律制度体系之合理建构才能尽可能做到对诸多未知风险的发生进行有效预防或避免。而政策应当只能在以法治为主导的治理体系中发挥临时的补充性作用，且其产生、发布与施行还应当与既有法律法规之规定或精神相一致并受其制约。

再次，从当前突发卫生事件治理所强调的效率价值位次范式转换为强调公正科学民主相互协调与合理权衡范式。当突发事件发生时，我们争取在最短的时间实现对其有效治理，这一目标无可厚非。但是，之所以会产生如此目标，除了事件自身的突发性、紧迫性、风险性、未知性等特征外，还因为我们还没有真正建立起以预防发生为主导的科学合理有效的法治体系及其实现体制机制。

因此，如果想从根本上升级转换治理模式，就需要将对已发生的突发事件治理的眼前效率价值追求转换为对尚未发生的突发事件预防性治理的价值考量及其后续的整个价值权衡。这需要我们更具理性智慧，深思熟虑，审慎决策，全面考量，科学合理构建全面性、体系性、逻辑性的预防性制度体系和相应体制机制，使其自身能够及时有效发挥作用。

最后，从当前突发卫生事件治理强调的智慧治理优势功能发挥转换为关注智慧治理限度及其与人文导向相统一的范式。面对突发公共卫生事件，大数据、人工智能等高新技术在战“疫”中发挥了独特的积极作用，体现了我国近年来推进城市智慧治理的重大成就。但是，需要我们注意的是，智慧技术只是治理的工具，如果不能通过人文或人本的制度安排来为其提供限度与约束，那么这种技术治理工具将可能会带来巨大潜在隐患，从而导致人被技术异化。因此，技术治理中的智慧程度越高，我们更应该要关注这种技术治理的潜在隐患与风险，更应当通过以人本导向的制度安排来实现对智慧技术治理自身的有效治理，以提前有效预防或避免它可能给人类带来的新风险和挑战。

五、实现突发公共卫生事件治理范式转换之建议

基于以上讨论，为了能够实现治理范式之升级转换，笔者认为，在党中央英明领导下，我们至少还应做好以下方面工作：

首先，切实树立防患未然之法治治理意识，为扎实做好各项工作提供牢固的思想基础。任何工作，意识理念先行。没有事先的、周密的、科学的制度措施安排，就不能对突发事件做到心中有数、有条不紊、从容高效应对。而这些制度措施安排的前提则需要有各级、各界、各行、各业、各区域一盘棋在治理上形成预防意识、预防思维、预防习惯。否则，将可能会出现“千里之堤，溃于蚁穴”，因一时、一地、一人之疏忽，导致前功尽弃。

其次，必须牢固法治主导的治理模式与路径依赖。上述防患于未然的意识与思维的养成与践行，必须通过全面、系统而具体的制度化安排及其相应体制机制才可能达致。这就要求我们一方面把既有的相关法律法规进行整合，修订形成统一的法律法规，比如将目前立法存在不一致、效力层次各异的《传染病防治法》《突发公共卫生事件应急条例》乃至《野生动物保护法》等进行修改、整合、

升级，形成以预防突发公共卫生事件为导向的统一法律；另一方面是及时将与治理相关的理念、措施、方法等转化为公正、科学、合理的法律法规，通过法律特有的权利义务之分配及其相应责任的界定来推进和落实具体各项工作，使各领域、各行业、各区域等能够明确权利义务及责任，各司其职，做好各类充分预防工作。此处需要指出的是，法治为主导的治理模式不仅仅是对义务和责任的强调，而且还应明确义务与责任的边界，从而确保相应权利依法得到尊重、维护和保障。

最后，必须将眼前权益与长远权益相结合、局部权益与全局权益相结合、科学与民主相结合。面对突发公共卫生事件，我们必须始终坚持以人民为中心，确保民众生命健康安全。然而，在制定具体法律法规时，我们除了强调对当前权益、局部权益给予最大限度的维护与保障外，还应适当权衡长远权益、全局权益，充分考量措施对长远权益、其他人群权益可能带来的影响，并对其给予最大限度的尊重与保障。

此外，与其他情形不同，此类相关措施、政策出台过程中，往往只有少数专业人士才可能把握相关的专业信息并作出科学有效的判断，这样就使得在专业人士科学性与多数人的民主性之间的权衡中降低了措施政策的效率。因此，相关法律法规应当事先进行科学合理分类，明确在何种情形下，专业人士的科学性判断可以作为决策政策的主要依据，而在何种情形下应当坚持科学基础上的民主决策。

六、余论

尽管笔者试图在学理上厘清如何对突发公共卫生事件治理实现法治化，并提出具有借鉴性的措施建议，但可以看出，本文对这一问题的理论探讨还不够彻底，对问题的认识远未达到连根拔起的地步，给出的相关措施建议依然停留在原则层面。不过，值得肯定的一点是，本文对法治之层次的阐释与最高境界之秉持与追求应当是现代社会治理的方向与目标，值得我们去努力。然而，问题永远在路上，我们唯有永不停止思考的步伐，才能维续、保障和推进人类文明的持续进程。

中国疫情防控法律机制检讨*

刘潇雨**

摘要：突如其来的新冠肺炎疫情无论对中国还是世界都是一场大考。中国疫情防控的生动实践在彰显以中国共产党的领导为核心的“中国之治”制度优势的同时，无疑也暴露出疫情防控法律体系完备性、规范性不足等问题。《传染病防治法》和《突发事件应对法》构建了疫情防控法律体系的基本法律架构，以法律规范的全面性、统一性和明确性为衡量标准检视两法协调衔接现状，不难发现现行制度规范在疫情防控过渡阶段、应急响应阶段、疫情控制阶段均存协调衔接有待加强之处，应当从明确《传染病防治法》《突发事件应对法》适用范围、引入风险预防原则和比例原则、修改两法中立法冲突条款等角度加强两法协调衔接，进而促进疫情防控法律体系完备规范，实现依法防疫、依法治疫。

关键词：疫情防控；法律机制；依法防疫；依法治疫

一、问题的提出

新冠肺炎疫情发生以来，在以习近平同志为核心的党中央集中统一领导下，全国上下打响了疫情防控的人民战、总体战、阻击战。我国坚持在法治轨道上统筹推进各项防控工作的总要求，科学防治，精准施策，实现了新冠肺炎疫情防控形势的大逆转。理论是行动的先导，我国本次对新冠肺炎疫情的防控既彰显了中国特色社会主义制度的显著优势，同时也暴露了我国当前与疫情防控有

---

* 第三十二届全国副省级城市法治论坛获奖论文三等奖。

** 刘潇雨，山东警察学院法律部讲师助理，法律硕士。

关的法律供给不能有效保障依法开展疫情防控工作的短板和弱项，引发了理论界和实务界在疫情防控法律制度层面的广泛探讨。有学者宏观分析现行疫情防控法律体系，检视其存在的问题并提出完善疫情防控法律体系构建的建议①；有学者以与新冠肺炎疫情防控有关的某一具体法律法规为视角，对法律的适用和具体的法条进行分析探讨②；有学者和实务工作者聚焦于新冠肺炎疫情防控过程的某一具体阶段，反思具体防控阶段制度的缺失③。上述研究虽角度不同，却有着共同的研究目的，即构建系统完备、科学规范、运行有效的疫情防控法律体系④，以期作出更加理性、可预见的制度安排从而实现在法治轨道上统筹推进疫情防控工作。

当下，我国疫情防控法律体系以宪法为最高统领，以《中华人民共和国传染病防治法》（以下简称《传染病防治法》）和《中华人民共和国突发事件应对法》（以下简称《突发事件应对法》）为疫情防控基本法律框架，以《国家突发公共事件总体应急预案》《突发公共卫生事件应急条例》等行政法规为疫情基本防控规则，以相关部门规章、司法解释和地方性法规、规章为具体制度。《传染病防治法》和《突发事件应对法》作为我国新冠肺炎疫情防控的基本法律，强化两法协调衔接，减少两法立法冲突能为相关主体制定与疫情防控有关的下位法提供明确法律指引，减少和避免基本防控规则和具体制度与上位法衔接上的矛盾和冲突，是构建系统完备、科学规范、运行有效的疫情防控法律体系的基础；进而为参与疫情防治的多元主体作出明确的制度性安排，为其应急联动和有效参与疫情防治提供行动遵循。

本文立足《传染病防治法》和《突发事件应对法》法律制度层面，从"过渡阶段的协调衔接""应急响应阶段的协调衔接""疫情控制阶段的协调衔接"三大方面对《传染病防治法》和《突发事件应对法》相关规定进行比较分析和评价，检视两法协调衔接现状并提出完善建议，以期促进我国疫情防控法律规范体系的进

---

① 参见冀祥德、任蕾：《论我国疫情防控法律体系的完善》，《人民司法》2020年第7期。

② 参见赵鹏：《疫情防控中的权力与法律——〈传染病防治法〉适用与检讨的角度》，《法学》2020年第3期；林鸿潮：《尽快完善我国应急法律体系》，《法制日报》2020年2月21日。

③ 参见苏华伟：《完善突发公共卫生事件预警机制的思考和建议》，2020年2月16日，http://www.acla.org.cn/article/page/detailById/27104?from=singlemessage；沈岿：《"大理'征用'口罩引发的修法问题"》，"博雅公法"微信公众号。

④ 参见习近平：《全面提高依法防控依法治理能力，健全国家公共卫生应急管理体系》，《求是》2020年第5期。

一步完善。

二、《传染病防治法》《突发事件应对法》协调衔接现状及存在问题

我国在传染病防治采取法定主义模式的立法思路指引下，新冠肺炎病毒在被纳入法定传染病之前，对疫情的处置尚不能适用《传染病防治法》，当疫情规模和程度达到"造成或者可能造成严重社会危害，需要采取应急处置措施予以应对的公共卫生事件"[①]时，对疫情的预防与应急准备、监测与预警、应急处置可适用《突发事件应对法》；当新冠肺炎疫情被国务院纳入法定传染病名录后，该疫情同时具备法定传染病和突发公共卫生事件双重属性，同时可适用《传染病防治法》和《突发公共事件应对法》，但两法并没有明确各自的适用范围，导致实践中两法适用混乱的情况比比皆是。此次新冠肺炎疫情应对中，媒体报道的大量富有争议的管制措施的出台，其根源都可归结为法律适用方式的混乱。[②]

新型冠状肺炎疫情的双重属性和两法适用范围的模糊对两法在制度层面的协调衔接提出更高的要求以确保法律的明确性，实现通过明确性所提供的确定性的法律指引来防止权力恣意运用的价值追求。[③]

有学者指出立法是疫情防控的第一道制度力量和防线，要加快完善疫情防控、公共卫生安全等相关法律法规，构建系统完备、科学规范、运行有效的疫情防控和公共卫生法律体系。[④] 有学者进一步对完备的疫情防控法律体系衡量标准作出解释，强调全面且完备的疫情防控法律规范体系的衡量标准包含以下两点：一是涵盖范围的全面性，对应单一疫情防控法律法规的内部结构；二是法律规范间的协调统一性，对应整体疫情防控法律体系的外部结构。[⑤] 结合上述标准，笔者认为，为达致"一旦疫情出现，各主体只要坚持依法而为，切实履行各自既定的防控职责，就有助实现组织间职责的无缝对接和行动的稳步有序"[⑥]，

---

① 《突发事件应对法》第3条："本法所称突发事件，是指突然发生，造成或者可能造成严重危害社会，需要采取应急处置措施予以应对的自然灾害、事故灾害、公共卫生事件和社会安全事件。"

② 参见赵鹏：《疫情防控中的权力与法律——〈传染病防治法〉适用于检讨的角度》，《法学》2020年第3期。

③ 参见裴洪辉：《在价值理想与客观认知之间：法律明确性原则的理论空间》，《法学论坛》2019年第2期。

④ 参见张文显：《依法治疫 长治久安》，《法制与社会发展》2020年第2期。

⑤ 参见冀祥德、任蕾：《论我国疫情防控法律体系的完善》，《人民司法》2020年第7期。

⑥ 张明军、赵友华：《突发公共疫情依法治理的逻辑》，《法学》2020年第3期。

这一制度层面协调衔接所带来的实践层面无缝对接的良好效果，宜从以下三个方面对我国《传染病防治法》和《突发事件应对法》的协调衔接现状进行检视。

第一，法律的完整性、全面性，即要求两法对疫情的预防、监测、预警、处置、救援、恢复与重建进行完整、全面的规定，并且通过明确的法律适用使两法之间可以相辅相成，形成互补，避免出现疫情防控法律体系内容缺位。第二，法律的明确性、可操作性，即要求两法不仅要实现形式上的衔接，同时要实现实质上的协调衔接，避免立法模糊，操作性不强，法律无法适用。第三，法律的规范性和统一性，即要求两法立法规范、规定统一，减少和避免立法内容冲突。以上述三个标准检视两法协调衔接现状，不难发现，当下我国疫情防控在制度层面存在着过渡阶段预警法律制度缺失；应急响应阶段两法缺乏实质衔接；法律可操作性不强；疫情控制阶段立法内容冲突，导致权力越权、缺位的问题。

（一）过渡阶段的协调衔接

法律有必要系统考虑新发传染病纳入法定传染病管理之前的过渡安排。我国传染病防治采取法定主义模式，即《传染病防治法》列举了法定传染病，对于已经列入法定管理目录内的传染病，政府根据《传染病防治法》及相关法律规定对传染病进行监测、预警和控制。此次新冠肺炎疫情是人类历史上史无前例的新发传染病，对于已发现疫情但尚未经国务院确认纳入《传染病防治法》、参照法定传染病管理之前的这段时间即过渡阶段。就此次新冠肺炎疫情具体情况而言，2019 年 12 月 8 日官方通过的新冠肺炎疫情起始时间①，一直到 2020 年 1 月 20 日国务院同意将新型冠状病毒纳入传染病法和卫生检疫法管理的这段时间即为新型冠状肺炎的过渡阶段。

在过渡阶段，若能对疫情进行实时、准确监测，及时发布预警并有序开展临时性控制，将有利于将疫情遏制于萌芽阶段，最大程度防止疫情扩散。例如：新加坡在“政府不建议健康民众戴口罩、不强制取消大型集会，鼓励症状轻微的人在家休息”的“佛系防疫”②背景下，实现 2020 年 2 月 23 日单日零新增，截至 2020 年 2 月 29 日 12 时，累计感染病例 102 名、零死亡的防疫成果。总结新加坡防疫经验，上述战果有赖于新加坡具有一套完善且经过验证的疫情监测和预

---

① 参见袁秀挺：《从新冠肺炎疫情反思我国传染病预警制度》，2020 年 2 月 28 日，http://www.thepaper.cn/newsDetail-forward-6215783。

② 参见医学界：《新加坡“佛系防疫”，为什么能控住疫情?》，2020 年 3 月 2 日，https://www.thepaper.cn/newsDetail_forward_6268828。

警制度:新加坡早在新冠肺炎疫情初期,即将预警级别定为二级“黄色”,2 月 7 日,新加坡鉴于本地疫情传播初见端倪,政府及时将疫情警报上调至三级“橙色”,并在发出橙色预警后及时采取这一等级下的“中等社会干预措施”,及时将疫情遏制于萌芽阶段。

发布预警作为政府采取临时控制措施的前置程序,事关政府采取临时控制措施的合法性、积极性并直接影响政府可采取的临时控制措施的具体内容。此次我国没能于过渡阶段及时预警并进行临时处置,与我国疫情防控法律体系长期以来关注点集中于突发公共卫生事件的应急处置和救援环节,而忽略应急处置和救援之前的预警环节[①]有很大关系。《传染病防治法》对传染病预警制度缺乏明确、系统性规定,《突发事件应对法》关于预警的规定与《传染病防治法》中相关立法内容存在冲突是导致实践中预警缺位的重要原因。

1. 预警主体

两部法律中涉及预警主体的法律条款主要有:《传染病防治法》第 19 条[②]规定有权发出传染病预警的主体是国务院卫生行政部门和省、自治区、直辖市人民政府,《突发事件应对法》第 43 条[③]规定有权发布公共卫生事件预警的主体为县级以上地方各级人民政府。

如上文所述,新冠肺炎疫情在过渡阶段并不适用《传染病防治法》相关规定,当其达到造成或者可能造成严重社会危害的程度时,县级以上地方人民政府有权依据《突发事件应对法》第 43 条发布预警。表面看来,《传染病防治法》和《突发事件应对法》规定的分歧并不会导致发布主体不明的推诿。[④] 但是《突发事件应对法》第 43 条中的引致条款[⑤]使得“县级以上地方各级人民政府有权

---

① 参见汪再祥:《预警:突发公共卫生事件应对中缺失的环节——以新型冠状病毒肺炎疫情为例》,《法学评论》2020 年第 2 期。

② 《传染病防治法》第 19 条:“国务院卫生行政部门和省、自治区、直辖市人民政府根据传染病发生、流行趋势的预测,及时发出传染病预警,根据情况予以公布。”

③ 《突发事件应对法》第 43 条:“可以预警的自然灾害、事故灾害或者公共卫生事件即将发生或者发生的可能性增大时,县级以上地方各级人民政府应当根据有关法律、行政法规和国务院规定的权限和程序,发布相应级别的警报,决定并宣布有关地区进入预警期,同时向上一级人民政府报告,必要时可以越级上报,并向当地驻军和可能受到危害的毗邻或者相关地区的人民政府通报。”

④ 参见苏华伟:《完善突发公共卫生事件预警机制的思考和建议》,2020 年 2 月 16 日,http://www.acla.org.cn/article/page/detailById/27104? from=singlemessage。

⑤ 《突发事件应对法》第 43 条中引致条款:“县级以上地方各级人民政府应当根据有关法律、行政法规和国务院规定的权限和程序,发布相应级别的警报,决定并宣布有关地区进入预警期。”

发布预警，而具体权限由有关法律、行政法规和国务院规定来定”[①]。成为理解《突发事件应对法》第43条的应有之义，而该条款中的“有关法律”即包含《传染病防治法》，该条款中的有关“国务院规定”包含《国家突发公共卫生事件应急预案》（以下简称《应急预案》）。《应急预案》第3条规定有权发出公共卫生事件应急预案的主体为各级人民政府卫生行政部门。[②] 由此，《突发事件应对法》第43条所规定的有权发布公共卫生事件预警的主体实际包含县级以上地方政府、国家卫生健康委员会、国务院、各级人民政府卫生行政部门多个主体，关于预警信息发布主体规定确实比较混乱。[③]

2.预警条件

导致我国预警缺失的另一重要原因是《突发事件应对法》所规定的预警启动条件与《传染病防治法》法定主义立法模式之间的矛盾。

《突发事件应对法》第43条规定公共卫生预警启动条件有二：(1)可以预警。(2)公共卫生事件即将发生或者发生的可能性增大。其中“公共卫生事件即将发生或者发生的可能性增大”是对所监测到的疫情信号的分析评判，并直接决定发布预警的等级。我国《突发公共卫生事件分级标准》（以下简称《分级标准》）对预警等级作出了明确规定。《分级标准》中与此次新冠肺炎疫情有关的预警等级标准有如下数款：Ⅰ级：(4)发生新传染病或我国尚未发现的传染病发生或传入，并有扩散趋势，或发现我国已消灭的传染病重新流行。Ⅱ级：(2)发生传染性非典型性肺炎。Ⅲ级：(4)一周内一个县(市)行政区域内，乙、丙类传染病发病水平超过前5年同期平均发病水平1倍以上；(5)在一个县(市)行政区域内发现群体性不明原因疾病。

《突发事件应对法》根据所监测到的疫情信号和《分级标准》对预警进行定级。逐条分析上述等级标准，我们会发现如下问题：第一，Ⅲ级(5)中“在一个县(市)行政区内发现群体不明原因疾病”相较于其他明确规定时间范围、病例数量、扩散速度的条款，该条款过于笼统，对政府职责行使约束力差，使得实践中

---

① 参见汪再祥：《预警：突发公共卫生事件应对中缺失的环节——以新型冠状病毒肺炎疫情为例》，《法学评论》2020年第2期。

② 《应急预案》3.2条规定：“各级人民政府卫生行政部门根据医疗机构、疾病预防控制机构、卫生监督机构提供的监测信息，按照公共卫生事件的发生、发展规律和特点，及时分析其对公众身心健康的危害程度、可能的发展趋势，及时做出预警。”

③ 参见苏华伟：《完善突发公共卫生事件预警机制的思考和建议》，2020年2月16日，http://www.acla.org.cn/article/page/detailById/27104?from=singlemessage。

该条款基本被政府弃而不用。第二，受《传染病防治法》法定主义立法思路的限制，此次新冠肺炎疫情无法基于Ⅰ级(4)中“新发传染病”和“我国尚未发现的传染病”表述以及Ⅲ级(4)中“乙、丙类传染病”表述来启动相应级别预警。第三，在我国“传染性非典型性肺炎”专指SARS[①]，使得此次新冠肺炎疫情无法基于“传染性非典型肺炎”表述启动Ⅱ级预警。由此来看，我国《突发事件应对法》表面虽规定了预警启动条件，但是对于像新冠肺炎疫情这样由从未出现过的新发病毒导致的群体性不明原因疾病，其预警条件实则是缺失的。

预警缺失使得我国在此次新冠肺炎疫情应对中呈现三大不足。第一，疫情暴发初期，地方政府缺乏主动性，过于依赖国家专家组意见。[②] 由于发布公共卫生事件预警意味着政府要对社会活动进行更为全面的限制，这其中不乏有涉及公民权利克减、可能引发社会动荡的措施[③]，也不乏有增加政府义务、加大政府权力运行难度的措施[④]，根据上述分析，现行《传染病防治法》和《突发事件应对法》表面强调齐抓共管，实则法律层面的模糊导致了各主体责任落实不到位，有权发布预警的各主体联动不足、各自为政、行动掣肘难以避免。[⑤] 第二，政府采取临时控制行为怠惰。纵观此次疫情防治，无论是初期控制不力的武汉还是防控措施得当的上海、广州，均忽略了预警环节，而《突发事件应对法》第44条和45条均将“宣布进入预警期”作为县级以上地方各级人民政府采取临时控制措施的前置条件[⑥]，前置条件尚被忽略，后续临时控制措施又何尝谈起呢？第三，政府采取临时控制措施合法性遭到质疑。湖北省潜江市因在疫情初期及时采取临时控制措施，在此次疫情处置中为湖北最优。政府基于“疫情的预警、检

---

① 2007年《全国不明原因肺炎病例监测、排查和管理方案》直接将传染性非典型肺炎简称为“SARS”。

② 参见丁蕾等:《新型冠状病毒感染疫情下的思考》,《中国科学:生命科学》2020年第2期。

③ 如《突发事件应对法》45条:“(七)关闭或者限制使用易受突发事件危害的场所,控制或者限制容易导致危害扩大的公共场所活动。”

④ 如《突发实践应对法》45条:“(二)调集应急救援所需物资、设备、工具,准备应急设施和避难场所,并确保其处于良好状态、随时可以投入正常使用;(三)加强对重点单位、重要部门和重要基础设施的安全保卫,维护社会治安秩序;(四)采取必要措施,确保交通、通信、供水、排水、供电、供气、供热等公共设施的安全和正常运行。”

⑤ 参见张明军、赵友华:《突发公共疫情依法治理的逻辑》,《法学》2020年第3期。

⑥ 《突发事件应对法》第44条第一款:“发布三、四级警报,宣布进入预警期后,县级以上地方各级人民政府应当根据即将发生的突发事件的特点和可能造成的危害,采取下列措施。”第45条第一款:“发布一、二级预警,宣布进入预警期后,县级以上地方各级人民政府应当根据即将发生的突发事件的特点和可能造成的危害,采取下列措施。”

测、排查,从来都是双刃剑,是有成本的。做对了,是先见之明;若预警之事并未发生,谁来负责”[①]的隐忧,没有发布预警,悄悄行动,提前部署。其采取的临时控制措施虽取得了良好的防疫治疫效果,但因没有提前发布预警即采取行动,仍旧承担着“违规冒险”的风险。

(二)应急响应阶段的协调衔接

我国《传染病防治法》构建了多层次管制框架:当疾病被纳入法定传染病目录,各相关主体依照该法相关内容启动管制;当传染病呈现暴发、流行态势,启动应急响应,由此行政主体依据《传染病防治法》《突发事件应对法》和相关法律法规及相关应急预案给予更多的社会管控;当传染病呈现跨区域扩散风险,行政主体将采取更加全面和严格的社会管制手段。“与法相伴的是社会秩序”,应急响应就是在传染病出现暴发、流行态势时,行政主体向社会公布的从常态法制秩序向非常态法制秩序转换的程序性标志。

目前《传染病防治法》和《突发事件应对法》中与应急响应阶段相关的法律规范有:《传染病防治法》第42条规定了应急响应的条件和可采取的紧急措施[②];《突发事件应对法》第17条[③]规定了国务院制定国家突发事件总体应急预案,国务院有关部门制定国家突发事件部门应急预案,地方各级人民政府和县级以上地方各级人民政府有关部门制定相应的突发事件应急预案;《传染病防治法》第42条通过增加“按照预防、控制预案进行防治”的要求以实现与《突发事件应对法》第17条的协调衔接。[④] 从表面来看,《传染病防治法》第42条实

---

① 张进:《潜江:汪洋中的一条船》,《新闻周刊》2020年第6期。

② 《传染病防治法》第42条:“传染病暴发、流行时,县级以上地方人民政府应当立即组织力量,按照预防、控制预案进行防治,切断传染病的传播途径,必要时,报经上一级人民政府决定,可以采取下列紧急措施并予以公告:(一)限制或者停止集市、影剧院演出或者其他人群密集的活动;(二)停工、停业、停课;(三)封闭或者封存被传染病病原体污染的公共饮用水源、食品以及相关物品;(四)控制或者捕杀染疫野生动物、家畜家禽;(五)封闭可能造成传染病扩散的场所。上级人民政府接到下级人民政府关于采取前款所列紧急措施的报告时,应当即时作出决定。紧急措施的解除,由原决定机关决定并宣布。”

③ 《突发事件应对法》第17条:“国家建立健全突发事件应急预案体系。国务院制定国家突发事件总体应急预案,组织制定国家突发事件专项应急预案;国务院有关部门根据各自的职责和国务院相关应急预案,制定国家突发事件部门应急预案。地方各级人民政府和县级以上地方各级人民政府有关部门根据有关法律、法规、规章、上级人民政府及其有关部门的应急预案以及本地区的实际情况,制定相应的突发事件应急预案。应急预案制定机关应当根据实际需要和情势变化,适时修订应急预案。应急预案的制定、修订程序由国务院规定。”

④ 参见赵鹏:《传染病防控中的权力与法律——〈传染病防治法〉适用与检讨的角度》,《法学》2020年第3期。

现了与《突发事件应对法》的协调衔接，即《传染病防治法》规定应急预案启动的条件，具体紧急措施参照《突发事件应对法》第17条所规定的不同主体制定的应急预案。但笔者在北大法宝法律法规数据库以"应急预案"为索引进行检索，发现我国现行与"应急预案"有关的行政法规共35部，部门规章148部，地方规范性文件165部。其中国家层面涉及突发公共卫生事件的应急预案仅有《国家突发公共卫生事件应急预案》《卫生部办公厅关于印发〈突发公共卫生事件社区（乡镇）应急预案编制指南（试行）〉》《国家突发公共事件医疗卫生救援应急预案》《卫生计生委关于印发突发事件卫生应急预案管理办法的通知》4部；165部地方规范性文件中涉及突发公共卫生事件防治的数量少且内容疏浅。以《山东省突发事件总体应急预案》为例，其中涉及突发公共卫生事件的内容仅有1.3分类分级中关于公共卫生事件的定义和附件7关于特别重大、重大、较大和一般突发事件分类中关于公共卫生事件的分类两处。笔者以"传染病防治"为索引进行检索，发现规范传染病防治的地方性法规仅有江苏省《实施〈中华人民共和国传染病防治法〉办法》一部。故《传染病防治法》第42条虽然通过"按照预防、控制预案进行防治"实现了与《突发事件应对法》的协调衔接，但由于突发公共卫生事件应急预案法律制度的缺位和内容的粗疏使得我国现行突发公共卫生事件应急预案体系无法在新冠肺炎疫情暴发阶段给各地政府的应急响应提供明确且具有可操作性的行动遵循。

由于先期各地有关传染病防治应急预案内容粗陋，在此次新冠肺炎疫情处置过程中，各地政府纷纷出台规范新冠肺炎疫情的地方性法规以力求在法治轨道上推进疫情治理。有学者统计，截至2020年3月，规范新冠肺炎疫情的地方性法规多达213部，单是2月颁行的地方性法规就达184部，各地政府也多是依靠各地在新冠肺炎疫情暴发后临时颁布的地方性法规进行应急响应并采取相应的紧急措施。但是，诚如该学者指出的："由于制定时间过于仓促，在上位法衔接等体系化构建上难免不足。"[①]

应急响应制度的缺失和混乱直接导致此次疫情防控实践中多地出现了应急响应与紧急状态、战时状态混用，政府应急响应措施合法性存疑的局面，政府依法治理能力尚需提升。例如继2020年2月12日，湖北省十堰市张湾区以疫

① 冀祥德、任蕾：《论我国疫情防控法律体系的完善》，《人民司法》2020年第7期。

情防控指挥部的名义下发第27号通告《张湾区全域实施战时管制措施的紧急通告》，作为第一个宣布本地进入战时状态的地区后，湖北省孝感市辖大悟县、云梦县等多县市也纷纷以指挥部名义宣布进入战时状态，对该辖区的人员、居民楼、车辆、生活物资等进行战时管控。诚然，为控制疫情，宣布辖区进入战时状态是非常时期非常之举，取得了良好的社会效果。但“风险时期更要注重法律运行的有效性”①是全面提高依法防控、依法治理能力，在法治轨道上统筹推进各项防控工作的应有之义，就依法防控、依法治理而言，上述县级政府以指挥部名义宣布战时管制行为违反我国现行法律中宣布本地进入战时状态、战时管制的权力只属于全国人大、国务院、中央军委等中央权力机构的规定②，也违背了依据《突发事件应对法》框架进行应急处理要与极端状态下紧急状态、战时状态有所区别的立法初衷③。

（三）疫情控制阶段的协调衔接

此次新冠肺炎疫情于2020年1月20日由国务院卫生行政部门划归乙类传染病经国务院批准参照甲类管理，被纳入法定传染病后，此次疫情具备法定传染病和突发公共卫生事件双重属性，同时适用《传染病防治法》和《突发事件应对法》。《传染病防治法》以第42条④为核心，采用明确列举的方式规定政府在传染病防治中可以采取的紧急措施；相较于《传染病防治法》42条规定，《突发事件应对法》以第49条为核心，大量使用“其他救助措施”“其他控制措施”“其他保障措施”“其他保护措施”等概括条款以确保政府采取紧急措施的高度

---

① 杨知文：《风险时期更要注重法律运行的有效性》，《学习时报》2020年4月8日。

② 《中华人民共和国宪法》第67条：“全国人民代表大会有权行使下列职权……（二十一）决定全国或者个别省、自治区、直辖市进入紧急状态。”第80条：“中华人民共和国主席根据全国人民代表大会的决定和全国人民代表大会常务委员会的决定……宣布进入紧急状态，宣布战争状态，发布动员令。”《中华人民共和国国防法》第11条：“中华人民共和国主席根据全国人民代表大会的决定和全国人民代表大会常务委员会的决定，宣布战争状态，发布动员令，并行使宪法规定的国防方面的其他职权。”

③ 参见曹康泰：《关于〈中华人民共和国突发事件应对法（草案）〉的说明——2006年6月24日在第十届全国人民代表大会常务委员会第二十二次会议上》，《全国人民代表大会常务委员会公报》2007年第6期。

④ 《传染病防治法》第42条：“传染病暴发、流行时，县级以上地方人民政府应当立即组织力量，按照预防、控制预案进行防治，切断传染病的传播途径，必要时，报经上一级人民政府决定，可以采取下列紧急措施并予以公告：（一）限制或者停止集市、影剧院演出或者其他人群聚集的活动；（二）停工、停业、停课；（三）封闭或者封存被传染病病原体污染的公共饮用水源、食品以及相关物品；（四）控制或者捕杀染疫野生动物、家畜家禽；（五）封闭可能造成传染病扩散的场所。上级人民政府接到下级人民政府关于采取前款所列紧急措施的报告时，应当及时做出决定。紧急措施的解除，由原机关决定并宣布。”

灵活性，并通过第 49 条第十款“采取防止发生次生、衍生事件的必要措施”赋予政府大量权力。两法适用范围的模糊和混乱加之两法关于“紧急措施”立法思路的不同和具体条款的冲突，使得本次新冠肺炎疫情处置中，各地政府优先适用《突发事件应对法》，采取了大量超过《传染病防治法》管制规范的紧急措施，而《传染病防治法》基本弃而不用。疫情虽得以控制，但是采取上述手段产生的如下法律问题仍引人反思：行政机关可以在履行程序后实施任何类型的管制措施，这是否与法治要求的法律明确性原则产生了巨大的紧张？[①] 行政主体基于概括条款所采取的紧急措施是否符合行政执法的比例原则？该措施是否会导致政府权力不当扩张？公民基本权利不当克减？对国民经济循环恢复产生不利影响？

疫情控制阶段，两法在“卫生检疫措施”和“征用措施”的规范上衔接不畅问题尤为明显。

1. 卫生检疫措施

《传染病防治法》第 42 条以明确列举的方式规定传染病暴发、流行时县级以上人民政府可以采取的紧急措施，《传染病防治法》第 43 条规定了疫区宣布的条件、主体和宣布疫区后，政府可采取的 42 条之外的补充措施，主要涉及对出入疫区的人员、物资和交通实施卫生检疫。[②] 解读上述条款，关于疫区宣布，以下两点可以明晰：第一，疫区宣布为疫区和非疫区之间人员、物资和交通工具流动、管控提供有效的法律装置；第二，疫区的划定和宣布是对出入疫区人员、物资和交通设施实施卫生检疫的前提，这里的建议包括居家隔离等检疫措施。[③]《传染病防治法》第 43 条对疫区进行规定，《突发事件应对法》第 48 条作出授权性规定。由于《突发事件应对法》第 49 条、50 条以概括授权方式授予政府处理突发事件过程中大量的权力，上述两条对政府权力几乎不加限定的概括

---

① 参见欧爱民：《法律明确性原则宪法适用的技术方案》，《法制与社会发展》2008 年第 1 期。

② 《传染病防治法》第 43 条：“甲类、乙类传染病暴发、流行时，县级以上地方人民政府报经上一级人民政府决定，可以宣布本行政区域部分或全部为疫区；国务院可以决定并宣布跨省、自治区、直辖市的疫区。县级以上地方人民政府可以在疫区内采取本法第四十二条规定的紧急措施，并可以对出入疫区的人员、物资和交通工具实施卫生检疫。省、自治区、直辖市人民政府可以决定对本行政区域内的甲类传染病疫区实施封锁；但是，封锁大、中城市的疫区或者封锁跨省、自治区、直辖市的疫区，以及封锁疫区导致中断干线交通或者封锁国境的，由国务院决定。疫区封锁的解除，由原决定机关决定并宣布。”

③ 参见赵鹏：《疫情防控中的权力与法律——〈传染病防治法〉适用与检讨的角度》，《法学》2020 年第 3 期。

授权方式与《传染病防治法》第43条"作为第42条紧急措施的补充措施，对出入疫区的人员、物资和交通实施卫生检疫需要以疫区宣布为前提"产生立法冲突，导致此次疫情应对过程中，虽然有学者呼吁各地政府在采取对外地抵达人员检疫隔离、劝返等措施前，应以被检疫、劝返人员地区宣布为前提[①]，但事实上，《传染病法防治法》第43条被基本弃用，地方政府并未遵循该程序，即便是湖北多地实施封锁，官方也没有正式文件宣布疫区划定。

在不经疫区宣布的情况下，互相封锁、概括要求外地返乡人员一律检疫隔离等做法，是特殊时刻的非常之举，但从长远来看，这种做法会带来以下问题：第一，公民权利大幅克减，比例原则遭忽略。一个国家的公民在国土范围内有自由通行的权利，该权利只有具备充分理由才能被限制。政府对确诊病例及其密切接触者、疑似暴露者基于已证实的危险进行防卫，这是政府为维护社会秩序而履行的绝对排除的义务，但除武汉之外的多地普遍出现互相封锁，一律隔离，外来返乡人员一律劝返等措施仅仅基于概率大小未得到确证的风险预防，此时，这种限制必须考虑措施成本与其所欲目的之间的衡量是否符合比例原则，否则过渡管制是对公民自由通行权利的极大克减，且在特殊时期公民在"守土有责"思想支配下，这种权利被克减公民往往不自知。第二，重复管制带来大量成本，影响经济运行。《传染病防治法》第43条规定疫区封锁，其中一个重要立法目的在于将疫区封锁，最大程度保证其他地区之间人员、交通工具和物资正常运转，对经济造成最小损失，但当下政府忽略该立法目的，不当扩大卫生检疫、居家隔离等措施适用范围，升级隔离手段[②]，耗费大量人力物力，浪费管制；不当限制人群外出，消费需求加剧下滑，给经济循环复苏带来很大压力。

2.征用措施

《传染病防治法》第45条规定国务院有权在全国范围或者跨省、自治区、直辖市范围内临时征用房屋、交通工具和相关设施、设备，县级以上地方人民政府有权在本行政区内临时征用房屋、交通工具和相关设施、设备。《突发事件应对法》第12条规定有关人民政府及其部门为应对突发事件，可征用单位和个人财

---

① 参见单玉晓：《清华大学教授呼吁依法宣布武汉为疫区》，财新网，http://www.caixin.com/2020-01-23/101507529.html。

② "有些地区擅自升级防控力度，简单机械化将隔离群体无限扩大，在居民小区整体隔离后，采用锁门户、贴封条、焊钢管等极端方式对居民实施人身禁锢。"（张明军、赵友华：《突发公共疫情依法治理的逻辑》，《法学》2020年第3期）

产。对比两法关于征收征用的条款,不难发现《传染病防治法》明确规定了国务院和县级以上人民政府各自行使征收征用措施的权力范围,包括可征用的财产范围和各级征用主体可行使权力的地域范围;而《突发事件应对法》将征用权力下放到政府部门且对各主体行使征用措施的权力不加限制,直接带来"政府部门征用措施合法性""地方政府对'过境物资'有无征用权力"等一系列问题。两法立法规定不一、表述指向不明,容易导致管理失序,影响应急征用的效能。[①]

此次新冠肺炎疫情防治过程中,制度层面的冲突和模糊造成实践层面如下失范现象:第一,多元主体并存,影响征用秩序和效率。介于应急征用是应对疫情防控吃紧局面的有效措施,除法定主体外,指挥部、基层单位、领导小组被赋予征用权的情况比比皆是,以山东省为例,根据疫情应急处理需要,各级领导小组依法有权紧急征用人员、储备物资、交通工具及相关设施设备。[②] 主体多元且权力内容不统一,直接导致不同征用机关操作不一,进而对公民基本权利保障,生产经营秩序维护都带来了相应不利影响。第二,物资异地征用引发的权限争议问题。物资异地征用引发的权限争议问题因"大理应急征用由云南省瑞丽市发往重庆市的9件口罩"而进入公众视野,该权限之争背后的实质则是两法就"征用主体和权限"不同规定的冲突。根据《传染病防治法》,仅国务院有在全国范围或跨省、自治区、直辖市范围内临时征用的权力,而《突发事件应对法》对此没有限制,故根据现有法律,并不能必然得出地方政府不得对"过境物资"实施应急征用的解释结论[③],由此也引发了公众对政府任意截留单位和个人疫情防控物资的担忧,[④]不利于特殊时期社会秩序的稳定。

三、完善对策和建议

分析对比《传染病防治法》和《突发事件应对法》中矛盾冲突的条款,从增强《传染病防治法》和《突发事件应对法》协调衔接为疫情防控有关主体提供明确

---

① 参见薛峰等:《疫情防控应急征用的法律风险与合法性规制》,《法律适用·司法案例》2020年第6期。

② 根据山东省委办公厅省政府办公厅印发通知,对进一步加强新冠肺炎疫情防控工作作出"十七条"部署,其中"十、做好市场供应保障管理"中明确"根据疫情应急处理需要,各级领导小组依法有权紧急征用人员、储备物资、交通工具以及相关设施、设备"。

③ 参见沈岿:《"大理'征用'口罩引发的修法问题"》,"博雅公法"微信公众号。

④ 参见沈岿:《"大理'征用'口罩引发的修法问题"》,"博雅公法"微信公众号。

法律遵循的角度来看，笔者认为明确《传染病防治法》《突发事件应对法》的适用范围是加强两者协调衔接的前提，在两法中引入风险预防原则和比例原则是加强两法协调衔接基础，此外，还应修改两法在疫情防控过渡阶段、应急响应阶段、疫情控制阶段存在冲突矛盾的具体条款。

(一)明确《传染病防治法》《突发事件应对法》的适用范围

“法律的明确性并非要求法律预设唯一正确管制选项，而是力图构建一个关于管制秩序的框架性规定”①，新冠肺炎疫情史无前例且来势汹汹，充分发挥各相关主体联动优势，赋予各相关主体权力行使灵活性是必要举措，但是现行《传染病防治法》和《突发事件应对法》适用范围的模糊导致实践中两法无法对政府的权力和职责进行基本的限定。从新冠肺炎疫情现实来看，妥善处理两者适用关系，是加强两法协调衔接，进而加强疫情防控体系内部规范协调衔接的前提。

《传染病防治法》作为历来传染病防治所需管制手段和经验的总结，本身即针对传染病暴发和流行而设计；《突发事件应对法》作为包括自然灾害、事故灾难和公共卫生事件处置的通用规范，其存在大量超出干预、控制传染病本身的条款以维持由传染病产生的衍生需求，例如交通管制、基本生活物品供应、违反紧急措施的制裁等，而《传染病防治法》并未对此作出明晰规定。宜遵循以下思路明确两法适用范围：当采取旨在切断传播路径，控制传染的核心措施时适用《传染病防治法》，当采取旨在维持由控制该传染病所衍生出来的法律秩序时，适用《突发事件应对法》作为补充规定，当相关主体为控制传染病暴发、流行而基于《突发事件应对法》中概括条款采取大量超出《传染病防治法》规定的管制措施时，提议主体应该能够证明该措施确属必要，且经过地方紧急立法程序确认。

(二)在两法中引入风险预防原则、比例原则

虽然《传染病防治法》第二章规定了“传染病预防”，《突发事件应对法》第二章规定了“预防与应急准备”，但从此次疫情应对实践效果来看，我国疫情防控体系“救急色彩”教浓。我国疫情防控法律体系急需从传统的“危害治理”向“风

① 参见裴洪辉：《在价值理想与客观认知之间：法律明确性原则的理论空间》，《法学论坛》2019 年第 2 期。

险预防”转变。[①] 此次疫情防控实践中出现的种种颇具争议的防控手段，在一定程度上是政府在行使管制措施时忽略比例原则所致，法律在赋予政府必要权力的同时也应当提供必要约束以引导权力行使，防治权力失范。

法律原则决定了法律制度的基本性质、内容和价值取向，是法律精神最集中的体现，构成了法律制度的理论基础。宜在《传染病防治法》第二章“传染病预防”和《突发事件应对法》第二章“预防与应急准备”中增加有关“风险预防”的表述，在《传染病防治法》第四章“疫情控制”和《突发事件应对法》第四章“应急处置与救援”中增加有关“遵守比例行原则”的表述。在两法中增加上述两个原则，一方面，“风险预防”原则将普遍的体现在“传染病预防”和“预防与应急准备”章节的各项条款中，引导我国在突发公共卫生事件应对上的理念转变；另一方面，在两法具体法条存在漏洞或者立法模糊时，可以借“比例原则”以补漏的方式加以明晰，约束和规范政府权力。

（三）修改两法中立法冲突的条款

宜以实践中出现的问题为导向，修改两法中在过渡阶段、应急响应阶段、疫情控制阶段存在的立法冲突的条款，从而给各防疫抗疫主体提供明确的法律遵循。具体而言，可从以下几个角度加以修订。

1. 过渡阶段的协调衔接

为加强两法在疫情处置过渡阶段的协调衔接，宜修改《突发事件应对法》“预警主体”和“预警条件”相关规定，减少第 42 条中引致条款给本条款带来的前后冲突，明确有权启动突发群体性不明原因疾病预警的主体及主体的权力和职责，避免“九龙治水”；进一步明确《分级标准》Ⅲ级（5）中“在一个县（市）行政区内发现群体性不明原因疾病”的时间范围、病例数量、扩散速度等具体内容，减少《传染病防治法》法定主义立法思路对依照《突发事件应对法》启动预警的限制。

2. 应急响应阶段的协调衔接

各地有关传染病防治应急预案内容的粗陋是导致《传染病防治法》第 42 条“按照预防、控制预案进行防治”无法实现与《突发事件应对法》实质上协调衔接的主要原因，故应以此次疫情防控经验和不足为参考，各地尽快完善“应急预案”相关内容，实现《传染病防治法》42 条与《突发事件应对法》44 条的实质衔

---

① 参见蒋悟真：《疫情防控的社会法省察》，《政治与法律》2020 年第 4 期。

接。各地在制定应急预案过程中，在吸收本次疫情防控经验、总结不足时，还应注意加强与上位法的衔接，提升各地应急预案的完备性和规范性。

3.疫情控制阶段的协调衔接

在疫情控制阶段的法律协调衔接上，就卫生检疫等隔离措施适用，宜在《突发事件应对法》第49条增加条款“但对出入疫区的人员、物资和交通工具实施卫生检疫需以行政区疫区宣布为前提”以加强同《传染病防治法》43条的衔接。

就征用措施规制，除在《突发事件应对法》中引入比例原则，还应对《突发事件应对法》第12条作进一步细化。细化思路可参考相关学者的建议，一方面对县级以上地方政府对途经本行政区域内、发往其他行政区域的物资是否有征用的权力予以明确规定，若规定有征用权力，则需进一步明确征用时的条件限制；另一方面，单一的行政法比例原则尚不能为政府应急征用进行明确限制，宜考虑在《突发事件应对法》中明确规定“政府不得应急征用或征收任何单位和个人用于疫情防控的、不可或缺的物资”①。

四、结语

人类与病毒的战争是一个漫长过程，只有将国家在特殊时期集中力量办大事的优势和对在特殊时期应对危机不足的反思上升为制度，才能通过稳定、理性且可预见的制度安排为危机应对和法治治理提供制度框架。新冠肺炎疫情以一种特殊的方式让人民直观感受到中国特色社会主义国家制度和国家治理体系显著优势的同时，也力促我们对我国疫情防控法律机制加以检视和探讨。现行疫情防控法律体系在过渡阶段、应急响应阶段、疫情控制阶段均存在疏漏和矛盾冲突，限制着我国疫情防控的实际效果，亟待强化《传染病防治法》和《突发事件应对法》协调衔接，实现在法治轨道上推进防疫工作和治疫工作。相信随着我们科学精准防治水平不断提升，依法防疫、治疫能力不断增强，我们一定能够打赢新冠肺炎疫情防控这场人民战、总体战、阻击战、持久战，能够战胜新冠肺炎疫情的种种挑战。

① 参见沈岿：《“大理‘征用’口罩引发的修法问题”》，“博雅公法”微信公众号。

试论合作治理视阈下的行政立法民主协商程序*

张　芃**

摘要：行政立法的民主协商制度有助于弥补行政立法民主性的缺失，增强行规章的实质合法性。由筛选、召集、组织、协商四个阶段构成。协商立法建立在合作治理的基础上，在差异中寻求共识，协商程序可以弥补非正式程序的不足，不仅能增强立法过程的灵活性、互动性、创新性，促进合作与沟通，还能降低成本，实现制衡。协商程序虽有不足，但依据其原理可以建构有效的地方政府规章制定的协商立法机制。

关键词：协商立法；合作治理；地方规章；共识

立法协商制度萌发于20世纪80年代初的美国。1982年菲利普·哈特首次阐释了协商立法理念。美国行政会议和某些联邦机构，如环保署、交通部是协商立法的有力支持者。依据美国行政会议编写的《协商立法资料汇编》，协商立法获得了普遍支持。1990年国会通过了《协商立法法》，1996年该法案获得永久授权。2010年修订的《模范行政程序法》第303(b)～(c)条明确规定了协商立法制度。其中(b)项规定，行政机构可以通过设立委员会进行协商立法。该委员会对行政机构正在积极考虑的拟定规章进行讨论或提出建议。(c)项规定协商委员会应当尝试就拟定规章的条款或实质达成共识。迄今，协商立法已由联邦发展到地方，爱达华、明尼苏达、威斯康星等州都规定了协商立法程序，

---

* 第三十二届全国副省级城市法治论坛获奖论文三等奖。

** 张芃，齐鲁工业大学政法学院法律系讲师，法学博士。

协商立法的原理应用愈加广泛。作为一项新兴制度,[①]协商立法是对传统正式立法程序的反思。由于立法过程中的实质不平等,使公民难以摆脱行政机构的控制与偏见。即使公民享有法定的知情权、建议权,但由于行政机构绝对的主导地位,公民的预期利益也往往难以实现。协商立法程序以共识为核心,试图改变这一失衡状态,通过制度设计努力寻求行政国家与民主治理的平衡。

一、合作治理的兴起与公众参与的深入发展

随着"行政国家"成为广为接受的政治理念,政府职能与行政权限不断扩张,较之代议机关,行政机关距离民意更为疏远,为了实现公共利益的最大化,合作治理成为社会管理的主流理念。合作治理是随着政府干预的不断扩张、矛盾对抗日益尖锐出现的。合作治理的本质即善治,体现了政治国家与公民社会之间的良性互动与紧密合作。

"现代社会的政治化倾向,形成了现代社会的重要特征,并且这种特征随着时间的推移而越来越突出。"[②]20 世纪后期以来,整个社会朝向多元化方向发展,以政府为中心和导向的管理与控制机制受到强烈质疑。在政策制定与实施过程中,政府必须与非政府组织、利益集团,私人团体,甚至普通民众展开广泛合作。"合作治理在行为模式上超越了政府过程的公众参与,它以平等主体的自愿行为打破了公众参与政府过程的中心主义结构。"[③]

传统行政程序法并没有对起草阶段的公共参与提出要求。虽然正式听证程序在制度构造上甚为精细,但实际上,由于成本高昂、重视对抗等制度特性,以致绝大多数行政立法都是通过非正式程序制定的,但以"通告—评议"制度为核心的非正式程序具有单方性。如何对待、处理公众意见完全依赖于行政机构的自由裁量,同时,行政机构通过说明理由来排除司法的实质性审查。行政程序对公众参与的忽视,归根结底是由传统法治观念所决定的。

传统法治理念确立了"政治—行政"二元对立的模式。以戴雪为代表的传

---

① 学界对立法协商制度关注仍不充分。已有研讨详见沈岿:《关于美国协商制定规章程序的分析》,《法商研究》1999 年第 2 期;张力:《走向共识:美国协商行政立法的兴起与发展》,《行政法学研究》2012 年第 4 期。当论及地方立法的公众参与程序时,一般论证的焦点都在正式听证程序。关于正式听证程序的研究可谓硕果累累,而对非听证方式的民主协商程序欠缺研究。

② 杨建顺:《行政规制与权利保障》,中国人民大学出版社 2007 年版,第 48 页。

③ 张康之:《论参与治理、社会自治与合作治理》,《行政论坛》2008 年第 6 期。

统法治观过于受制度性细节的束缚。[①] 戴雪认为法治意味着“作为专制权力对立面的正当法律具有绝对至上性或绝对优势地位，并排除专断、特权的存在，甚至排除政府部门广泛的裁量权力的存在”[②]。根据这一理念，行政程序法的基本目的，即在于控制行政权的行使，保障个人权利与自由。传统行政法模式试图通过代议机构制定明确规则、行政程序促使行政机关遵守立法规则以及法院对行政决定的司法审查来确保行政法之“传送带”功能的实现。[③]

行政与政治的分离决定了行政程序中行政机构与民众之间相互排斥的对抗关系。行政程序法的主要目的是保护被监管方免受行政机构鲁莽行为的影响，避免已知利益受损。[④] 正式程序无疑具有对抗性。听证通常要求主持人中立、无偏私，听证决定只能依据听证记录和提交的证据作出，参与方享有提交书面或言辞证据、邀请专业律师出席并进行辩论的权利。对非正式程序来说，法律草案的立项、起草、公告和意见评估全部掌握在行政机关手中，行政相对方并没有参与的权利。起草法案的专家也通常并不考虑公众意见。根据美国国家绩效评估委员会的见解，传统规则制定的对抗性质，带来了相当多的机能上的障碍。提供对拟定规则评议的机会，并不能培育公众之间、公众与行政机构之间的真正对话。在行政机构耗费了大量的时间和精力之后，难以理睬要求实质改变的评议意见。“通告—评议”程序强化了专家立法的至上性，无法形成真正的合力。[⑤]

行政立法本质上属于授权立法，面临着实质合法性的挑战。英国早在1893年颁行的《规则公布法》中即作出界定：凡被视为法律文件的行政机关的规范，均为立法性质的规范，而不属于行政性质。但行政机关实行首长负责制，具有非民选性。基于传统法治观念，行政立法的正当性根源于法律授权的正当性。“法律程序的功能在于解释和实施这些解决方案的含义，而不必考虑这些

① 参见[美]奥尔特曼：《批判法学——一个自由主义的批评》，信春鹰译，中国政法大学出版社2009年版，第60页。

② [英]詹宁斯：《法与宪法》，龚祥瑞、侯健译，三联书店1997年版，第211页。

③ 参见王锡锌：《公共参与和行政过程》，中国民主法制出版社2007年版，第4页。

④ Alan B. Morrison, "The Administrative Procedure Act: A Living and Responsive Law," *Virginia Law Review*, Vol. 72, 1986, pp. 253-270.

⑤ Keith Werhan, "Delegalizing Administrative Law," *University of Illinois Law Review*, Vol. 1996, No. 2, 1996, pp. 423-466.

社会群体所持立法的功过是非。"[①]随着实践发展,行政裁量与行政立法的边界日益模糊。谢弗林案确立了司法对行政解释的谦抑原则。更确切地说,如果法规并未对具体争议作出明确规定,对法院来说问题就是行政机构的决定是否基于对法规的合理解释。[②] 尽管如此,法院已经建立起了一个庞大复杂的法律框架来控制规章制定。与直觉相悖,对行政行为严密的司法审查可能促进了而非破坏了利益集团的行动。[③] 一方面,行政立法的范围不断扩张;另一方面,国会、司法对行政机构实施外部控制,导致行政立法的合法性问题日益突出。

人们对社会福利的不断追求,导致行政权以其专业性、技术性,渗透到社会生活的方方面面。"对于政治职能在具体细节上,进行严格的分解式的区分是不现实的。"[④]现代行政的功能不仅是防御和控制,更是"通过秩序、规则和标准的创建、运用、维护,给人尊严,给人信心,给人温暖和善,也给人希望"[⑤]。发展至此,传统法治理念已无法保证行政立法的合法性,协商立法是对行政立法正当性的重构。甚至,"公民参与甚至使得法律保留和授权立法的原则对行政立法的正当性和合法性的约束不再彰显"[⑥]。既然规章制定具有立法性,而立法权又不可能是专断的权力,那么,只有让所有利益主体都有表达的机会,相互竞争,互相妥协,才能达成共识,控制恣意与专制。

随着政治向法律领域的渗透,服务行政的发展、公民社会的复兴以及开放型政府的构建,扩大行政立法过程中的公共参与获得了广泛支持。早在克林顿政府时期,在环保领域进行监管改革时,即允许联邦机构与被监管方进行合作。奥巴马政府更明确鼓励联邦机构使用协商程序。联邦机构对其监管方和其他利益相关者,更具有包容性,对抗性更少。[⑦] 奥巴马政府对于监管创新具有浓

---

① [美]奥尔特曼:《批判法学——一个自由主义的批评》,信春鹰译,中国政法大学出版社 2009 年版,第 28 页。

② Richard J. Pierce, "Political Control Versus Impermissible Bias in Agency Decisionmaking: Lessons from Chevron and Mistretta," *The University of Chicago Law Review*, Vol. 57, 1990, pp. 481-519.

③ Jonathan R. Macey, "Separated Powers and Positive Political Theory: The Tug of War Over Administrative Agencies," *The Georgetown Law Journal*, Vol. 80, 1991-1992, pp. 671-703.

④ [美]庞德:《法理学》第 2 卷,封丽霞译,法律出版社 2007 年版,第 164～165 页。

⑤ 杨建顺:《行政规制与权利保障》,中国人民大学出版社 2007 年版,第 50 页。

⑥ 刘小妹:《公众参与行政立法的理论思考》,《行政法学研究》2007 年第 2 期。

⑦ Shi-Ling Hsu, "A Game-theoretic Approach to Regulatory Negotiation and a Framework for Empirical Analysis," *Harvard Environmental Law Review*, Vol. 26, No. 1, 2002, pp. 33-108.

厚兴趣,致力于促进机构、行业与公众的合作。奥巴马政府承诺建立一个“透明、公众参与和合作”的体系:知识遍及社会,政府官员从中获益。行政机构应为民众参与立法提供更多机会,政府可从中获取集体的智识与信息,同时采用创造性的工具、方法和体系,实现各级政府、非营利组织、工商企业和私企员工之间的合作。①

哈特认为协商立法是合作治理的形式之一。协商立法的目的是为了解决利益争议,而其他形式,包括调解、调查、仲裁,更适合于权利争议。这一过程利用不同利益群体的创造性专注于提出更好的、更具接受性的规则。② 目前最发达的合作治理在联邦层次,这一模式具有广泛的应用性。③ 合作治理是协商民主理念的体现。④ 协商民主的目标是解决分歧,增进不同团体和利益集团之间的相互理解。协商民主的基本价值是宽容、理性、沟通和对话,主张公民作为自主、自治的主体,应当参与到公共事务的管理、协商、讨论和行动中来。“协商民主以有意义的、富有成效的和受尊重的方式确保公共决策适应公众需要。”⑤

二、行政立法协商制度的运作

经过数十年的发展,行政立法协商制度已趋于成熟。依据发达国家既有法制实践,协商程序通常可分为四个阶段。

(一)筛选

行政机构负责法律事务的部门分析协商制度可能适用的潜在领域,初步确

---

① Julia Kobick,“Negotiated Rulemaking: The Next Step in Regulatory Innovation at the Food and Drug Administration,”*Food & Drug Law Journal*, Vol. 65, No. 2, 2010, pp. 425-446.

② Gregory J. Smith,“Alternative Dispute Resolution and the Wetlands Manual Debate: Could Negotiated Rulemaking Have Avoided the Impasse,”*Ohio State Journal on Dispute Resolution*, Vol. 9, No. 2, 1994, pp. 415-432.

③ Philip J. Harter,“Collaboration: The Future of Governance,”*Journal of Dispute Resolution*, Vol. 2009, No. 2, 2009, pp. 411-448.

④ 1960年,美国学者阿诺德·考夫曼首次提出“参与式民主”的概念。1970年,卡尔·佩特曼在《参与和民主理论》中系统阐发了参与式民主理论,自主、自治的公民参与到公共管理、协商、讨论和行动之中。1980年,约瑟芬·贝斯特正式提出协商民主的理论。协商民主发展为集体决策的制度安排。王锡锌认为参与理念可追溯至卢梭理论。参与具有教育、民主控制、正当化和共同体整合四项功能。详见王锡锌:《公共参与和行政过程》,中国民主法制出版社2007年版,“前言”第4页。

⑤ Philip J. Harter,“Collaboration: The Future of Governance,”*Journal of Dispute Resolution*, Vol. 2009, No. 2, 2009, pp. 411-448.

定争议问题和利益相关方。协商程序对拟定议题应当具有适当性:即某项争议依据立法协商原则,已具备协商的必要条件,并能通过协商获得实益。触及参与方核心价值、难以妥协的或争议过大的复杂议题不适用协商程序,参与方人数众多无法协调的或各方都无法提出解决方案的争议也不适合采取这一制度。协商意味着行政机构立法主导权的暂时放弃,故而需要经过承担政治或法律责任的负责人批准,方能实施。

(二)召集

召集是协商的基础。参与范围因协商内容不同可以有所差别。决定范围宽窄的因素包括拟定法规的性质、既往协商的惯习、涉及利益的多寡、拟定争议的复杂性、重要性、紧迫性以及争议观点之间的异同。召集由召集人负责。召集人应当熟悉协商程序,最好具备法律或相关专业知识,具有较强的组织、协调、沟通能力,能迅速化解矛盾冲突,有效解决复杂问题。

召集人确定参与方。协商对象具有开放性:个人、企业、社团、组织,包括政治实体、特定的利益集团,凡受拟定规则影响者,皆有参与之权。召集人应与参与方交换意见,阐述具体规划,确定参与意愿。从召集程序开始,召集人与参与方就处于双向互动之中。召集人须了解参与方的利益诉求,指出协商可能存在的障碍以及相应可行的解决方案,而参与方则应进一步了解行政部门的规制构想和详细规划。召集人应明确协商范围,辨别能解决的、不能解决的或不会涉及的问题。

召集人有建议权,但决定权掌握在行政机构手中。行政机构发布通告,说明协商意图,拟定规则、计划和参与者,并尽一切合理努力确保所有利益相关者都知晓相关情况。虑及各方对公告的所有评论意见,行政机构最终确定协商委员会的组成,并依据参与人数、议题范围和分歧程度规定协商期限。协商委员会的构成应当在利益群体之间寻求平衡,不能将重大的利益相关者排除在外,必不可少的利益相关者不能基于任何理由无法有效参与。对于未被接纳的利益相关方,行政机构应当作出合理解释。

(三)组织

协商会议的主持人通常由行政机构提出,经过协商委员会批准,但该人通常不是行政机构工作人员。若提名被否决,行政机构可另行提名,若该提名再次被否决或主持人已经无法获得协商委员会信任,协商委员会应当提出适当的替代选择。主持人应当熟悉协商程序,掌握立法技术,具有较强的理解能力和解决复杂问题的能力，能有效化解矛盾冲突。鉴于召集人已对议程和参与方有所了解，若召集人能继续担任主持人，则对协商更为有利。参与方的特定发言人也应予确定。任何一方都有权利指定自己的发言人，唯参与方自身知晓谁最有资格、最值得信任。协商过程交织交涉与妥协，发言人与参与方的信任问题至关重要。

协商委员会通常以协议的方式确定会议规则和日常安排。典型的协议一般包括：(1)协商的目的和范围；(2)对共识的界定以及未达成共识的处理；(3)尊重和采纳共识的承诺；(4)善意协商的承诺；(5)各方(包括行政机构、主持人、参与方)的权利、义务和责任；(6)投票规则；(7)会议信息的保密与公开；(8)会议的具体日程和协商规则。对共识的界定是协商能否达成的关键。共识通常指所有参与方的重要利益都以令人满意的方式被适当考虑，同时各方还虑及了当前所处的环境以及其他可行的替代方案。共识的达成通常是各方妥协和利益交换的结果。

(四)协商

协商委员会应就争议问题列出清单，区分核心问题与次要的、衍生的问题。围绕争议问题，协商委员会可就各方所提出的信息进行审查，讨论信息的重要性、必要性和适用性。为方便讨论，协商委员会可建立任何必要的工作小组。工作小组的主要任务是对资料进行搜集、评估，对某些具体问题进行深入研究和分析。工作小组本身并不具有独立性，也不享有决策权。当协商委员会就拟定规则达成共识时，或对拟定规则的全部或部分不能达成共识，协商就应终止。委员会汇编搜集的信息，制定协商结果的确认报告，无论是否达成共识，协商报告对行政机构都颇具价值。行政机构将对协商委员会的报告进行审查。

信息交换和公开是协商的重要环节。信息共享是协商的重要目标，协商过程中各方需要经常交换文件信息。协商中各方所掌握的信息应当提供给主持人，主持人需要对接受的信息作出记录。通过记录，主持人通常在协商中能掌握争议要点和各方偏好。同时，各方提供的信息也是协商委员会起草最终协议或其他文件的依据。除了特殊情形外，协商会议应当向公众公开，并为公众旁听提供便利。协商是审议民主的展现，应最大限度地体现包容性、公共性和建设性。

三、行政立法协商制度的优势

在某些发达国家，协商立法制度已经成为传统立法程序的替代措施。协商使所有的利益相关者都能与行政机构进行直接的不间断的互动与联系。① 学者认为，协商是对立法拖延、成本增长和政治合法性危机的回应。② 概括地说，协商制度的优势主要体现在以下方面：

（一）弥补非正式程序的不足

肯尼斯·戴维斯教授曾将非正式程序称为“现代政府最伟大的发明之一”③。虽然非正式程序在政策制定中仍是极为有效的激发公众参与的工具，但并没有如早期支持者所最初设想的那样，演化成灵活而高效的进程。④ 非正式程序被施加了过重的负担，包括附加的程序、分析性要求以及外部审查机制，导致了程序僵化。“规章制定过程的僵化是今天 APA 实施过程中的最大问题。”⑤僵化使行政机构开始寻找替代性的工具，以规避日益增长的形式化要求。

协商制度试图弥补非正式程序的不足。首先，通过在立法早期阶段的大量投资，试图缩短非正式立法所规划的总体时间。其次，努力汇聚利益相关方，减轻行政机构在评议程序上的负担。再次，力争取得利益相关者的同意，减少可能引起的诉讼。最后，通过协商降低执行成本和执行措施的数量。⑥ 支持协商的学者普遍认为，长期看来协商能够节约机构资源，缩短公共评议周期，并且减

---

① Julia Kobick, “Negotiated Rulemaking: The Next Step in Regulatory Innovation at the Food and Drug Administration,” *Food & Drug Law Journal*, Vol. 65, No. 2, 2010, pp. 425-446.

② Lawrence Susskind & Gerard McMahon, “The Theory and Practice of Negotiated Rulemaking,” *Yale Journal on Regulation*, Vol. 3, No. 1, 1985, pp. 133-166.

③ Thomas O. Mcgarity, “Some Thoughts on ‘Deossifying’ the Rulemaking Process,” *Duke Law Journal*, Vol. 41, 1991-1992, pp. 1385-1462.

④ Thomas O. Mcgarity, “Some Thoughts on ‘Deossifying’ the Rulemaking Process,” *Duke Law Journal*, Vol. 41, 1991-1992, pp. 1385-1462.

⑤ Richard J. Pierce, “Political Control Versus Impermissible Bias in Agency Decisionmaking: Lessons from Chevron and Mistretta,” *The University of Chicago Law Review*, Vol. 57, 1990, pp. 481-519.

⑥ Julia Kobick, “Negotiated Rulemaking: The Next Step in Regulatory Innovation at The Food and Drug Administration,” *Food & Drug Law Journal*, Vol. 65, No. 2, 2010, pp. 425-446.

少诉讼的可能性。[①]

(二)增强行政立法过程的灵活性，避免僵化

协商本身是一个过程，不能预先指定。[②] 传统行政程序中，程序的启动完全控制在行政机构手中。协商建议可以由行政机构提出，也可以由国会或受到影响的利益相关方提出。协商过程中的具体规则和期限安排可依据协商内容调整，不同的行政机构也不必遵循同样的协商程序。参与方对争议具有充分讨价还价的空间，确保所有人都可以随时表达其观点，以便更具可能性地使所有人都将结果视作合法决策。[③]

(三)行政立法过程中更多合作与沟通

协商的目的在于减少分歧，寻找合作而非对抗。在传统模式下，行政机构与公众之间基于程序的对抗性必然存在着某种程度的防御心理。行政机构消极对待公众的反馈意见，而公众对行政机构也可能持有不信任的心态，易于认为规制措施损害其利益。行政权力愈强势，双方地位愈不平衡，公众的排斥心理也愈强。唯有相对方自己才能理解他们的利益是如何受影响的，各方只有通过信息共享，提出理由才能说服其他参与者。自利的动机产生沟通的动力。为了达成共识，参与方之间能够建立起相互信任的合作关系，通过共享信息化解敌对状态。协作原则需要承认社会行动者之间的相互依赖。协作促进了参与者相互之间的责任。他们分享价值和信念，具有相互信任和影响的关系，这使得他们有再次协商的期望和能力，以应对不确定性和变革。[④] 协商立法的合法性效果也获得了社会心理学的支持。对过程的参与提高了参与者对合法性的认知，这一认识与最终结果是否会支持参与方无关。[⑤]

---

① Julia Kobick, "Negotiated Rulemaking: The Next Step in Regulatory Innovation at the Food and Drug Administration," *Food & Drug Law Journal*, Vol. 65, No. 2, 2010, pp. 425-446.

② Henry H. Perritt, "Negotiated Rulemaking Before Federal Agencies: Evaluation of Recommendations by the Administrative Conference of the United States," *Georgetown Law Journal*, Vol. 74, No. 6, 1986, pp. 1625-1718.

③ Philip J. Harter, "Collaboration: The Future of Governance," *Journal of Dispute Resolution*, Vol. 2009, No. 2, 2009, pp. 411-448.

④ Orly Lobel, "The Renew Deal: The Fall of Regulation and the Rise of Governance in Contemporary Legal Though," *Minnesota Law Review*, Vol. 89, No. 2, 2004, pp. 342-470.

⑤ Julia Kobick, "Negotiated Rulemaking: The Next Step in Regulatory Innovation at the Food and Drug Administration," *Food & Drug Law Journal*, Vol. 65, No. 2, 2010, pp. 425-446.

（四）鼓励制定出更具有创造性的法案

协商制度将公共参与扩展到起草阶段，鼓励制定出更具有创造性的方案。相关利益方和其他利益集团获得了参与起草的权利。广泛参与有助于集思广益，克服部门利益，对技术上复杂的论题，提出更优良的规则。专家起草未必能得到最佳方案。“学术研究易于容易表现为深奥性、超前性、理想化或者简单化。学者的使命在于理论研究，而欠缺经验积累和技术训练。”[①]实践中专家立法也有不可避免的疏漏。包括专家立法形式与实质的偏差、专家选任方面的偏差、本意的偏差、资源的不合理分配以及专家所具有的共同的人性弱点。[②] 不同的社会角色使行政机构倾向于维护社会秩序、提高经济效益、控制风险和成本，其所持有的立场与行政相对方并不一致，特别是特定群体的利益诉求，并不一定为行政机构所知悉。

（五）增强行政立法过程的互动性，避免单方性

协商程序肯定了私下讨价还价的合法性。非正式的“通知—评议”程序仍不能避免单方性。是否考虑、如何采纳评议意见都取决于行政机构本身。利益相关方可能具有改变现状的愿望，但其实力并不均衡。通过协商，利益相关方能够获益更多。行政机构的部门利益不仅具有客观性，也具有一定程度的合理性。官僚体系具有相对封闭性。公众未必了解治理的难度和复杂性。协商能加深公众对法律的理解和认同，有助于避免片面而不正当的联系，以及避免由此引起的诉讼风险。[③]

（六）对行政机构和利益集团的实际制衡

协商制度中，所有参与者都享有同等机会，所有参与者的观点都可能受到挑战，所有参与者也都有机会说服协商方接受自己的观点，协商的结果与他们的初始地位并不相符。协商使受影响的利益群体能对规则内容施加更大的控制。按照利益选择理论，任何个人、组织、机构皆有其利益，都为追求利益最大化而努力。抽象的、形式化的公共利益并不存在。“很明显，公共利益的确定并

---

① 杨建顺：《行政立法过程的民主参与和利益表达》，《法商研究》2004 年第 3 期。

② 参见祝贺：《公众参与行政立法的价值定位和模式》，《南京财经大学学报》2004 年第 6 期。

③ Julia Kobick, “Negotiated Rulemaking: The Next Step in Regulatory Innovation at the Food and Drug Administration,” *Food & Drug Law Journal*, Vol. 65, No. 2, 2010, pp. 425-446.

不是一项已经实现的任务，而是正在奋斗的目标。”[①]隐藏在公共利益背后的，往往是特殊利益对行政机构的控制。协商的平等性有助于缓解弱势群体所面临的压力。立法程序要实现不同利益群体的调整和平衡，体现利益主体博弈中的公平正义。

（七）有助于落实立法规划、降低立法成本和实施成本

协商有助于落实立法规划，在实施中遵守规则。协商达成的规则能够获得支持以及更好的理解，因此执法过程中问题较少。规则执行过程中的潜在障碍可以更容易识别和纠正。有助于降低立法成本，达成协商的拟定规则能够尽早实施，从长远来看节省时间、金钱和精力。协商有助于增加拟定规则结果的确定性，可能会导致更少的立法反对，保证法规的稳定性，可以减少之后产生的重大分歧和诉讼。行政决策要受到司法审查的制约，法官可能虑及协商立法的民主性而对行政机构的决策予以尊重。

四、行政立法协商制度的局限

当然，实践中并不是所有的机构都采纳协商程序。以美国为例，FDA 是从未使用协商程序的主要行政机构。[②] 在学术上，关于协商立法的有效性尚没有确定的结论。尼尔·科尔文与劳拉·朗本的研究表明，行政程序的参与者倾向于认为，协商程序较之传统程序更值得支持。参与者普遍相信协商过程更具有启发性，能产生更为令人满意的良好规则。[③] 即使在陷入困境的行政国家，规制协商也能够产生积极后果。面对面的交流有助于化解因争议而产生的紧张关系。主要的反对意见来自卡里·科格里安内斯。[④] 通过对 1983～1996 年间协商立法的统计，他认为协商立法所主张的增进效率和降低诉讼的优点都没有实现。虽然哈特认为科格里安内斯的批评有严重缺陷，所论证的个案并不正确，但他也承认协商立法程序确实存在一些问题：第一，行政机构不愿意放弃对

---

① William Funk, “Bargaining toward the New Millennium: Regulatory Negotiation and the Subversion of the Public Interest,” *Duke Law Journal*, Vol. 46, No. 6, 1997, pp. 1351-1388.

② Julia Kobick, “Negotiated Rulemaking: The Next Step in Regulatory Innovation at the Food and Drug Administration,” *Food & Drug Law Journal*, Vol. 65, No. 2, 2010, pp. 425-446.

③ See Jody Freeman & Laura I. Langbein, “Regulatory Negotiation and the Legitimacy Benefit,” *N.Y.U. Environmental Law Journal*, Vol. 9, 2000, pp. 60-151.

④ See Cary Coglianese, “Assessing Consensus: The Promise and Performance of Negotiated Rulemaking,” *Duke Law Journal*, Vol. 46, 1997, pp. 1255-1349.

立法过程的控制；第二，行政机构认为其本身较之中立的召集人也许更能汇聚参与方意见；第三，协商过程也许不能减少决策的时间和资源；第四，行政机构也有可能根本改变拟定建议。[①] 总体上看，协商程序的不足主要体现在如下方面：

（一）协商程序的补充性

从性质上，协商程序具有独立性，但也具有补充性。协商虽具广泛的适用前景，但也只是非正式程序的一种，在实施过程中，须与信息公开法案和公众评议程序相结合。协商程序是在公众评议之前增加了一项程序设置。协商程序是公众评议程序的前置程序。协商程序并不意味着公众评议程序的免除。据此产生的疑问是，协商程序是否能真正提高行政立法的效率？协商程序的前置性产生的难题是，若重要的评论意见与协商立法的结果相悖时，行政机构应当如何处置。另外，协商受授权法案的限制。授权法是机构协商的限制。为了达成共识，行政机构也许并不反对就未获得授权的内容进行协商。协商过程中的微妙（有时不那么微妙的）变化，既削弱了法律的神圣性，也损害了机构权威的来源与界限。[②]

（二）协商实现的条件性

行政立法协商的实现，需要满足一定条件，并不适合于所有情况。概言之，有效协商的必备条件包括：第一，争议能够通过行政立法调整，属于行政机构的权限范围。第二，行政机构的协调能力。行政机构是否能为协商提供人力资源和后勤保障，是否能协助协商委员会进行管理，包括安排时间和地点、整理文献资料，是否能够保障召集人和主持人的推选，维护基本的协商秩序，是影响协商是否顺利实施的重要因素。假如机构为了自我利益采取强硬立场，则必然不能达成最终协议。第三，争议应当众所周知，存在协调的可能。若争议仅有唯一可行的解决方案，或所涉及的核心问题各方根本无法达成妥协，则并无协商的必要。第四，利益相关方数量有限且能推选出代言人。若争议关涉广泛且所涉利益无法合并时，则无法实现利益的汇聚和表达。代言人应当能够代表其利益

---

① Philip J. Harter, "Collaboration: The Future of Governance," *Journal of Dispute Resolution*, Vol. 2009, No. 2, 2009, pp. 411-448.

② William Funk, "Bargaining toward the New Millennium: Regulatory Negotiation and the Subversion of the Public Interest," *Duke Law Journal*, Vol. 46, No. 6, 1997, pp. 1351-1388.

方在协商中达成共识，若缺失这一基本的信任关系，则必然对协商构成巨大挑战。第五，成功协商应当有益于所有参与者。协商通常是通过妥协达成的，必然存在着利益损失。参与方必须能够接受一定的利益衡量。第六，遵循善意原则进行协商。各方承诺遵循最终协议。第七，协商应有充分的时间，但亦需要期限，从而产生一定的压力。[①] 参与方应当在规定的期限内达成妥协，但实践中并不总是如此，公众参与行政立法能促进行政立法的实效性，但与行政效率之间却存在紧张关系。[②]

（三）心理确信的脆弱性

参与者相信通过协商所能获得的利益，远较其他方式所获更大，是协商顺利进行的基本前提。但协商参与者是否能始终保持这一信念，似乎难以确证。协商建立在自愿的基础上，参与方所持的热情和态度各不相同。心理的变化，特别是在受到外界因素的影响下，更难以维持。协商并不是授权，并不会导致机构法定义务的转移。机构有权终止协商并单方面决定最终规则。协商立法的本意是克服行政机构的单方性和主导性，但如何能使机构避免依据预先方案进行资料收集和分析，参与方如何在协商过程中保持对行政机构的信任，也是颇有疑问的。

参与的积极性取决于参与成本、预期收益。除非所有参与方都一致认为，谈判规则较之传统过程中发展的规则更为可取，否则协商是不可能持续的。[③] 批评者认为，协商立法不管是机构还是参与方，都需要高昂的成本，协商可能导致繁重的工作，耗费大量的人力和财力。虽然实践中，行政机构确实相信协商的收益大于成本。既有文献未能将协商立法作为普通的立法程序进行认真的成本收益评估。当然，尝试这种评估确实面临着严重的困难。[④] 除了 ACUS 的最终报告，对协商立法的适用确实少有正式的评估。

---

① Derek Raymond McDonald, "Judicial Review of Negotiated Rulemaking," *Review of Litigation*, Vol. 12, No. 2, 1993, pp. 467-488.

② 参见刘小妹：《公众参与行政立法的理论思考》，《行政法学研究》2007 年第 2 期

③ Henry H. Perritt, "Negotiated Rulemaking Before Federal Agencies: Evaluation of Recommendations by the Administrative Conference of the United States," *Georgetown Law Journal*, Vol. 74, No. 6, 1986, pp. 1625-1718.

④ William Funk, "Bargaining toward the New Millennium: Regulatory Negotiation and the Subversion of the Public Interest," *Duke Law Journal*, Vol. 46, No. 6, 1997, pp. 1351-1388.

(四)共识难题

阿列克西指出,在可用性的观点下,商谈理论的主要弱点在于,它的规则体系不能提供这样一种程序,它总是能通过有限的操作步骤来得出唯一的结果。[①] 商谈的客观性是对商谈规则而言的,对于参与者特性而言,商谈具有相对性。[②] 适当利益的选择是协商合法性与有效性的关键。[③] 各方应当认识到共识并不必然以形式上的"是"或"否"的投票方式实现,或者说全体一致赞同最终规则,而是说,当该规则实施时,参与方并不表示反对或者对其挑战时,就视为达成了共识。[④] 以"不反对"的否定形式界定共识虽然在理论上具有可行性,但实践中,共识的达成仍然面临着许多难以克服的困难。无法达成共识的原因包括事实上不可能、违背承诺、另行决策以及对受影响参与者的排斥。当参与方察觉到通过诉讼能获得更多利益时,也可能背离共识。[⑤]

五、积极推动我国协商立法程序的建构

在我国现行立法中,一方面,保障公民合法有效参与的正式制度严重缺乏,成为我国立法体制中最薄弱的环节。系统性、可操作性、羁束性十分欠缺,特别是规章制定过程几乎完全为行政机构所控制。行政主导的制定过程,由于缺乏"公共论坛"的实施空间,在实践中呈现出强烈的单方性色彩。与其形成鲜明对照的是公众积极寻求制度外的各种途径,包括非法途径,试图影响决策过程。私人关系网的利用、名人效应的扩张、上访文化的长盛不衰、公共舆论的滥用,都是反法律实践的利益表达形式,它们已经冲蚀了中国脆弱的法治基础。[⑥] 这一现状使得地方政府规章的合理性和可接受性受到严重的冲击。"'部门立法'

---

① 参见[德]阿列克西:《法·理性·商谈:法哲学研究》,朱光、雷磊译,中国法制出版社2001年版,第105～106页。

② 参见[德]阿列克西:《法·理性·商谈:法哲学研究》,朱光、雷磊译,中国法制出版社2001年版,第95页。

③ Derek Raymond McDonald, "Judicial Review of Negotiated Rulemaking," *Review of Litigation*, Vol. 12, No. 2, 1993, pp. 467-488.

④ Derek Raymond McDonald, "Judicial Review of Negotiated Rulemaking," *Review of Litigation*, Vol. 12, No. 2, 1993, pp. 467-488.

⑤ William Funk, "Bargaining toward the New Millennium: Regulatory Negotiation and the Subversion of the Public Interest," *Duke Law Journal*, Vol. 46, No. 6, 1997, pp. 1351-1388.

⑥ 参见于立深:《行政立法过程的利益表达、意见沟通和整合》,《当代法学》2004年第3期。

排斥了博弈主体的多元性，特别是法案审议过程的民主缺位，使得立法过程难当分配正义之责。”[①]而不同群体对自身利益诉求的充分表达和利益交锋促成了社会公共利益的显现和形成，公众参与的过程起到了以“技术性化解利益冲突和价值多元的紧张性”[②]的作用，有利于最大限度地实现社会福祉。

地方政府规章是为了执行法律、行政法规、地方性法规和本行政区域的行政管理需要而制定的。地方政府规章制定程序一般包括立项、起草、审查、公布四个阶段，而公众参与主要体现在立项和起草阶段。立项主要涉及向公众征求立法建议和立项论证两个阶段，通常采用网络、问卷调查、信件等形式。起草环节包括法案起草和草案征求意见。法案起草一般采用邀请、委托、招标等形式实现公众参与，而草案征求意见则是体现利益纷争的主要环节，是协商立法制度主要发挥作用的场所之一。审查阶段与起草阶段在公众参与上并无明显差别，同样可以运用各种民主参与形式，包括协商立法程序。从法律文本来看，现行法对公众参与的规定体现在《立法法》第 58 条、《行政法规制定程序条例》第 12 条、第 16 条第 2 款，《规章制定程序条例》第 13 条第 4 款、第 14 条、第 15 条，《广州市规章制定公众参与办法》第 15～26 条等。对规范性法律文件的制定程序，则欠缺统一规定。现行立法最突出的问题，即强制性程序义务的欠缺。虽然现行法要求行政机构广泛听取意见，但对听取意见的具体形式，并无约束。“听取意见”的主要方式包括座谈会、论证会、听证会等形式。对这些参与形式应当如何运作，并无明确、具体的规定。听取谁的意见，采取什么方式汇集意见，效果如何，如何评估、处理这些意见，谁来监督意见听取的过程，都没有明确依据，行政机构都拥有无限的权力。听取意见这一制度设计本身并不表明立法信息的公开，也不意味着所有利益相关人都有参与的权利。“可以”是授权性条款的表达方式，体现选择性与任意性，不包含约束与控制。只有广州将召开座谈会规定为草案公告之后的法定程序。也就是说，采取何种方式听取意见，完全取决于行政机构的主观意愿。这使听取意见这一法定程序形同虚设。

基于这一现状，我国应当加快地方立法程序的制度化建设，促使行政机构

---

① 参见许玉镇、李晓明：《论立法民主参与中公众代表的代表性——以行政立法中的行政相对方为例》，《社会科学战线》2010 年第 7 期。

② 许章润：《从政策博弈到立法博弈——关于当代中国立法民主化进程的省察》，《政治与法律》2008 年第 3 期。

与社会公众在不受压制的、开放性的环境中，依据便捷可行的程序进行沟通与对话，以理性、平和的态度进行自由协商。十八届四中全会指出，健全依法决策机制，把公众参与、专家论证、风险评估、合法性审查、集体讨论决定确定为重大行政决策法定程序。虽然我国法治建设是在政府推动下自上而下进行的，但在快速转型期，随着工业化、市场化和城市化的深入开展，社会分层和利益分化日益显著，个体利益、群体利益、团体利益，包括行政利益、垄断利益之间的矛盾、冲突、对立已演变成为社会治理的核心问题。“利益是行政决策参与的核心”，“充分表达意见是有效协商的前提，平等有效协商是传统行政决策模式所不具有的”。[①] 协商式行政决策的核心我们不能否认，但当前立法透明度还不够，公众参与渠道比较有限，公众参与程度比较低，作为资源分配优势方的行政主管部门和强势利益代表方在参与立法和意见表达方面占据优势，对立法的影响更强，导致相对弱势利益方意见容易受到压制，使受到影响的各方利益在立法过程中没有得到充分反映。一些法律在制定过程中受到部门利益的影响，行政机关借法扩权，与民争利，为本部门的行政行为寻求合法外衣。基于这一现状，传统的行政程序模式显然已经不合时宜，以平等、交流、磋商、妥协为核心的协商制度具有广阔的应用空间。协商在本质上是一种多元主义的合法性理念。正如上文所述，成功的协商取决于多种因素，如参与的程度，参与方的地位、相互关系、观点差异，争议问题的性质，各方的协商技艺等，而这些要素的实现都需要具体的法律制度为其提供保障。

---

① 魏建新：《行政决策参与的法律规范分析——以省级地方规章为对象》，《理论月刊》2015 年第 5 期。

疫情期间在线诉讼模式的适用及规则探讨*

吴开龙**

摘要:2002年突发的新冠肺炎疫情在全国范围内对人民法院的审判模式提出了新的挑战和要求,为应对新冠疫情影响、尽快满足人民群众的司法需求、化解社会矛盾,同时为全社会复工复产提供司法支持,在线诉讼模式在全国范围内人民法院迅速推广,但是大量传统民商事案件、刑事案件在线诉讼模式的实践应用中却遇到了很多新的问题,对于在线诉讼的内涵、与传统诉讼模式的价值冲突、在线诉讼的适用范围、在线诉讼规则等多方面内容,鉴于目前缺乏详细的法律规范予以明确,本文试图通过对上述内容的探讨,以解决实践中在线诉讼遇到的问题及为相关法律规范的制定,提供一些浅知拙见。

关键词:新冠肺炎疫情;在线诉讼;电子送达;互联网庭审;电子证据;庭审规则

一、在线诉讼模式的兴起及概念

伴随着"互联网+"时代信息革命对社会生活影响的全面深入,人工智能的各种具体应用、智能手机APP的普及以及电子商务的广泛发展,信息技术对司法的渗透正成为当代司法的鲜明特征。从科技法庭的建设、全流程互联网办案、网络查控到近期的大数据司法统计、电子送达、网上立案等诉讼活动,无一离不开互联网信息技术的支持,但传统诉讼活动中最核心的环节——庭审,囿于传统司法观念及司法规律的影响,全国大多数法院仍然主要采用线下方式。

---

* 第三十二届全国副省级城市法治论坛获奖论文三等奖。

** 吴开龙,济南市长清区人民法院法官助理,山东大学在职法律硕士。

2017年6月26日，中央全面深化改革领导小组第三十六次会议审议通过《关于设立杭州互联网法院的方案》，全国第一个互联网法院应运而生，此后又在北京、广州设立互联网法院。2018年9月6日，最高人民法院发布《关于互联网法院审理案件若干问题的规定》，对在线诉讼模式的相关规则进行了初步明确。同时，《人民法院第五个五年改革纲要(2019～2023)》中也明确提出，深化互联网法院改革试点，加大在线诉讼模式探索力度，完善互联网案件裁判规则，促进互联网空间司法治理。[①] 并且，当前大数据、云计算、人工智能、区块链等现代科技手段，为推动诉讼制度与时俱进，提供了前所未有的机遇和技术支撑，对此，最高人民法院院长周强指出："需要人民法院更加深刻地认识到这一轮世界科技革命和产业变革对人类发展、对司法工作的深层次影响，以建设智慧法院为目标，全面推进人民法院信息化工作，不断推进审判体系和审判能力现代化。"[②]在民事诉讼制度方面，将依托互联网法院和移动微法院工作试点，全面探索在线诉讼模式，积极构建适应互联网时代需求的新型管辖规则、诉讼规则，推动民事诉讼制度从工业化时代向信息化时代转变。[③] 此后，在线诉讼模式才正式在全国范围内普及。

在线诉讼模式从广义上讲，是指通过互联网完成全部与诉讼有关的活动，包括案件的受理、送达、调解、证据交换、庭前会议、庭审、宣判以及强制执行等，而从狭义上讲，为与传统诉讼模式进行区分，特指当事人及法官通过远程在线视频的方式进行开庭审理的诉讼模式。本文主要侧重探讨在线诉讼模式中与传统线下诉讼模式相冲突及有关突破现行法律的诉讼规则。尤其是2020年以来受新冠肺炎疫情的影响，为防控疫情，导致当事人无法顺利通过线下方式参与诉讼活动，全国各地法院既要满足现实疫情防控的需要，又要妥善处理纠纷、化解矛盾，满足人民群众的司法需求，同时还要为社会经济的恢复提供司法支持，在此情况下全国各地法院均积极探索通过在线诉讼模式对案件进行审理，下面笔者结合所在法院的审判实践，进行具体探讨。

---

① 参见《人民法院第五个五年改革纲要(2019～2023)》。

② 周强：《坚持以习近平新时代中国特色社会主义思想为指导，奋发有为推进新时代人民法院工作实现新发展》，《法律适用》2017年第23期。

③ 参见周强：《大力加强杭州互联网法院建设，探索互联网司法新模式，服务保障网络强国战略》，《中国应用法学》2017年第5期。

二、在线诉讼模式的适用范围

最高人民法院发布《关于互联网法院审理案件若干问题的规定》(以下简称《规定》)对互联网法院的案件受理范围作了明确规定。但在疫情期间,非互联网法院所受理的案件是否都能够全部适用在线诉讼模式?对此《最高人民法院关于适用〈中华人民共和国民事诉讼法〉的解释》第259条,仅简单规定了在简易程序中,经当事人双方同意,可以采用视听传输技术等方式开庭。但疫情期间的现实需要又使得人民法院不能仅仅将在线庭审案件局限于简易程序,如何确定适用在线诉讼模式的案件审理范围,是运用在线诉讼模式的首要问题。笔者认为可以从以下几个方面把握:

首先,应当坚持"当事人中心主义"的诉讼理念,充分尊重当事人对诉讼"线上、线下"的程序选择权。人民法院适用在线庭审前应将相关的权利义务及诉讼风险等事项向当事人明确告知,适用在线庭审,应当征得当事人的同意,法官不能因为结案率、内部调度等原因强迫当事人适用在线庭审。人民法院应通过线下方式向当事人送达在线庭审通知书或者通过短信、微信、电话等电子送达的方式向当事人告知,当事人明确同意或者在收到人民法院的通知后未明确提出异议的,视为当事人同意采用在线庭审。对于一方当事人选择在线庭审的,另一方当事人不同意适用在线庭审的,该方当事人应当向法庭提供正当理由说明,同时,不同意适用在线庭审的当事人能够具备参加线下庭审方式条件的,可以选择线下方式参与庭审。

其次,应当充分保障当事人的知情权并考虑当事人是否具备在线庭审的条件。在适用在线庭审前,应当将在线庭审所需要的物质条件、客观环境等向当事人介绍清楚,比如在线庭审需要有流畅的网络,清晰的摄像设备,能够支持庭审程序的智能手机、电脑等,庭审时应当保证周围环境安静、光线明亮等等。比如笔者所在单位采用的在线庭审程序"公道互联 APP",需要当事人提前在相关网址下载,安装并实名注册后才能使用,在开庭前还需要向当事人告知庭审码才能参加庭审。对于上述诉讼活动,有些年纪较大、文化水平不高的当事人,无法完成在线庭审的准备工作,或者当事人确实因客观原因不具备参与在线庭审的硬件条件的,亦不能适用在线庭审。

再次,特别类型案件适用在线庭审程序的除外情形。总结实践中的案件类型，笔者认为下列类型案件不宜适用在线庭审：(1)适用公告送达的案件，因公告送达本身就是一种法律拟制的推定送达的程序，疫情期间，当事人能够获悉相关诉讼信息难度加大或个别当事人因被隔离观察或在疫区无法与亲属正常联系，法院无法通过邮寄、电子送达甚至直接送达等方式联系到当事人而适用公告送达的，被告一方当然无法获知在线庭审的网址、APP 程序下载等信息，从保证双方当事人诉讼程序信息对称的角度，该类案件不应适用在线庭审。(2)当事人一方人数众多的必要共同诉讼案件，人数众多一般是指一方当事人数量为几十人甚至几百人，对于该类案件，所涉及的基础法律关系往往比较复杂，受限于目前的在线庭审硬件及软件影响，不能完全支持多人在线诉讼，因此不宜适用。(3)对于因需要鉴定、现场勘验等线下环节而受疫情影响无法正常办理的，不能适用在线庭审。(4)刑事案件中，犯罪嫌疑人有可能被判处十年以上有期徒刑、无期徒刑甚至死刑的案件，对于此类案件，笔者认为与传统线下庭审模式所特有的庄严、仪式感相比，在线庭审过于随意，而且刑事案件中对证明标准的要求更高以及在线庭审中当事人陈述的直接言辞证据证明效力的衰减，将直接影响法官的内心确信，无法充分保证犯罪嫌疑人的辩护权利，故而不宜适用在线庭审。(5)一审适用在线庭审审理的案件，当事人上诉时对在线庭审提出异议，二审不应当继续适用在线庭审，理由是虽然当事人在一审中同意适用在线庭审，但由于当事人缺乏在线庭审经验、软硬件运行出现故障等原因，导致当事人认为在线庭审未能使其充分行诉讼权利，而在上诉时明确提出异议的，应当视为当事人对二审审理方式提出排除在线庭审的请求，况且二审为终审判决，在此情况，为充分保证当事人的诉权，二审不应当继续适用在线庭审模式进行审理。(6)对于涉及国家秘密，以及法律、司法解释规定其他应当保密或者限制获取庭审信息的，不宜适用在线庭审。

总而言之，对笔者所列举的上述类型案件，为充分保障当事人的诉讼权利，建议可以暂时中止审理，待疫情过后或者影响案件正常审理的因素消除后继续审理。当然，笔者所列举的上述类型案件并不能够涵盖全部不宜适用在线庭审的案件，在案件审理的过程中，具体的规则有待于相关法律或司法解释的制定。

三、在线诉讼与传统线下诉讼模式的冲突

毫无疑问，在线诉讼对于提升诉讼效率、降低诉讼成本、减少当事人诉累具

有天然的优势，但对在线诉讼可能影响正当程序、损害当事人程序利益、有违程序保障的质疑也随之而来，最大的质疑在于可能对直接言词原则产生影响。[①]目前在学理上及实践上，对于在线庭审的争议主要集中于是否违背“直接言词原则”的司法规律，直接言词原则一方面强调“直接”，要求受诉法院审判人员在案件审理中直接听取当事人关于案件诉讼请求的陈述或抗辩，对争议事实的陈述和辩论，对证据的主张和质证；另一方面强调“言词”，要求原则上以言词方式进行诉讼程序。[②] 对此，支持者认为远程视频庭审没有否定直接言词原则，它只是将物理空间的“直接”转向了网络空间的“直接”，将“亲历性”的“言词”转向了“非亲历性”的“言词”，扩充了直接言词原则的实现方式。因此直接言词原则不会成为远程视频庭审的理论障碍。[③] 而质疑者则认为远程视频庭审不仅将“直接”的内涵架空，而且使法官丧失了通过察言观色，运用“审判心理学”服务事实认定的环境。远程视频庭审只能例外适用。[④] 笔者认为，首先，物理空间并不是直接言词原则判断的绝对标准，在线远程视频庭审仍应当强调当事人及其他诉讼参与人在庭审中的直接言词，而且在线庭审在法律制度层面上并不存在明显违背法律的情形，法院与当事人、证人仍是以口头方式推进诉讼，只是言词传播载体和法官在场方式发生了转变。诉讼参与人是否到庭并非衡量直接言词的决定性因素，在线视频方式并未颠覆言词原则。[⑤] 其次，信息技术时代，在线交流比如微信、抖音等各种在线视频 APP 的普及，网络化的交流方式正日益成为口头主义的新形势，况且伴随互联网传输速率及云空间的运用，在线交流的数据存储、电子交互等更加的便捷和可视化，从而使得在线庭审成为新的合法开庭审理方式有了坚实的技术支撑。当然就目前来讲，由于全国各地法院网络硬件建设发展的不平衡性以及在特殊或疑难复杂案件中，在线庭审中网络空间的“距离感”对当事人心理和法官认知的影响确实存在，并在一定程度上影响法官“心证”过程的形成。不过总体而言无论是从电子诉讼的全球化潮流，还是回应现实迫切的需求比如此次新冠肺炎疫情的影响，不能因为在线庭审存在

---

① 参见高翔：《民事电子诉讼规则构建论》，《比较法研究》2020 年第 3 期。

② 参见张卫平：《民事诉讼法》，法律出版社 2016 年版，第 65～66 页。

③ 参见陈树芳：《电子诉讼中远程庭审的实证研究》，《江苏科技大学学报》(社会科学版)2017 年第 4 期。

④ 参见宋朝武：《电子司法的实践运用与制度碰撞》，《中国政法大学学报》2011 年第 6 期。

⑤ 参见高翔：《民事电子诉讼规则构建论》，《比较法研究》2020 年第 3 期。

缺陷而完全进行否定，而是应当在实践中通过信息技术手段的不断提高（比如5G网络的应用、智能语音识别系统的完善、高清摄像传输技术的普及等）以及线上、线下两种诉讼模式的互相配合，从而更好地发挥在线庭审模式便捷、高效的优势。

四、在线诉讼模式的庭审规则探讨

最高人民法院发布的《规定》中，关于在线庭审规则的规定，笔者认为在传统案件适用在线庭审时应当参照适用。但是鉴于互联网法院审理的案件，其案件事实基本是在网络空间中发生，比如网络购物、网络侵权、互联网借款等等，证据多以电子数据形式存储于相关的网络媒介，因此互联网法院在审理时可以通过技术手段对相应的电子数据、证据材料等进行调取和审核，但传统案件的案件事实是发生在现实空间中，其形成的证据也纷繁芜杂，在适用在线庭审时，如何保证庭审的顺畅、高效又充分保障当事人举证、质证的权利则是需要重点关注的问题。以笔者审理的一件工程欠款纠纷为例，案件事实并不复杂，但由于当事人对于庭审软件操作不熟悉，以及网络等原因，导致举证、质证过程多次中断，严重影响了庭审效率，因此结合实践中遇到的问题，笔者就在线庭审的相关规则，探讨如下：

（一）身份认证规则

身份认证是案件审理的前提，《规定》第6条规定，通过证件证照比对、生物特征识别或者国家统一身份认证平台认证等方式完成身份认证。目前随着人脸识别技术的成熟，基本可以实现当事人身份认证。但笔者认为，对于法人授权其员工作为委托诉讼代理人的，仍然需要书面授权材料的严格审查及与在线认证严格比对。另外该条规定了推定效力，即只要使用专用账号登录诉讼平台，即视为被认证人本人行为，如因原来作为委托诉讼代理人的员工离职而法人未及时通知法院变更代理人的或法人内部管理混乱、致使诉讼平台专用账号使用混乱的，该种情形并非该条规定的两种例外情形，其实施的法律行为的诉讼后果仍应当由法人承担。

（二）在线举证、质证规则

（1）电子化处理后证据的效力。在线庭审的举证、质证，首先，《规定》的第9条、第10条只是笼统地规定了将线下证据通过扫描、翻拍、转录等方式进行电子化处理后上传至诉讼平台进行举证，但是由于线下证据的千姿百态，并非所有的证据都能够进行电子化处理。其次，实践中电子化处理后的证据与原件存在一定差异，对方当事人往往会以并非原件或者需要查看原件等为由，对电子化处理后的证据的真实性提出异议。笔者认为，解决这一问题，需要加强法院对证据的审查义务，同时适用在线庭审并不意味着免除当事人线下举证的义务。笔者建议可以规定当事人在将所需要举证的证据电子化处理完毕并上传至诉讼平台后五日内将证据所对应的原件，通过线下方式提交至法院，法院收到原件后与诉讼平台内的电子化证据进行比对，比对一致的由法院在诉讼平台注明与原件一致并推送给对方当事人，经法院审核通过的电子化证据，视为符合原件形式要求，当事人仍仅以并非原件为由不予质证的，法院不予采纳。再次，对于确实无法电子化处理的证据或者需要线下核对原件、查验实物的，法院在综合该证据与待证事实的关联程度、证明力后，认为确实需要线下质证的，应当在疫情缓和后，另行组织当事人进行线下质证。

(2)在线庭审中当事人陈述及证人证言的效力。诉讼中的直接言词原则，是指当事人亲自参加庭审，进行举证质证并发表辩论意见，证人、鉴定人等出庭进行陈述、作证，法官则在听取当事人和其他诉讼参加人的意见后依法作出裁判的情形，传统诉讼中的直接言词原则主要承载的是程序公正的诉讼价值追求，它要求一种物理空间上的司法亲历性。[①] 但由于在在线庭审中，当事人和证人仅仅以视频的方式进行诉讼活动，法官因此不能再通过近距离的“望、闻、问、切”来有效揣摩各方诉讼主体的庭审表现，从而有可能最终影响法官的心证过程。对此，除了需要技术手段比如高清录音录像技术、语音识别技术的进一步完善和支持在线庭审之外，法官在庭审之前应当要求当事人、证人首先宣读如实陈述的保证书，并通过网络推送，当事人、证人电子签名后留档备查；关于证人、鉴定人、勘验人及具有专门知识的人出庭接受质询的庭审规则，以证人为例，证人出庭前，由法官向证人发送庭审验证码传唤其登录庭审平台，证人登录庭审平台后，应当让证人对其所处环境向法庭进行360度展示，确保证人是在不被外界干扰的情况下进行作证以及证人不存在与一方当事人现场串供的情形。然后明确告知证人在庭审开始后，不得离开摄像范围之内，不得随意走动、

---

① 参见江伟主编：《民事诉讼法》(第5版)，中国人民大学出版社2011年版，第46页。

大声喧哗等做与庭审无关的事情。同时在庭审过程应当采用视频信号隔离的技术方式，将证人端口的声音及画面内容屏蔽掉，以确保证人在作证前无法获知庭审信息，从而保证证人证言的有效性。证人在线参加庭审的，不公开庭审直播。鉴定人、勘验人及具有专门知识的人出庭的，应当参照上述证人出庭规则。

（3）电子数据、视听资料真实性认定规则。对于当事人在线提交的电子数据、视听资料，笔者认为，符合下列情况的，人民法院应当予以认定：①能够明显辨认与案件事实有关的，且能够证明其合法来源或提供原始存储介质的；②经过公证部门公证或在相应的国家机关调取的；③通过电子签名、可信时间戳、哈希值校验、区块链等证据收集、固定和防篡改的技术手段或者通过电子取证存证平台认证，能够证明其真实性的[①]；④存储于第三方独立网站，能够通过网络链接进行核实或者有关国家机关网站对外公示的信息。当然，笔者只是总结了实践中常见的几种情况，不可能穷尽罗列。另外，当事人如对电子数据、视听资料真实性提出异议，可以申请委托鉴定或调取其他有关证据进行核对。

（三）在线庭审纪律规则

（1）笔者认为在最高人民法院制定在线庭审专门规则前，仍应参照适用《人民法院法庭规则》。这就要求法官适用在线庭审时着装、举止应当符合相关规定，应当在专门的审判庭内进行，而不是随意在办公室内进行在线庭审。至于互联网法庭的具体陈设、布局等有待于最高法院统一规定。同时法官应该在统一的互联网庭审平台进行庭审，而不能通过法官个人微信、QQ 等即时通讯工具进行庭审。

（2）关于互联网在线庭审的旁听，《人民法院法庭规则》第 9 条的规定仍然适用，根据最高法院的要求，目前公开审理的案件应当进行网络直播，但如何控制不具备旁听资格的人员从互联网上公开观看庭审直播，仍需要最高法院相关网站的审查。当事人的近亲属或其他与案件有利害关系的人旁听的，应当避免与当事人处在同一空间，以免影响庭审效果。

（3）在线庭审时，当事人及委托诉讼代理人应当处于一个安静、独立的空间，不能随意走动、喧哗，拨打或接听电话，总之线下庭审需要遵守的法庭纪律，

① 最高人民法院发布的《关于互联网法院审理案件若干问题的规定》第 11 条。

当事人仍应当严格遵守。

(4)关于“拒不到庭”及“中途退庭”的认定问题,《规定》第14条作出了明确要求,但实践中,由于当事人对在线庭审操作的陌生及文化水平不同,经常发生未按时接入庭审或中途退出庭审的情况,故对“拒不到庭”“中途退庭”的认定应当适当从宽,比如当事人未按时参加在线庭审或中途退出庭审的,应当电话询问原因,如确实属于网络故障、设备损坏、电力中断或不可抗力等原因的,需要等待一段时间能够消除的,可以暂时休庭;如短时间内无法恢复,则应当另行指定开庭时间。

(四)庭审笔录电子签名的效力认定规则

由于在线庭审是通过网络进行,庭审笔录需要从线上推送给各方当事人,当事人线上核对无误后,进行在线确认、电子签章的,视为符合《民事诉讼法》有关“签名”的要求。若当事人收到推送的笔录后未签字又未提供合理说明的,经向当事人释明后,当事人仍未签字或者直接退出庭审的,审判人员应当记录在案,保存录音录像后,视为法律规定的当事人拒绝签字的情形。

五、关于电子送达方式对现行法律法规的突破

电子送达是指人民法院在民事案件审理及执行程序中区别传统纸质送达、线下送达方式,借助互联网等科技手段,通过中国审判流程信息公开网、人民法院统一送达平台及其他办案平台、传真、电子邮件、短信、微信等向案件当事人送达诉讼文书的行为。伴随人民法院统一电子送达平台的应用,电子送达已成为人民法院主要的送达方式,以笔者所在法院为例,目前电子送达所占送达比例高达63.55%,疫情严重期间电子送达比例甚至高达85%以上。与其他送达方式相比,电子送达明显具有高效、便捷的优势,但与此同时,电子送达也面临现行法律方面的限制及如何充分保证当事人程序权利的问题。《民事诉讼法》第87明确规定,判决书、裁定书、调解书不适用电子送达。但疫情期间,由于疫情防控的需要,在征得当事人同意的基础上通过电子送达方式向当事人送达裁判文书,当事人未提出异议的,均视为送达。对此,笔者认为疫情结束后,对于判决书、裁定书、调解书的送达,应当本着适度突破和从严把握相结合的原则。笔者就实践中的情形归纳具体适用规则如下:(1)受送达人明确表示同意以电子送达方式接收裁判文书并向人民法院提供了可供接收裁判文书的电子地址。

值得注意的是对裁判文书的电子送达应当由人民法院作出区别于其他诉讼文书的单独告知。(2)受送达人的委托诉讼代理人为律师、法律工作者的,可以优先以电子送达方式向其送达裁判文书;如另需纸质裁判文书,可以采取其他方式送达,但应当以电子送达成功日期作为送达生效日期。(3)受送达人拒绝向人民法院提供其线下送达地址且以拒绝应诉、拒接电话等方式躲避、逃避送达的,人民法院不能或无法要求其确认电子送达地址的,以该受送达人在一年内进行的其他诉讼、仲裁案件中提供的电子地址作为送达地址。

六、结语

2020 年受新冠肺炎疫情影响,确实给人民法院的审判工作带来一定的影响,但济南市中级人民法院及全市各基层人民法院为应对疫情影响,积极探索在线诉讼模式,从立案到开庭审理再到执行,实现了全流程网上办案,从在线庭审的 APP 程序开发到在线庭审设备的采购,全市法院审判团队从在线庭审的零经验,到娴熟地进行在线庭审,可以说济南市两级法院对于在线庭审实现了从无到有并运行良好的态势。2020 年 4 月 21 日,济南中院作为全国人民代表大会常务委员会授权最高人民法院在部分地区开展民事诉讼程序繁简分流改革试点工作的试点法院,制作了《关于民事案件在线庭审的操作规程(试行)》《民事案件电子送达的操作规程(试行)》等制度,其中不乏有对现行民事诉讼法及司法解释的突破及制度创新,但目前在线诉讼模式的相关法律规则尚未有明确的上位法规定,亟待于立法机关及最高法院对相关的法律或司法解释作出统一部署。

总之从客观上,本次新冠肺炎疫情推动了在线诉讼模式在全国法院范围内迅速的推广,而不是原来仅仅局限于互联网法院,随着大量传统案件采用在线庭审方式审理,也必然会遇到与传统诉讼模式的冲突及客观存在的问题,截至目前,我国民事电子诉讼的合法性建设仅在庭审录音录像、司法拍卖等领域实现了"有限"的效力突破。[①] 但相信伴随在线诉讼模式与人工智能、5G、区块链、大数据司法的深度融合应用,将共同构筑未来信息社会的法治图景[②],为大城

---

① 参见张兴美:《中国民事电子诉讼年度观察报告(2017)》,《当代法学》2018 年第 6 期。

② 参见高翔:《民事电子诉讼规则构建论》,《比较法研究》2020 年第 3 期。

市市域治理现代化提供全新的司法模式，并在突发重大公共安全危机情况下提供更好的司法保证。本文就笔者在实践中适用在线诉讼模式过程中遇到的问题及相应的思考进行阐述，以期能够对在线诉讼法律规则的构建提供浅知拙见，如有不当之处，尚请批评指正。

论公共卫生风险社会放大的制度根源与法律应对*

刘清轩**

摘要：公共卫生风险的社会放大是指政府、企业和个人以及其他社会主体对公共卫生风险存在的不同评价或态度，使得公众对公共卫生风险的感知及其行为反应超越了公共卫生风险应有的影响程度。公众对于社会公共卫生风险的认识存在主观性，以及公共卫生风险本身形成的复杂性和影响后果的多层性，对社会稳定、经济发展和政府形象都会产生不良影响。我国公共卫生风险社会放大的制度根源在于公共卫生风险评估不科学、公共卫生风险交流不到位、公共卫生风险分配不合理。为了避免公共卫生风险社会放大所带来的不必要的损失，法律应从公共卫生风险评估、公共卫生风险交流、公共卫生风险分配等三个方面进行制度完善。

关键词：公共卫生风险；风险放大；风险评估；风险交流；风险分配

引言

工业文明的不断进步，社会经济的不断发展无意间就引发一些社会公共卫生风险的发生。比如，当下最为严重的社会公共卫生风险事件"新冠肺炎疫情"，新冠肺炎疫情在国内目前控制取得了非常好的效果，但是世界上其他国家对于新冠肺炎疫情的控制不力。新冠肺炎疫情不仅仅是我国面临的一个公共卫生风险，更是全球面临的一场重大公共卫生事件。如果国内新冠肺炎疫情公共卫生风险被社会放大，将会损害政府形象、影响经济发展与社会稳定。近年

---

* 第三十二届全国副省级城市法治论坛获奖论文三等奖。

** 刘清轩，山东兴震律师事务所专职律师。

来，不少学者开展了对公共卫生风险社会放大的理论研究。有的学者把公共卫生风险社会放大的焦点聚集在公共卫生风险的沟通方面，强调公共卫生风险信息的真实性、透明性、公开性的真实性，建立风险评估与预警机制。有的学者主张通过制度化、法律化的手段控制风险的社会放大。本文认为防范公共卫生风险被社会放大非常必要，本文在前述理论研究基础上探究公共卫生风险社会放大的制度根源及其法制因应之道。

一、公共卫生风险社会放大的理论阐释

1986 年，德国社会学家贝克提出“风险社会放大”的概念。1988 年，克拉克大学决策研究院的学者提出“风险的社会放大框架”理论，该理论旨在强调，微小的社会风险经过社会这个大媒介的作用之后，公众对信息感知以后作出的一种夸大状态。本文基于该框架理论的研究和发展，结合当下新冠肺炎疫情防控，着重研究公共卫生风险社会放大的制度根源。

（一）公共卫生风险社会放大的概念

公共卫生风险的社会放大，是指由于政府、企业和社会公众等其他主体对已经存在的公共卫生风险存在不同的评价、态度和反映等各种原因，致使公众对已经存在的公共卫生风险的感知及其行为反应与该风险的潜在危害程度不符，表现为公众对公共卫生风险感知的夸大。

（二）公共卫生风险社会放大的基本特征

以新冠肺炎疫情为例来看，导致社会公共卫生风险社会放大的因素，主要表现在以下几个方面：

1. 信息判断的主观性

社会公共卫生风险是客观存在的，但风险的社会放大则源于风险信息接收者的主观判断。公共卫生风险的社会放大包含两种反应机制：一是信息机制，二是反应机制。风险信息接收者在对公共卫生风险进行认知时，往往根据自己的主观判断来认定公共卫生风险的社会后果，使得公共卫生风险信息的判断具有很强的主观性。反应机制即信息接收者对公共卫生风险的感知及其行为反应。行为反应实质上取决于信息接收者的主观心理状态，而公共卫生风险社会放大在意识领域内的特点就集中体现于信息接收者的主观性。比如，新冠肺炎疫情防控期间，每天都有很多网友在网上报道不实信息，每天都会存在各种辟

谣，这就是上面谈到的“信息机制”“反应机制”，由于社会公众对风险信息的感知不同，出于对新冠肺炎疫情的恐惧，风险往往会在公众的主观判断下被社会放大。

2.形成原因的复杂性

公共卫生风险社会放大的形成原因多种多样。风险经验的社会建构过程，公众的感知和反应，风险对社群、社会和经济的效应等等，这些均可造成风险的社会放大。其中，公共卫生风险信息获取方面的不对称性使得信息获取的弱势一方对公共卫生风险的感知出现偏差，以致公共卫生风险被放大。公共卫生风险信息进入“放大站”进行信息传播，放大站一般包括风险评估专家、风险管理机构、媒体、社交网络，等等。由于信息接收者个人经验、价值观念、情绪情感、动机兴趣等因素多样且各不相同，每次风险的社会放大都有各种复杂因素蕴含其中。

3.影响后果的多层性

公共卫生风险的社会放大会产生多层影响，主要表现在直接效应、次级效应和涟漪效应三个层次。首先，公共卫生风险被社会放大产生的直接效应表现在公共卫生风险社会放大引发公众不必要的恐慌。其次，公共卫生风险社会放大会产生次级效应，包括对公共卫生风险管理者的污名化、对局部地区经济活动的影响以及群众舆论对社会制度的影响等。再次，公共卫生风险社会放大带来的诸多影响看不见摸不着，但是这种影响会存在一定的深度与广度，在时间和空间上的无限放大会产生连锁反应，甚至会影响到未来政治和文化的发展。公众对公共卫生风险的疑虑所造成的影响不会因时间的流逝而消失，相反，每当有相似公共卫生风险的项目出现时，人们就会通过网上搜索而再次放大风险，具有类似公共卫生风险的项目都有可能遭到当地公众的抵制和怀疑。就像一颗石子落入大海，会随即产生一系列向外不断扩散的波纹，产生涟漪效应。

（二）公共卫生风险社会放大的现实影响

公共卫生风险社会放大对于政府决策和企业发展具有一定的积极促进作用。但是公共卫生风险的社会放大会对社会稳定、经济发展以及政府形象等带来一定的危害。

1.影响社会稳定

社会稳定是立国之本，公共卫生风险的社会放大无疑会对良好的社会秩序带来冲击，造成局部地区的秩序混乱，进而影响社会稳定。作为普通公民，经历公共卫生风险被社会放大时，其恐惧程度和抗拒力度会空前强烈，难免会做出非理智行为。新冠肺炎疫情在我国控制得相当不错，但是在世界某些国家却没有那么好的效果，因此一些当地民众也对政府产生了不满情绪，存在一定的抗拒。

2. 阻碍经济发展

由于新冠肺炎疫情的影响，国内各企业停工停产，对于一些中小企业的发展造成了严重影响。根据国家统计局公布数据，1～2 月份经济已呈大幅度负增长，虽然国内疫情已出现缓解，但危机期间部分产业供应链断裂、居民收入和消费下降、投资下降，仍将对经济产生持续的负影响。在估计这些影响因素时，还要考虑到乘数效应的放大作用。此外，世界疫情正处在大面积暴发期，多家专业机构预测 2020 年欧美和全球经济将进入衰退，经济负增长，有可能爆发大萧条。

3. 损害政府形象

政府在公共卫生风险防范中依旧占据主导地位，作为公共卫生风险防范的监管主体，政府无法从公共卫生风险被放大中免责。政府是国家公权力的行使者，政府形象之于国家和人民的重要性不言而喻。政府对于公共卫生安全事件的处理直接关系到政府乃至整个国家的社会形象。公共卫生安全处理的好可以为政府形象加分，公共卫生事件处理不力可能会影响政府在公众心中的公信力。

二、社会公共卫生风险社会放大的制度根源

社会公共卫生风险的社会放大有多种路径。比如，社会公众路径、媒体路径、政府路径等等。但是，笔者认为社会公共卫生风险社会放大的根源在于相关法律制度的不健全。

（一）社会公共卫生风险评估制度不科学

公共卫生风险评估结果是公共卫生行政主管部门科学决策的依据，也是公众科学认识公共卫生风险的依据。但是，我国公共卫生风险评估制度缺乏一定的科学性。

其一，公共卫生风险评估法律法规针对性亟待增强。《突发事件应对法》第

40 条规定:“县级以上地方各级人民政府应当及时汇总分析突发事件隐患和预警信息,必要时组织相关部门、专业技术人员、专家学者进行会商,对发生突发事件的可能性及其可能造成的影响进行评估……” 我国关于公共卫生风险评估的规定只是原则性的规定,缺少针对性和系统性,实践中公共卫生风险评估工作缺乏可操作性的法律规范。

其二,公共卫生风险评估专家的作用范围有待明晰。公共卫生风险评估的目的在于为公共卫生风险管理与决策提供科学依据。公共卫生风险评估专家的真正作用在于科学评估,而非制定决策。公共卫生风险评估的每个程序都离不开专家的数据分析,但是公共卫生风险评估可能超越其法定权限与能力范围,公共卫生风险评估过程中专家难免会不适当地介入政治利益因素的考量,此时专家在定位自己的作用时会出现问题。此外,公共卫生风险评估技术内在的局限性、不确定性以及评估专家的个人偏好、价值判断往往会影响评估的科学性。

其三,公共卫生风险评估公众参与的程序尚需完善。公共卫生风险评估的公众参与原则具有一定的先进性,但是,公众参与在我国当下的法律体系中往往会因为公众参与程序不完善而被架空。公众参与风险评估中不仅是公众参与原则的体现,同时也可以保证评估结果的信服力。《突发事件应对法》第 40 条规定,风险评估必要时组织相关部门、专业技术人员、专家学者进行会商。实际上在评估过程中缺少公民个人参与,也使得公共卫生风险评估报告难以服众。

(二)公共卫生风险信息交流制度不健全

公共卫生风险信息交流即公共卫生风险信息通过各种途径在社会主体之间传播、沟通的过程。公共卫生风险信息的充分交流对预防公共卫生风险的社会放大具有重要意义。但是,我国的公共卫生风险交流法律制度尚不健全。

其一,我国公共卫生风险交流主体地位不平等。我国的公共卫生风险交流主体多元,主要包括政府、企业、公众等,政府是公共卫生风险交流的主要参加者。纵观信息公开与公众参与制度,政府在公共卫生风险交流中依然处于中心地位,其他公共卫生风险交流主体的参与作用发挥得十分有限。我国公共卫生风险交流主体在经济、权势、知识认知水平上存在差异,每个主体的自身利益不同,知识结构不同或者掌握的信息程度不同都会影响到公共卫生风险信息的交流。传统的“官本位”思想影响下的政府官员,还是习惯于垂直色彩的管理方式，对公众参与公共卫生风险交流态度冷漠，内心深处仍有一种潜在的排斥感。

其二，公共卫生风险交流主体权利义务划分模糊。我国法律对公共卫生风险交流主体的权利与义务规定不够清晰。《政府信息公开条例》第 30 条规定："政府信息公开工作主管部门和监察机关负责对行政机关政府信息公开的实施情况进行监督检查。"政府部门和监察机关间的权利与义务划分不明确，同时政府部门作为政府信息公开实施情况的监督检查机关是有问题的，自己对自己的行为进行检查难免会出现自圆其说，难言公平的问题。这不仅会影响公共卫生风险信息的正常交流，同时也破坏了公众与政府之间的信任关系。

其三，风险信息通报制度不尽合理。风险信息通报制度是我国公共卫生风险交流制度中的重要制度，公共卫生风险事件暴发后，逐级通报上级行政主管部门的过程中难免会受到政策因素、各种利益因素的影响。相关人员可能会在利益驱使下，将公共卫生风险交流定位在单向宣传的层面之上。由于风险信息缺少了官民互动和意见反馈，极易造成公共卫生风险信息隔离。再加公共卫生风险信息在媒体的炒作中真实性大打折扣，从而加剧了主体之间公共卫生风险信息的不对称，这样一来会阻碍公共卫生风险信息的交流。

（三）公共卫生风险责任分配不合理

公共卫生风险责任的合理分配不仅能有效控制公共卫生风险的产生，而且能有效防治公共卫生风险的社会放大。然而，我国现行公共卫生风险责任分配制度还存在缺陷。

其一，政府责任难追究。政府行为对于公共卫生风险的社会放大有着至关重要的影响，虽然政府被分得一定的风险责任，但是当下的政府责任难以追究的现象依然存在。实际上，法律对于具体的责任分担，承担责任的大小语焉不详。理论上许多责任主体都有义务担责，但事实上谁都没有勇气去承担责任。在重大公共卫生事件发生后，大多成立应急指挥部。设立应急指挥部的目的在于应对突发事件，应急指挥部会在突发事件处置完毕后随即撤销解散，应急指挥部解散后，责任主体随之消失，此时，行政问责也就成了空谈。

其二，公民个人责任缺位。公民既是公共卫生风险的制造者，同时也是公共卫生风险的受体，因此公共卫生风险责任的分配中不应缺少公民个人责任。我国法律对公民个人行为的监管存有漏洞，公共卫生风险分配中缺少对公民个人责任的分配。尤其是在互联网技术发达的时代，如何对网络使用者进行监管显得尤为重要。

其三,企业责任需加强。企业作为公共卫生风险的制造者往往存在逃避风险责任的现象。在公共卫生风险防范法律体系不健全的情况下,企业风险责任实现依然存在"守法成本高,违法成本低"的问题。

三、公共卫生风险社会放大的法制因应策略

公共卫生风险社会放大的根源在于相关法律制度的不健全。针对公共卫生风险社会放大的问题,笔者着重从公共卫生风险评估、风险信息的交流、风险责任分配三个角度给出公共卫生风险社会放大的法制因应策略。

(一)健全公共卫生风险评估制度

公共卫生风险评估是公共卫生风险防范的关键环节,是政府决策的前提和依据。防止公共卫生风险被社会放大,首先需要有健全的公共卫生风险评估制度。

1.加强公共卫生风险评估的专门立法

在我国,目前还没有一套正式的关于公共卫生风险评估的法律规定。我国关于公共卫生风险评估制度的规定只是零星地存在于一些法律文件中。专门的公共卫生风险评估立法是保证公共卫生风险评估工作科学性与权威性的重要一环。因此,建议将公共卫生风险评估制度通过专门立法明文规定,明确公共卫生风险评估主体、评估机构、评估程序、评估标准以及责任追究。

2.重新定位公共卫生风险评估专家作用

定位公共卫生风险评估专家的作用,对于保障公共卫生风险评估的科学性具有重要作用。为确保公共卫生风险评估的科学性,有必要通过法律明确规定评估专家在公共卫生风险评估中的角色定位。如政府内专家往往具有双重身份,既是国家工作人员又是评估专家,在公共卫生风险评估中专家要把科学评估作为第一要务。我们可以尝试增加政府外的专家的比例,可以与政府内专家之间相互协调,平衡政策因素对评估结果的影响。公共卫生风险评估中大量问题见仁见智,为确保评估结果的科学性,必须使得评估中重要的假定、方法、推论获得充分的讨论。公共卫生风险评估基础数据的准确性关乎整个评估过程的科学性。因此,建立公共卫生风险评估报告的同行评审与公告评论制度就显得十分必要。

3. 增设公共卫生风险评估听证制度

许多国家法律中都有涉及听证制度，听证制度是公民参政权在行政领域的体现，同时听证制度符合公共行政的民主取向。公共卫生风险评估听证制度有助于行政机关作出正确的决策。建议法律引入公共卫生风险评估听证制度，明确公共卫生风险评估听证的程序。比如，公共卫生风险评估听证范围、听证的期限及组织程序以及公共卫生风险评估听证过程中的回避问题都需要法律给予明确规定。公共卫生风险评估听证过程中，难免涉及专业问题让公众难以理解。建议专家可对听证过程中的问题进行有针对性的答疑解惑。确保公共卫生风险评估的科学性，为政府部门作出科学的决策提供保障。

（二）完善公共卫生风险信息交流制度

做好公共卫生风险防范工作，必须要有一套完善的公共卫生风险交流制度。当下我国的公共卫生风险交流制度还存在诸多问题，因此，有必要从以下几点对公共卫生风险交流制度进行进一步的完善。

1. 提升非政府主体在公共卫生风险交流中的地位

为了更好地促进公共卫生风险信息的交流，解决公共卫生风险信息交流主体地位不平等的问题，有必要建立公共卫生信息公开与公众参与相结合的机制。首先，拓宽公众获取公共卫生信息的渠道。除了政府部门和重点公共卫生部门信息公开外，要更加重视第三方力量和社会私主体在公共卫生防范中的地位和作用，给予第三方力量和社会私主体一定的法律支持和保障。其次，明确公共卫生风险行为公众举报程序。法律对于举报程序规定不明，常有举报无法受理的现象发生。目前我国公共卫生风险行为公众举报制度应明确举报人的权利以及受理机构的职责，明确举报的方式以及对于举报的处理期限等内容。为了保障公众在公共卫生风险交流中的地位，建议建立一个公众举报奖励制度，对于积极举报公共卫生风险行为的公众给予一定的物质奖励。

2. 合理界定公共卫生风险交流主体的权利义务

明确公共卫生风险交流主体的权利义务是公共卫生风险信息顺利交流的前提和基础。因此，需要合理界定公共卫生信息公开中政府、企业、公众的权利与义务。通过权利义务的合理划分，调动社会各主体的积极性。法律对于哪些属于“负有监督管理职责的部门”要明确规定，不可模糊不清。同时，进一步规范公众举报程序，保障公众的监督权。根据《政府信息公开条例》的规定，政府信息公开主管部门和监察机关同时负责政府信息的监督工作是存在问题的，建议明确政府信息公开主管部门和监察机关的责任划分。政府信息公开主管部门负责对企业等行政相对人和下级行政部门的监督，监察机关作为辅助负责对同级行政主管部门的监督。

3.进一步完善公共卫生风险信息的通报制度

为了能够使公共卫生风险信息及时准确地传给社会各个阶层，同时保证公共卫生风险信息交流的对称性，有必要对我国的公共卫生风险信息通报制度作进一步的完善。我国的公共卫生风险信息通报多存在逐级上报的属性。逐级上报制度依附于我国的行政体制而存在，但是法律要明确规定哪些潜在的公共卫生风险需要逐级上报，哪些可以越级上报。有必要明确公共卫生风险信息的发布主体、发布机构、发布程序等问题，目的在于确保公共卫生风险信息及时、准确发布。这样可以解决逐级通报带来的工作效率低下问题，同时也可以将公共卫生风险信息及时准确公布，一定程度上可以避免公共卫生风险信息交流的不对称性，进而防止公共卫生风险被社会放大。

（三）健全公共卫生风险责任分配制度

确保公共卫生风险分配公平是应对公共卫生风险重要的一环，完善我国的公共卫生风险责任分配制度应该着重从以下几个方面进行：

1.健全行政问责机制，强化政府责任

目前，在一个公共卫生风险频发的社会下，政府责任已经难以独立承担，且政府责任追究难度大。明确的责任分担是防止公共卫生风险社会放大的核心保障。政府应该公开公共卫生风险信息而刻意隐瞒不公开以致重大损失发生的，在给予行政处分的同时，可以追究相关负责人的刑事责任。

2.明确公众合理忍受义务，落实公民个人责任

我们生活在一个风险社会里，公民具有合理的公共卫生损害容忍义务。通过法律的形式明确界定合理的公共卫生损害容忍范围，可以通过公共卫生风险程度的大小来确定该范围。公民超出合理的容忍范围，故意放大且散布公共卫生风险信息情节一般的可以给予警告或者罚款等行政处罚；造成严重后果的，可以追究其刑事责任。

3.严格企业公共卫生风险责任

防止公共卫生风险被社会放大，需要企业严格公共卫生风险责任，做好公共卫生风险监测以及信息公布等基础工作。建议在企业公共卫生执法检查过程中，创新执法手段，以信息化、市场化途径，实施公共卫生风险管理诚信档案

制度，加快实施公共卫生责任保险，运用保险工具，促使企业加强公共卫生风险管理。在执法程序上，促进跨区域、跨部门的联合执法，实现公共卫生行政执法部门的协调与配合。为了体现公共卫生环境的整体性，避免带来公共卫生风险规制上的断裂与不协调。各执法机构之间要进行充分的公共卫生信息交流，以统合行政部门在防止公共卫生风险社会放大中的权责，实现协调与配合。

监狱巡回检察和派驻检察的机制研究与实践探索*

宋文娟　周　雷　商　奇**

摘要：对监狱的刑罚执行和监管活动依法开展监督，是我国检察机关所担负的一项重要监督职能。新形势下，如何更有效地开展监狱检察成为理论和实务界聚焦探索的热点问题之一。本文从历史发展角度，梳理了我国监狱检察从传统派驻检察到当前"驻加巡"方式的发展脉络，并对派驻检察方式和巡回检察方式之利弊进行分析论证，进而介绍济南检察机关对研究摸索传统派驻检察与巡回检察的融通、互动关系，不断致力于重建改革背景下监狱检察工作新体系、新秩序，促进转变监督理念、更新监督视角，努力为推动新时代监狱检察工作提供有益的借鉴和参考。

关键词：监狱；巡回检察；派驻检察；机制；实践探索

在我国的检察权谱系中，不以检察类别命名——如刑事检察、民事检察等——而以检察的对象来命名的检察业务不多，监狱检察是其中更为特殊的一个。这昭示一种关系，即监狱检察不是针对某一类或某几类法律意义上的行为开展监督，而是针对某一类机关的全部执法行为开展监督。研究这种带有闭环性质的特殊的检察权，开宗明义就是要立足于监狱这个检察对象，或曰检察权产生、运作的外部环境，来探究检察权是如何进入监狱、如何在监狱内存在和展开、又是如何与监狱执法权相斗争、相协调的。本文即从此一角度出发展开论述，并由此延伸，谈及实践中与这一权能特征相适应的改革措施、改革路径。

---

* 第三十二届全国副省级城市法治论坛获奖论文优秀奖。

** 宋文娟，山东省人民检察院党组副书记、副检察长。周雷，济南市人民检察院党组成员、政治部主任。商奇，济南市城郊地区人民检察院二级检察官助理。

一、我国监狱检察的主要方式

追溯至 1949 年 10 月宣告成立的最高人民检察署，其行使职权中就已经包含了对监狱、看守所等刑罚执行机关的法律监督职责。[①] 从那时至今，除了时代原因造成的整建制撤销外，检察机关对监狱的法律监督工作就一直未曾中断。归纳来看，监督方式不外以下几种：

（一）派驻检察

派驻检察方式是检察机关开展监狱检察的主流方式，更是监狱巡回检察改革前的几乎唯一方式。监狱高墙电网、高度封闭，内部又自成体系，外人很难进入；而监狱检察工作又要经常性、持续性开展。面对这一矛盾，我国检察机关创造性的以检察机关向监狱派驻检察室的方式来开展监督，这既是监狱实际情况所必需，又是基于便利监督的实际考量。

根据公开资料显示，这一制度肇始于 1957 年，当时的检察机关为了更好贯彻中央“对劳动改造单位的检察工作要经常化”的重要指示，逐步开始了向监狱派出检察室开展监督的探索。[②] 1981 年 1 月 5 日，最高人民检察院检察委员会第一次会议审议通过《人民检察院监所检察工作试行办法》，对劳改单位以派驻检察院、派驻检察组或者派出检察员的方式开展监督被正式写入成文规范。[③] 随后最高检历次发布的工作规章，均沿袭了这一规定。

1. 组织机构和人员上

派驻监狱检察室一般由监狱驻地地级市一级的人民检察院派驻检察室。[④] 派驻检察室以派出它的人民检察院的名义开展法律监督工作，并由派出它的人民检察院的刑事执行检察部门（原监所检察部门）进行业务管理和指导。

2. 检察机制上

根据最高检有关规定，派驻检察人员每月派驻监狱检察时间不得少于 16

---

① 根据 1951 年 9 月 3 日中央人民政府委员会第十二次会议通过的《中央人民政府最高人民检察署暂行组织条例》第 3 条规定，最高人民检察署受中央人民政府委员会直辖，直接行使并领导下级检察署行使下列职权：“……四、检察全国监所及犯人劳动改造机构之违法措施……”

② 参见高一飞、曾静：《我国派驻监狱检察制度改革的观察与反思》，《时代法学》2017 年第 6 期。

③ 参见《人民检察院监所检察工作试行办法》（颁布时间 1981 年 1 月 20 日，已废止）第 31 条。

④ 按照要求，一般应采取“对等派驻”的方式，即省级监狱由省一级人民检察院实施派驻，市级监狱由市一级人民检察院实施派驻。但实际工作中，为了便利操作，一般采取省一级人民检察院授权监狱驻地市一级人民检察院对省级监狱实施派驻的做法。

个工作日，遇有突发事件时应当及时检察。[①] 派驻检察人员应当将罪犯每日变动情况、开展检察工作情况和其他有关情况，全面、及时、准确地填入《监狱检察日志》。

3. 工作方式上

由于采取派驻的模式，检察人员可以充分利用深入现场、接近监区的优势，随时进入监舍、伙房、车间等监管改造现场，对罪犯生活现场、劳动现场、学习现场开展实地监督检察。同时，可以及时获取服刑人员信息，与个别服刑人员开展谈话，第一时间接收服刑人员举报、控告、申诉等信件。

除了对监管改造的便利监督，还可以及时介入监狱管理工作，如列席监狱减刑、假释评审会议，及时查看监狱对罪犯积分考核计算和公示情况，查阅监狱有关文件、资料、账表等，了解狱内情况。

(二)派驻检察之外的补充方式

1. 巡视检察

2012 年 2 月 29 日，高检院监所检察厅印发了《关于上级人民检察院监所检察部门开展巡视检察工作的意见》，首次提出巡视检察的概念。即由地(市)级以上检察院监所检察部门对辖区内由下级检察院负责检察的监狱的刑罚执行和监管活动是否合法进行检察，同时对派出、派驻该监管场所检察机构履行法律监督职责情况进行检察。

巡视检察是日常派驻检察的有益补充和有益监督。其特点，一是监督来源来自上级。根据高检院意见，开展巡视检察的主体是负责派驻检察的检察院的上级院。二是监督突出重点。巡视检察不同于日常派驻检察，不要求对监狱日常监管改造工作面面俱到，而是每次选取具体监督重点，缩小战线的同时，监督的针对性更高。三是监督力量更强。巡视检察往往可以集中本辖区内各地区优势检力，汇聚相关方面工作专家，专业化程度更高，发现问题的能力水平也更强。

2. 专项检察

是指针对派驻检察中发现的一些深层次问题，如罪犯死亡、严重事故、群体性病疫或监管安全事件，在特定时间围绕特定问题开展的检察工作。专项检察不是监狱检察的常态化工作，但也是日常派驻检察的有益补充。

---

① 参见《人民检察院监狱检察办法》(颁布时间 2008 年 2 月 22 日)第 51 条。

（三）巡回检察

1. 肇始

2018 年 5 月 31 日，最高检召开新闻发布会，决定自当年 6 月至 2019 年 5 月，在山东等 8 个省（区、市）检察机关开展对监狱实行巡回检察试点。试点中，各地检察机关按照最高检党组部署要求，稳步推进各项改革要求，同时因地制宜作了许多艰辛探索，检察工作与监狱工作实现了“双促进”“双提升”。2019 年 6 月，最高检组织召开全面推进监狱巡回检察工作座谈会，对试点一年来的情况进行回顾，总结经验教训。同年 6 月 27 日，最高检召开“全面推进监狱巡回检察，促进法律监督和刑罚执行双赢”专场新闻发布会，通报巡回检察改革试点工作情况，并决定自 7 月 1 日开始，在全国检察机关全面推开监狱巡回检察工作。

2. 从“驻改巡”到“驻加巡”

巡回检察改革试点开始后，各地按照最高检统一部署，开始逐步撤回派驻监狱监察室，对现有监狱检察人员重新进行布局与调整，组成若干个巡回检察组，巡回至辖区内的各监狱开展检察工作。但随着改革逐步深入，很多地方立足工作实际提出了一些现实问题，如：已经高标准建设的规范化检察室办公用房和硬件设施如何处理、巡回检察人员开展巡回时的信息来源如何保证、日常与监狱的联系如何建立、减刑假释案件等派驻检察日常办案工作如何开展等等。面对这些问题，个别地方探索保留了一部分派驻检察室和派驻检察人员，[①]以利于工作开展。这种方式实际上已经从改革最初提出的“改派驻为巡回”要求，改良为“派驻＋巡回”的方式。

这种制度探索也最终得到了最高检采纳，并在法律文本中予以确认。在全面推进监狱巡回检察工作座谈会上，最高检负责人就要求：“派驻监狱检察室应当配备不少于一名检察人员。”[②]同时，根据 2018 年修订的《人民检察院组织法》，人民检察院根据检察工作需要，可以在监狱、看守所等场所设立检察室，行使派出它的人民检察院的部分职权，也可以对上述场所进行巡回检察。这又在立法层面确定了“派驻＋巡回”的检察监督模式。[③]

---

① 参见李奋飞、王怡然：《监狱检察的三种模式》，《国家检察官学院学报》2019 年第 3 期。

② 徐盈雁：《巡回检察：这几个共性问题该怎么解？》，《检察日报》2019 年 6 月 20 日

③ 参见《人民检察院组织法》（2019 年 1 月 1 日起实施）第 17 条。

3. 巡回检察的制度安排

巡回检察开展过程中所采取的检察方式，如调阅资料、现场查看、直接问话等，与派驻检察大同小异，在此不再赘述。主要的特点体现在巡回检察的组织上：在人员安排上，一般采取“原则性定岗，灵活性编组”的方式，在全体检察人员中随机分组，明确各组对应监督的监狱，并明确 1～2 名员额检察官作为组长，细化巡回检察方案；在检察内容上，划定被监督监狱派驻检察与巡回检察的各自职责外延，确保派驻检察的信息支撑作用和巡回检察发现问题的作用均能有效发挥，并且明确巡回检察对日常派驻检察工作的检查督导职责，有效提升总体监督力度；在统筹协调上，着重处理集中巡回检察与日常承担的减刑假释案件办理、罪犯死亡事故调查、控告举报信件处理等工作之间的关系，避免厚此薄彼。同时，各地还根据实际工作需求，探索开展了一些辅助性的特别巡回检察，如省内跨域交叉巡回检察、专项巡回检察等。

二、派驻检察方式和巡回检察方式之利弊

（一）派驻检察方式的优势

1. 深入现场

派驻检察室建立在监狱内部，突破了封闭监狱给检察工作带来的诸多限制和不便。实践中，很多监狱为派驻检察人员办理了与监管干警相同权限的门禁卡、警务通、对讲机等工作器材，方便检察人员随时进出监狱和各监区，及时深入现场发现问题，并与服刑人员直接面对面谈话，从而使监督工作开展更为顺畅。

2. 检狱协调配合

检察人员日常工作在监狱办公场所，与监狱工作人员彼此熟悉，工作沟通更为顺畅。尤其在办理减刑假释案件审查、罪犯保外就医审查、接待个别服刑人员会见时，能够更方便交流工作数据、汇总案情、传递案卷，大大提升办案效率，使得事后监督、静态监督转变为即时监督、动态监督。

3. 工作便利

当前，监狱大多建设在城市郊区或者城乡结合部，位置偏僻、交通不便。对于一些派出检察院统一负责一定区域监狱监督工作的地区，各监狱之间往往距离较大，在途成本更显巨大。因此，采取派驻检察的方式，可以充分节省在途损

耗，提高工作效率。同时，派驻检察人员工作在监狱，使得列席监狱有关会议、会见服刑人员等工作开展更为便利。

（二）“单一派驻”的局限性

1.“同化”“熟化”

派驻检察人员长期在监狱工作，与监管干警交往频繁、关系密切，易与监管干警形成熟人关系，久而久之就会存在被监管场所干警“同化”的风险，从工作关系上的“共事”过渡到心理感情上的“共情”，从而产生不愿不敢监督、监督不力等问题。[①] 甚至还出现派驻检察人员替监管干警掩饰隐瞒，与监督初衷背道而驰。

2. 监督越位

工作实践中，个别派驻检察人员被动承担了一些本不属于检察职能范畴而属于监管执法范畴的工作内容，检察权一定程度上被“异化”。比如，很多监狱有时会要求派驻检察人员在减刑、假释评审会议纪要上签字，或者要求检察人员帮助做病亡罪犯家属的安抚工作等，这显然属于监督工作越位，一方面影响了监督中立，另一方面也为检察监督工作带来很多风险。

3. 削弱威信

派驻检察室多设置在监狱办公楼上，用房、用水、用电都由监狱负担，甚至个别监狱还给派驻检察人员办理饭卡、准备休息室，允许检察人员在狱警餐厅用餐等。这种物质保障上的依赖性，势必影响检察监督的客观立场，削弱了监督威信。

（三）“单一巡回”的局限性

1. 难以深入

巡回检察区别于派驻检察的一个重要特征就是在于时间上的突击性和随机性，但也会因缺乏监督的持续性和连续性导致工作浮于表面和监督质效不高的弊病，一则是巡回检察工作方法简单，往往采取列席巡回期间的相关会议、集中查阅监狱内部文件台账等方式；二则巡回检察受时间紧迫性的限制，实践中巡回检察工作只能在集中的几个工作日内进行，会导致对监狱情况了解不全面、不深入，隐蔽性问题就很难被发现。

---

① 参见祁云顺：《对检察机关派驻检察监督方式改革的思考》，《河北法学》2010 年第 11 期

2. 长期监督内容缺失

巡回检察往往将监督重点放在对出监检察、入监检察、日常管理、罪犯医疗保障和生活保障、日常教育开展等监管执法内容的监督，但上述监管执法内容属于常态化的日常工作，一方面不能实现对需要监督的全覆盖性和全程性，另一方面也很容易给监狱为了迎接巡回检察而突击整改留下口子，导致个别问题长期隐瞒得不到发现。

3. 跟踪整改不力

主要是指在前一次巡回检察发现的问题或不足，以及发出的纠正违法、检察建议等文书，由谁来负责跟踪整改的问题。派驻检察中，跟踪整改工作由派驻检察室负责，但在巡回检察中出现了后轮巡回检察办案组对前一批次巡回检察的情况不清楚、不了解的现象，导致后续整改无人跟进，影响整改效果。

4. “陌生人监督”的难以持续

实践中，某一市域内的监狱和从事监狱检察的人员是相对固定的。即便一开始可以做到“陌生人”开展巡回监督，但长此以往，不同检察办案组与监狱之间不可避免地会出现从生疏到熟识的转变，这是监狱检察以监狱这一检察对象为划分权能依据这一特性所决定的。因此，强调巡回检察的“陌生人”监督，难免面临不可持续的质疑。

三、新时代监狱检察的实践探索

巡回检察改革不仅是监狱检察方式的改革，更是一种从检察理念到权能体系再到运行架构的整体性重塑。改革以来，济南市检察机关不断研究摸索原有派驻检察与巡回检察的融通、互动关系，致力于重建改革背景下监狱检察工作新体系、新秩序，促进转变监督理念、更新监督视角，努力为推动新时代监狱检察工作提供有益的借鉴和参考。

（一）对派驻检察与巡回检察新关系的认识

主要是指两者在推进工作中形成的共生关系，以及该种关系下各自承担的重要作用。

1. 派驻检察“信号站”作用

巡回检察虽有自上而下、直插现场的作用，但由于脱离监狱一线，承担巡回检察任务的检察官对监狱内部运作、监管执法行为的内在逻辑以及对监狱罪犯的日常表现、主要诉求等情况了解不深不透，很容易陷入“信息茧房”，从而面临“蜻蜓点水”“走马观花”的质疑。针对这一问题，济南检察机关把解决途径放到“以驻利巡”上，坚定不移地坚持原有派驻检察路径，充分发挥派驻监狱检察室“扎根一线”的便利作用，通过日常派驻工作加强信息收集，定期记录监狱执法行为，搜集可能存在的问题，收集犯群动态和主要诉求，为批次巡回检察提供信息支撑。

2. 巡回检察“手术刀”作用

济南检察机关将巡回检察视为解决一线问题新的有效途径，结合派驻检察中发现的各类问题隐患，及时研究确定巡回检察重点、方案，精准瞄准问题，开展外科手术式的靶向监督，从根源上纠正以往派驻检察监督失位、监督越位，以及长期派驻不敢监督、不愿监督的问题。开展常规巡回的同时，还着重推进“专门巡回”监督体系建设，打破派驻检察甚至批次巡回检察所带来的司法惯性和“套路”式应对，针对个别重大事故和突出问题，组织优势检力成立专门巡回检察办案组，精准开展监督。

(二)对实践中新问题的破解

1. 确定监督重点的难题

区别于派驻检察的长线、持续监督，巡回检察更强调集中性、效率性，确定监督重点是保证巡回检察有的放矢、精准监督的前提。结合以往经验，济南检察机关在广泛征求各监狱和员额检察官意见建议的基础上，将“减刑、假释”“暂予监外执行”“监管事故和罪犯又犯罪”“惩罚罪犯”“罪犯死亡处理”五项监督内容确定为巡回检察重点工作，与各监狱会签了关于互通协作的规范化文件，并就监督信息来源、工作形式和标准、检狱双方工作要求制定了详细的约束和保障机制，从而形成了“检狱互通协作五项机制”，成为济南监狱巡回检察根本性制度框架。

2. 信息沟通标准化的难题

派驻检察室是日常信息收集的主要渠道，但收集哪些信息、如何进行收集、信息要符合哪些规范等，这些问题都亟待在实践中探索、厘清。济南检察机关在建立“互通协作五项机制”的同时，以解决监督信息收集标准化问题为目的，围绕五项监督重点工作的各自不同特点，明确了检狱双方需要即时互通的信息内容，使检狱联系重点更突出、质量效率更好、配合更顺畅、工作更规范，为新形势下加强检狱信息交流提供了根本遵循和有力抓手。

3. 驻巡互动方式难题

推动派驻与巡回互动联通，凝聚强大合力。检力上，推进全员整体协同，组织巡回检察办案组时打破派驻岗位限制，根据实际情况和有关要求统一协调组队，在确保全院一盘棋、上下步调一致的基础上，尽可能增加每轮巡回的新鲜力量，避免"熟人作战"。信息上，常态化安排检察室人员参与办案组工作，例行召开巡回通气会，介绍狱内有关情况，做到巡回检察心中有数、有的放矢。整改上，推动建立派驻检察室与巡回检察办案组共抓问题整改的局面：对可以即知即改的问题，由下轮巡回检察办案组作为巡回重点，抓好整改验收；对需长期坚持整改的问题，由派驻检察室负责常态化跟踪问效，确保每一个问题都实实在在整改落实到位。

(三)逐步完善监狱检察新的实践样本

1. 推进事后监督向即时监督转变

通过开展监狱巡回检察，尤其是针对派驻检察所收集的信息开展实时抓取和动态掌握、数据分析、数据库比对等方式，实现了对监狱管理工作、犯群动态、刑期变更、执法风险的实时掌握，对各类监督事项第一时间介入处理，并有的放矢地调整巡回方案和监督重点，彻底改变了以往派驻检察被动监督和事后监督的问题，监督效率有效提升，"抓难点""找痛点"的针对性、主动性大大增强。

2. 推进监督信息化向监督智慧化转变

济南检察机关根据新的巡回检察实际，创新研发了检狱互通协作网上平台，以即时办理监狱检察重点工作、共享监狱监管改造信息、建立和应用监狱检察大数据为主要内容。通过这一平台，各类重点监管改造数据实现了网上瞬间传输，终端一键下载，数据整合水平更强，信息应用场景更深入。同时，通过平台办理减刑、假释案件，可以做到案件自动导入、系统自动审查、文书自动生成，实现了刑事执行检察智慧化飞跃。

3. 推进片面监督向合作共赢转变

巡回检察改革后，区别于原有的派驻检察生态，检察机关与监狱的关系生态愈加改善。济南检察机关坚决摈弃"监督高人一等"错误观念，树立积极良性互动、双赢多赢共赢监督理念，强化与监狱信息的顺畅沟通、体制的动态磨合、工作的协同推进，把提升监管改造效果纳入监督评价体系，以检察手段协助监狱做好教育改造和犯群稳定工作，与监狱一道共同促进提升监管改造效果，有效实现了监狱检察工作"三个效果"有机统一。

市域治理中社区的定位、功能及其法律规制*

刘康磊**

摘要：学界对于城市社区的发展历史沿革的研究已较为清晰，社区经历了从单位办社会的城市管理模式，到进行社区与居民委员会相结合，发挥基层民主和多元善治的作用的城市治理的过程。在新冠肺炎疫情防控期间，社区作为城市的基本组成单元，为疫情防控取得战略性胜利发挥了举足轻重的作用，在经济发展中以县域经济的灵活性为重心，在治理中以市域治理为重要环节，已然成为国家治理体系和治理能力现代化的重要组成部分。但目前社区建设仍面临村改居试点工作开展不顺利、社区居民委员会建设迟滞、物业替代性职能发挥、社区定位和职能缺乏法律依据、社区居民委员会资源调动能力较弱等现实问题，影响了社区作为市域治理最基本单元发挥其应有的作用。

关键词：市域治理；社区；法律规制

市域治理是国家治理体系和治理能力现代化的重要组成部分，尤其是在城市化进程已经深刻改变我国的社会结构，而这一进程仍在不断加快的情况下，市域治理作为我国行政管理的中间环节，对于国家发展总体部署的落实、区域间的协调发展、居民生活水平提高和获得感的增强等都将发挥不可替代的作用。尤其是在新冠肺炎疫情防控期间，作为市域治理基本单元的社区发挥了巨大的作用。因此，市域治理的基本单元是社区治理，社区的定位、功能在现有法

---

* 第三十二届全国副省级城市法治论坛获奖论文优秀奖。

** 刘康磊，济南大学政法学院副院长、副教授，法学博士。

律体系中并不明确，厘清社区治理的权责边界及疫情影响下的社区治理出现的新变化，有助于社区治理能力的提升。

一、市域治理中社区的概念及现实内涵

早自20世纪50年代开始，我国就开始在城市设立居民委员会，在前期摸索过程中，曾以建立各种"小组"的形式，由社区居民义务性地投入到城市治理过程中。同时，党政组织就延伸到了城市居民区。"居民委员会"作为领导实体在全国范围内建设起来。1954年，第一届全国人大常委会第四次会议通过了《城市居民委员会组织条例》，将居民委员会作为城市治理的基本单元以立法的方式确定下来。"文化大革命"期间居民委员会受到了一些影响，但是很快得到了恢复。

随着经济体制改革的深入，城市人口构成逐渐复杂，城市治理格局发生了深刻的变化，如外来进城务工人员、下岗职工、商品房买卖等，原有的以单位为中心的居民委员会划分以及依托单位和熟人之间关系构建的治理方式，逐渐无法满足城市治理的需要。经济改革、经济社会变革以及二者之间产生的强烈互动，使作为单位的传统社区逐渐解体，此外，这些社区的社会结构也发生了变化，现在许多社区由现存的或以前单位的家属区组成，但同时也包括在社区购买住房的人。社区结构由于住房的买卖和居民的搬迁而改变。目前的社区是有差异较大的社会阶层组成的。①

自20世纪80年代开始，民政部开始着手启动社区建设。1999年民政部在全国范围内选择了26个城市市辖区进行社区建设试点工作，经过短短1年多的试点，取得了良好效果。2000年11月，经党中央和国务院同意，中共中央办公厅、国务院办公厅转发了《民政部关于在全国推进城市社区建设的意见》（以下简称《意见》），从此社区建设进入了快车道。根据《意见》，所谓"社区"是指聚居在一定地域范围内的人们所组成的社会生活共同体。目前城市社区的范围，一般是指经过社区体制改革后作了规模调整的居民委员会辖区。在这个定义中，可以得出两个结论：一是在改革开放之后，城市居民的居住特点已经发

---

① 参见何增科、[德]托马斯·海贝勒、[德]根特·舒伯特：《城乡公民参与和政治合法性》，中央编译出版社2007年版，第137页。

生了深刻的变化，从原来以“单位”为聚居特色的大院和以“血缘”为聚居特色的城中村的“熟人”特色，转变为以居住地为特点的“陌生人”特色，城市治理的难度加大。二是从居民委员会到社区是改革的趋势，在一定时期内存在居民委员会和社区并行的情况，完成了社区改革的地方由于法律规定的原因被称为“社区居民委员会”；未完成社区改革的地方，一般由物业或者村民委员会来进行社区管理。[①] 也正是从这个时期开始，居民委员会的概念在前面加上了“社区”两个字，居民委员会和社区居民委员会成为可互相替代的概念。

法律中的“社区”概念，比较显性地是出现在《社区矫正法》中，但是其中并未对“社区”的概念作描述，因此社区矫正目前也面临诸多的理论和现实问题，与本文相关的是社区矫正的责任主体在法律上定位不清，因此所需要的经费支出也无从保障。从现实的角度和功能主义的视角来分析，“社区”这一概念具有双重含义：其一，它是行政隶属意义上的空间概念，是一种次级行政单位（街道办事处管辖下的自我管理层级），通常拥有 3000～16000 的人口。[②] 其二，它是规范和职能意义上的概念，按照人口细分的概念来说，也就是一种分类，其分类的标准为空间的远近、共同的利益和社会控制特征。[③] 从市域治理的角度而言，虽然根据《城市居民委员会组织法》规定，居民委员会是社区居民进行自我管理、自我教育、自我服务的基层群众性自治组织，但其实际上承担了大量的行政管理和服务职能。[④] 因此，笔者对“社区”这一概念的讨论采取在治理需求角度上的含义，即社区是城市治理中以人口数为基本划分标准，以便于服务管理和发挥基层民主为原则，所建构起来的市域治理基本单元。

笔者认为，在治理的视角之下，“社区”概念的现实内涵有如下几个特征：

---

① 例如济南市市中区，现有居民委员会 94 个，村改居 25 个，这些居民委员会并不能完全满足治理的需求，有些人口较多的楼盘居民委员会的建设仍存在困难，实际上由物业公司承担了相应的城市治理职能。

② 此数量为学者在调研中了解的情况，具体的数字各地或有不同。但是相较于发达国家，我国的社区人口规模显然较小，美国纽约市和新加坡的社区规模大约为 13 万人左右，这也从一个侧面反映了我国的社区治理水平仍然处于较低的水平。

③ 参见何增科、[德]托马斯·海贝勒、[德]根特·舒伯特：《城乡公民参与和政治合法性》，中央编译出版社 2007 年版，第 138 页。

④ 以笔者所居住小区所在社区为例，社区居民委员会门口悬挂了高达 15 个牌子（箱子），其中包含了综合治理、网格化服务管理、社区教育、家长学校、综合文化服务、党群服务、退役军人服务、精神文明建设以及扫黑除恶举报等内容，涉及了城市治理的各个方面，除了面向街道办事处之外，还牵扯到民政、军人服务、文明办、公安系统等多个部门。

（一）社区治理主体多元的相对性[1]

社区治理的主体具有多元的特点，这本身是从管理到治理转变的题中应有之义，其中社区居民委员会、社区居民委员会的党支部、物业公司、社会公益组织和居民等共同构成了治理主体的全部内涵，多元善治包含了行政管理职权延伸、党组织的基层延展、基层民主自治和各利益主体的参与，其中任何一个主体都具有一定的相对性。[2] 社区治理的主体多元形成各个主体的相对性，对满足社区治理的多层次需求具有一定的积极意义，但是同时也造成了各个主体的利益诉求多样化的矛盾。

（二）社区功能上管理和服务的交叉性

社区的功能可以分为管理和服务两个部分，从不同主体的角度来观察社区，所期待得到的社区功能会呈现不同的特征：从居民的角度而言，期待从社区获得的是公共卫生、社会福利、文体活动等服务。从社区居民委员会的角度而言，期待的是社区治安稳定、内部和谐、管理有序。从物业公司的角度而言，更多的期待是在以盈利为前提的服务和以维持经营为前提的管理。这中间呈现出一种相互交叉的复杂关系网络，但是无论是管理还是服务都需要财力的支撑，在有限的资源供给情况下，管理优先还是服务优先成为在社区进行公共资源分配时面临的一个重要问题。

（三）社区构成原因上的地缘性

社区以一定的人口为基础，人口是构成社区的最基本元素，也在一定程度上形构了社区的范围大小。虽然社区以人口为基础，但是社区的构成更多呈现出因房产购置而以地缘形成的整体，当然不排除某些社区是由单位人员来组成，但是其趋势是陌生人因共同居住的地缘关系形成的新的关系脉络。“因居住而形成的社会交往和社会交换，让脱嵌的个体重新重构自我与社会的关系。”[3]随着城市化进程的逐步完善，城市居民社区的构成也会随之相对固定下来，依托居民职业、学历以及社区所处区域文化的影响，社区的地缘性会被逐渐

---

① “中国业主小区的治理结构整合了自治、私人集体所有权、传统居委会和制度等要素，力图维持国家的传统控制力。”（何增科、［德］托马斯·海贝勒、［德］根特·舒伯特：《城乡公民参与和政治合法性》，中央编译出版社2007年版，第290页）

② “作为自治组织的居委会除了本身的‘行政化困境’之外，并非是唯一的社区治理实体，而是与街道下派的其他机构或者市场、社会组织等‘共治’，形成了所谓的‘复合治理结构’。”（李强：《当代中国社会分层》，三联书店2019年版，第130页）

③ 李强：《当代中国社会分层》，三联书店2019年版，第131页。

淡化，随之具有文化特质的社区特征会逐渐凸显。

（四）社区职能上的系统性

虽然社区的规模具有一定的限度，但是社区作为我国户籍管理制度的一个基本的模式，从治理的角度而言，社区承担了从党的建设、社会稳定、医疗健康、上学就业、生育养老、纠纷化解等各种职能，换句话说，社区是一个城市大系统下的子系统，社区的职能上具有治理上的系统的特征。“上面千条线，下面一根针”是对社区工作的一个形象描述，社区治理的内容与城市治理的内容高度吻合，城市治理的任务通过层级分解最终要依托社区治理来实现，从这个意义上来说，社区职能的系统性是由城市治理的复杂性决定的。

基于这些特征，社区治理在市域治理中具有特殊重要的作用：一是它是市域治理的多元主体的整合场域，二是它是市域治理中管理和服务的平衡场域，三是它是城市人口融入融合的活动场域，四是它是城市治理大系统功能的具体实现场域。因此，市域治理的成效要依靠社区治理来实现，社区治理的优劣将在一定程度上决定市域治理的成效。这也是笔者以社区为切入点来对市域治理进行探讨的原因所在，当然采取以治理为面向的社区定义，从社区应然发展目标的角度上看，缺少了社区居民文化、心理和认同等软性的内生化考虑，但在目前的阶段而言，这些内容在社区建设和社区发展的过程中，要予以足够的重视，然而其实现却非一朝一夕之功。

二、社区在市域治理中的定位及功能

党的十六大提出了“县域经济”概念，党的十九大提出了“市域治理”的新理念，从我国行政区划设置的角度而言，县域和市域是城乡二分的具体表现形式，县域经济是以农业和农村经济发展为主要目标，同时加强小城镇建设，加强与市域经济的融合，推动城镇化进程。“市域”概念在不同的语境中有着不同的分类。比如，在法律上市分为直辖市、设区的市和市三种；从行政管理的角度，市分为直辖市、副省级城市、地级市（其中包含了副地级城市）和县级市；从城市规模上分为特大城市、大城市、中等城市和小城市四种；根据经济发达程度分为一线城市、二线城市、三线城市、四线城市等。就《立法法》而言，在 2015 年修改之前关于市的表述有三种，即省会市、经济特区所在的市和国务院批准的较大的市，修改后统一为设区的市。在城市带动周边农村发展的基本思路下，采取了县由设区的市代管的基本模式，即中共中央 1982 年第 51 号文件所设立的“市管县”模式，虽然近年来对省管县作了一些有益的尝试，但是由设区的市来代管县的模式仍是主流。“设区的市”和“地级市”是不同体系下的两个概念，二者重合之处多于不同，但是“地级市”的概念是行政科层管理的概念，“设区的市”是则是法律上的行政区划概念，二者从数量上来讲，地级市中有 3 个不设区市，即甘肃的嘉峪关市、广东的东莞市和海南的儋州市，即所谓的“直筒子”市。从职能上来讲，地级市的任务是通过城市的发展带动周边农村地区的发展，以城市经济带动农村经济；设区的市主要是以发展城市经济为主，所设区的土地规划等由设区的市统筹，在城市规划用地面积等各方面与县、县级市有较大不同。

市域治理主要是以设区的市为空间范围，在城市化进程逐渐加快的情况下，提升城市治理水平，形成全国一盘棋的治理联动体系，是实现城市治理体系和治理能力现代化的重要内容。在城市治理中，管理的刚性和服务的柔性在社区居民委员会的工作中皆有体现，与农村的村民委员会相比，由于城市社区居民委员会缺少了血缘、家族等的纽带，城市居民在面对刚性管理时的忍耐度较低，因此社区的治理更需要来自政府等的权力资源支持。一般认为，社区具有以下职能：从基本职责看，它包括社区服务和社区管理两项基本职能；从运作过程看，它又包括民主自治、社会服务、教育文化、卫生环境、社区治安、社区党建等一系列运行职能；从制度的角度来看，较为理想的局面是通过社区的基层民主调动居民的公共参与和公民意识，使其积极参与社区治理，即在服务中实现管理，在管理中突出服务的理念，但是现实情况是由于社区并无行政权力，在社区治理上的效能不尽如人意。

在简政放权的权力约束背景下，尤其是在具体操作的层面，在“只让群众跑一次”和“零证明”的要求下，为了保证行政权力的正确行使，更加迫切地需要社区居民委员会的配合，政府与社区居民委员会之间实际上达成了一种权力互动关系，在这一互动关系中，政府和社区居民委员会之间通过政府对社区居民委员会的过程化赋权，使社区居民委员会在政府行政权力行使过程中拥有了话语权。

这种行政赋权的关系，可以从社区开具证明的这一行为中进行观察，行政机关行使行政权力时为了保证权力行使得准确，需要对行政相对人的情况进行必要的核实，从行政程序的角度而言，社区居民委员会作为基层民主选举产生的自治组织，相较于行政机关更加了解情况，因此，到行政机关办理行政审批、许可、救济等业务时，需要持社区居民委员会开具的证明才能予以办理，在一段时间里成为广泛采用的方式，由于这一方式采用得太过于泛滥，甚至给社区居民委员会带来大量的工作负担，而这一互动关系在法律中也有所体现，具体关系可以见图示。

以S省J市为例，2017年根据省委办公厅、省政府办公厅《关于深化放管服改革进一步优化政务环境的意见》（鲁办发〔2017〕32号）的任务安排和省推进政府职能转变领导小组办公室的有关要求，对在本市范围内，政务服务机构在办理政务服务事项时，要求申请人到村（社区）开具的证明材料，进行了全面梳理，公布了涉及15项内容的《J市村（社区）证明材料保留清单》。同年S省各市都公布了数量不同的同类清单，H市清单中就比J市多了3项，具体包括：家庭经济困难证明，收养登记有关情况证明，低保及其他社会救助类审批表审查意见，场所使用权（住所）证明、计划生育状况证明，免费享受卫生计生基本公共服务项目证明，学生社会实践证明，保障性住房申请人家庭成员基本情况、收入、财产、住房等情况证明，乡村建设规划许可村民委员会书面意见，农村承包经营权变更事项证明，享受社会保险待遇人员领取资格协查证明，监护人证明，农村地区户口分户（迁户、落户）证明，无职业（工作单位）证明，居住证明，社区矫正有关情况证明，政审类证明，灵活就业者的从业证明。这些"证明"涉及城市居民生活的各个方面，且在行政权力行使的过程中，这些"证明"的开具，是居民能够启动行政权力的必要条件。因此，居民对社区居民委员会便产生了其拥有较大"权力"的"感觉"，这是在城市居民呈现"原子化"的客观情况下，通过政府对社区居民委员会的赋权，通过权力实现加强社区粘度的效果。这种无形的权力为社区居民委员会进行管理工作提供了一定的支撑，为社区居民委员会开展具有刚性的管理做了有益的补充。[①] 除了"证明"的例子之外，其实还有一些隐性的默契，使得社区居民委员会及其工作人员的身后有"权力的影子"，社区

① 2020年4月，由民政部、国家发展改革委、公安部、司法部、人力资源社会保障部、国家卫生健康委出台《关于改进规范基层群众性自治组织出具证明工作的指导意见》，指出要从根本上改变"社区万能章""社区成为证明大本营"等现象，列出了不应由基层群众性自治组织出具证明事项清单（第一批），共20项，这20项证明中与S省某些市所列可以开具的证明清单有所冲突，需要尽快进行清理。

居民委员会工作人员与街道办事处人员、

辖区派出所人员的互相支撑的关系，也会给社区居民一种社区居民委员会拥有权力影响力的感受，这种隐性的默契，也在一定程度上对社区治理的权力实现发挥着作用。

因此无须讳言，社区居民委员会实际上是政府管理职能的延伸[①]，这是市域治理中社区居民委员会最主要的功能定位。同时，社区居民委员会还发挥基层民主的作用，提高居民的参与感和归属感，使居民配合和支持社区居民委员会的工作，为市域治理奠定和谐稳定的基础，即通过权力和权利之间微妙的平衡关系，社区居民委员会同时实现政府职能实现者和居民利益代表者双重身份，如何处理好这种关系是社区居民委员会能够发挥好在市域治理中基本单元作用的关键因素。也可以从后现代的权力观念中去解读社区居民委员会的权力概念，在福柯看来广泛被认可掌握知识的人就是权力的拥有者，同时他还形象地解释说权力是“档案社会的政治侧面”，国家治理需要了解居民的各种信息，这本身要依赖于最熟悉这些信息的人，或者说是掌握了这些档案的人，而社区居民委员会恰恰是这个信息的拥有者，且得到了广泛的认同，因此行政机关之所以要向社区居民委员会赋权，原因在于居民社区委员会对治理的知识的掌握，说得更具体些就是更加接近和了解社区居民。

但是需要注意的是，虽然目前对于由社区开具证明的范围在不断的紧缩[②]，但是由社区来做行政行为前置性证明的方式仍将长期存在，其中有现实的需要，也有权力运行的必然。但是在治理的概念范畴中，居民的权利获得感和参与感与社区的管理的便捷性和命令感之间就存在着一种紧张的关系，治理强调多元参与，而社区一方面期待调动广泛的居民积极性，使其共同参与社区治理，而另一方面由依赖于与权力之间的互动为自己的管理行为背书，这为社区治理的现代化和体系化构建了一个难题。因此，采取何种方式来为社区治理提供刚性支撑，以非行政“权力”的方式使得社区的治理更具有权威性是一个值得思考的问题。一般而言，传统理论上的解决方案是，进一步发展和完善基层

---

① “人天生就是政治动物，因为人天生就是社会性的，有社会就必定要有管理和管理所赖以实施的政策、制度和机构，而政府就是这些政策、制度和机构的总代理。”（麦克斯怀特：《公共行政的合法性——一种话语分析》，吴琼译，中国人民大学出版社2002年版，译者前言）

② 参见王旭：《无证明城市的法治意义》，《检察日报》2019年8月14日。

民主，通过基层民主的展开来实现人人为我、我为人人的社区治理理想图景，或者通过加强基层党的组织，通过党的思想引领，党的组织和党员干部的先锋模范带头作用来加强社区居民对管理的自觉服从。

以上两种传统的做法自然会产生一定的作用，且虽然社区居民委员会的工作人员多将“开证明”称为“盖章的负担”，虽然有学者认为：各式各样的证明曾经是中国政府以信息为工具治理社会的重要手段，虽然有其一定必要性和法律依据，但往往需要群众自行提供，导致循环证明、违背常识的证明等各种现象出现，也使得政府将信息归集与确认的成本完全转嫁给行政相对人，导致群众经常疲于奔命。① 但是从实际的情况来看，无证明并不意味着行政行为的作出不再需要证明文件作为前提和基础，而只是在提供的主体、方式和次数上作了变更。在简政放权的背景下，为了服务型政府建设的需要，证明的开具责任可能会有行政机关转移到社区居民委员会等非政府组织的身上，或者在大数据时代，以信息技术为依托的信息共享，但其基础的数据仍要有社区居民委员会来作为主要的提供方，因此，社区居民委员会在政府职能延伸上的作用不会因为无证明社会建设而虚化，反而会有所增强。居民委员会在市域治理中发挥基本单元作用，从其管理上的效能得以发挥的角度来说，居民委员会需要政府权力通过一定的方式进行赋权，从目前的趋势来看，现有的社区居民委员会的定位和功能不会发生较大的变化，其效能发挥的好坏要取决于行政赋权的程度（包含财政支持力度大小）、基层民主形成的凝聚力强弱、物业公司经营程度和居民配合程度等多种因素）。

三、疫情对社区治理模式的影响及其法治化

新冠肺炎疫情出现后，社区在疫情防控中发挥了重要作用②，其在阻断疫情传播途径、掌控疫情信息、宣传疫情防疫知识、提供居民基本生活服务等方面的工作，为取得疫情防控的胜利作出了贡献。就基层治理而言，狭义和广义的社区都将成为阻击疫情的重要抓手，社区是城市基层治理和疫情防控工作的最

---

① 参见王旭：《无证明城市的法治意义》，《检察日报》2019 年 8 月 14 日。

② 据笔者统计，社区在疫情防控期间，需要提交的工作报表有 41 个之多，其中民政部门 8 个，区随访工作组报表 5 个，卫生健康部门 16 个，组织部门 2 个，经济发展部门 1 个，其他部门 9 个。需要接受检查 6 个。

前沿,可以这样说,社区在新冠肺炎疫情防控中的工作,在一定程度上体现和发挥了我国的制度优势,社区的作用可以用几个词语来描述,即看好了自己的人,管好了自己的门,织密了防控的网,压实了责任的担。事实上,这并不是社区在城市治理中的作用的首次展现,在"非典"疫情、汶川地震、北京奥运会等期间,社区工作的作用已经得到了较为充分的展现,同时在这几次重要时间段中社区治理暴露出来的一些问题,也成为国家推动社区治理和社区建设的重要力量。

从全国层面而言,社区疫情防控是按照全国的统一要求策略进行,民政部和国家卫健委在疫情防控进入复工复产阶段时,对社区防控工作的策略进行了总结,即:统筹推进社区疫情防控和服务群众工作,完善城乡社区联防联控工作机制和群防群控组织体系,建立健全社区党组织领导,社区自治组织、社区卫生服务机构负责,社区物业服务企业、社区经济社会组织积极协同的社区防控组织机制,建立健全社区工作者、社区医务人员为主体,派驻下沉人员、基层民警、其他社区工作人员、入境人员工作(接待)单位代表和入住酒店工作人员、社会工作者、社区志愿者、社区居民广泛参与的社区防控工作队伍,压实属地、部门、单位、家庭和个人责任,坚持早发现、早报告、早隔离、早治疗,强化社区防控网格化管理和社区服务精细化供给,充分联系群众、组织群众、发动群众,引导和激励群众加强自我防护和自我服务,夯实疫情防控和经济社会发展的基层基础。[①]

在这一总体策略之下,全国各地都将疫情防控作为社区治理改革和社区治理新模式尝试的试验场,总结出来如:南京市的"网格+部门""网格+志愿者""网格+物业"的治理体系。长沙市的"社区党委+大院党支部+楼栋党小组+网格党员+大院管委会"先锋模范和基层治理桥梁作用,"支部+大院"群防共治模式。济南市的党建统领+技术防控+业态创新+动能转换模式和"红方格"一网通基层治理模式,街道综治网格中心—社区网格服务中心—网格工作室网格运行体系,建立以网格员为主体,楼院长、退役军人公益岗、志愿者为支撑的四位一体网格员力量体系,建立"人在网中走,事在格中办"的运行机制等等,这些经验的形成和总结成为疫情之后社区治理能力提升的重要契机。

笔者认为,新冠肺炎疫情背景下社区治理的影响主要体现在以下几个方

---

① 参见《民政部、国家卫生健康委关于印发〈新冠肺炎疫情社区防控与服务工作精准化精细化指导方案〉的通知》(民发〔2020〕38号)。

面，同时也有需要解决的问题。

1. 社区基本情况得到系统梳理

在疫情防控期间，社区居民通过"健康码"扫描登记、进入小区通行证、体温登记上报、出行情况报告等多种方式，社区居民委员会对社区居民的实际情况事实上有了真实、全面的掌握，这为下一步的社区治理提供了重要基础信息，社区管理服务的个性化、针对性将得到有效提升。同时，对社区的特殊群体和特殊人员的信息有了掌控，对降低社区安全和稳定风险也将起到正面作用。

2. 多元共治的模式得到充分检验

社区居民委员会党支部、社区居民委员会、物业公司、网格员、社区志愿者、网格员[①]等的联动合作机制得以建立，同时疫情之前以街道办事处为主的权力引导模式得以扁平化处理，疫情联防联控模式之下，社区居民委员会与市场监管部门、公安部门、卫生健康部门之间的信息传递更加直接和便捷。

3. 居民与居委会等的关系逐渐融洽

社区居民委员会、物业公司等在疫情防控期间做出了大量工作，提供了防控消杀服务、生活保障服务等，解决了居民的诸多现实困难，互相之间由于管理产生的矛盾得到有效化解。

4. 社区居民委员会的地位得到较大提升

在疫情防控期间，社区居民委员会的作用得到党委政府的倚重，社区居民委员会在疫情防控中的工作得到广泛认可，为社区居民委员会在城市治理中地位提升提供了机遇，同时疫情期间公检法等机关对于不服从社区管理，冲击、侮辱、打骂社区工作人员的行为依法从重从快打击，从侧面也提升了社区工作人员的地位。

5. 新的治理技术应用得到广泛推广

疫情期间为了降低病毒传播的概率，各种新的信息技术得到广泛的应用，微信群、QQ 群、公众号、各类健康码等辅助性的治理手段，在疫情期间成为治理的主渠道，出入小区无接触扫描等措施得到广泛的应用，成为人员管理的新途径。在一定程度上而言，疫情防控提升了城市治理的数字化水平，为今后的

---

① 社区居民委员会在社区治理中面临着诸多的困难，社区范围相较于社区居民委员会的职责范围和人员数量而言是庞大的，因此对社区进行网格化管理，从街道办事处到社区共建立四层网格，其中到社区就有三层，构建起以人为媒介的信息网络和反馈机制，是现在社区治理中的推行做法。

政务大数据、社会服务大数据等的发展作了助推。

但是同时，社区治理在疫情检验之后，也暴露出一些比较突出的问题，这些问题能否得到有效解决，将在一定程度对疫情期间社区治理的经验得到有效发展产生作用。例如，在疫情期间所掌握的居民个人信息能否得到有效的利用和保护，应当对掌握居民个人信息的单位和个人进行严格的管理，对信息存储、信息调取和信息利用等方面采取有效措施，避免出现信息安全风险；联防联控机制在疫情结束之后，所形成信息共享和部门之间的合作机制，能否在应急预案之外的常态化治理中予以保留，从而提高城市治理的效能，将扁平化治理的结构运用到其他的办事流程和领域中；社区居民委员会财力资源等在疫情之后能够继续得到有效的保障，政府和社会协同之下，能否为社区提供更为稳定的服务资源供给，建立社区服务的长效机制；新的治理技术手段在疫情之后，能否通过技术手段利用到其他的治理领域，使得社区权力行使从表面化转换为数据背后的操作，当然同时这也可以为社区治理提供简单有效的便捷途径。

疫情对于市域治理中的基本单元社区治理，提供了一次转型提质的机遇，将疫情期间所检验的有效经验予以制度化的方式固定下来，并系统化地运用到其他的市域治理领域，对于提升市域治理能力和水平、实现治理的体系化和现代化都具有非常重要的意义。当然，关于社区的制度化和立法化，仍然需要对“社区”的概念进行充分的讨论，目前的社区在我国宪法和法律层面仍无确切的含义。但是对于明确社区居民委员会作为基层群众自治组织的职能，扩大社区居民委员会在社区管理中的权限，并且通过立法的方式将社区居民委员会获得财政支持的内容类型、资金来源和使用权限予以规定，对在疫情后更加充分地发挥社区居民委员会在城市治理、社区服务、公共安全参与等方面的作用来说，是一个难得的机遇，同时也是立法者应当对社会发展所作出的应有的回应。法律具有滞后性，但是并不意味着立法者可以对社会现实的发展无所作为，通过地方立法、政府规章制定的方式，将地方经验进行总结，进而将地方经验以部门规章、行政法规的方式予以推广，最终推进社区立法工作的进程。

四、余论

笔者在本文所作社区定位、功能之讨论，与社区治理的实际相对比仍有两个问题没有能够得到充分的讨论，即城中村村改居和为建立社区居民委员会的物业公司在社区治理中的地位、作用问题。就村改居而言，目前面临的主要难题是一般的城市社区居民委员会没有管理财产的需要，其主要的工作资金来自财政支出，但是村民委员会，尤其是城中村的村民委员会由于土地出让、村办企业等往往拥有大量的资金，如何在村改居的过程中，依法对村集体财产进行有效的管理和处理是解决村改居难题的关键；而对物业公司而言，在没有建立社区居民委员会的小区，实际上由物业公司来实现社区居民委员会的职能，但是与社区居民委员会相比，物业公司属于营利性的组织，其一方面有获得利润的需要，另一方面与居民之间的关系也无基层民主认同的保障，因此对应当建立社区居民委员会的小区，尽快建立居民委员会，扫除社区治理的死角是必然要尽快完成的工作。市域治理是一个大命题，市域治理的效能要通过社区来实现，社区治理难题的解决，同时需要市域治理格局的改变来营造空间，在充分总结经验的基础上，推动设区的市社区治理的地方立法工作，为社区治理提供法治依据是一个迫切需要解决的问题。

重大公共卫生风险防控法律问题研究*

李　蕊**

摘要：2019年年底新冠肺炎疫情的产生，暴露出我国在重大公共卫生风险防控环节上存在着诸多法律问题，主要表现为：突发公共卫生事件认定制度的立法欠缺，预警制度的立法缺陷，信息公布制度的不足。应理顺相关法律规范，对应重大公共卫生事件防范环节即报告、认定、预警、信息发布环节，重点完善我国突发公共卫生事件的认定、预警、信息发布制度等，形成完整统一的重大公共卫生风险防控法律体系。

关键词：重大公共卫生风险；防控；法律体系

2019年年底新冠肺炎疫情暴发，国家政府采取大力措施，14亿民众同心抗"疫"，取得了积极的效果，但早期出现的疫情反应不到位，预警、信息发布不及时等情况，也暴露了我们对重大公共卫生的风险防控存在着许多法律问题，此次疫情来势凶猛需要我们加强防范，需要进一步完善我国重大公共卫生风险防控法律制度。

一、我国重大公共卫生风险防控法律制度概况

对于重大突发公共卫生事件(以下简称"重大突发事件")，防范是首位。以时间顺序和状态为标准，重大突发事件的防范可划分为：日常防范和早期防范两种。日常防范是指在平常生活中制定应急预案，通过应急演练、防范教育等

---

* 第三十二届全国副省级城市法治论坛获奖论文优秀奖。

** 李蕊，济南大学政法学院教授，法学硕士。

提高民众防范意识和能力等进行的防范。早期防范是指对处于萌发过程中的可能引发重大突发事件发生的相关卫生事项，根据其演进轨迹与发展趋势，

采取跟踪报告、事实认定、预警、信息发布等应对措施而进行的防范。这一时期意味着重大风险可能逼近、迫在眉睫，早期防范

是重大公共卫生风险防控的重中之重。因此，本文对早期防范的相关法律制度进行重点研究。实践经验告知，早期防范环节包括：第一，监测、获取卫生信息进行报告；第二，对信息进行核实、分析、评估得出事实认定；第三，提出警示予以报警；第四，及时、准确发布信息。这四个环节分别对应重大突发事件的卫生信息报告制度、认定制度、预警制度和信息发布制度。所以，完整的重大公共卫生风险防控法律体系包括该四项制度。

目前，我国有关重大公共卫生风险防控的规范主要分散在《突发事件应对法》《传染病防治法》《突发公共卫生事件应急条例》中，《突发事件应对法》和《突发公共卫生事件应急条例》设专章规定了预防与应急准备，规定地方各级人民政府有关部门制定相应的突发事件应急预案，《突发公共卫生事件应急条例》还进一步明确全国突发事件应急预案的主要内容，同时，两部规范文件对有关突发事件的报告、认定、预警和信息公开有所规定，其中，《突发公共卫生事件应急条例》对突发事件的报告上有严格的时间和层级的规定。《传染病防治法》也设有传染病预防专章，并将疫情报告、通报和公布单设一章。规定县级以上地方人民政府应当制定传染病预防、控制预案，衔接国务院或国务院卫生行政部门的规定确立了比较详尽的报告制度，对监测制度、预警制度、信息公开(公布)制度则粗略规定。纵观我国当前有关重大公共卫生事件防范的法律规定，防范制度有以下几点特征：一是整体内容上凸显重应急处理轻防范。虽然有预防的规定，但预防的专章中同时存在相当多的应急处理规范。二是制度规范不平衡。从重大公共卫生风险的防控环节看，除了报告制度规定相对到位外①，有关突发事件认定制度、预警制度和信息发布制度的规定明显不足。三是法律文件间衔接性差。相关制度规定零乱，没有形成统一完整的重大公共卫生风险防控法律体系。

① 参见《突发公共卫生事件应对条例》第19条和第20条，突发事件应急报告制度。

二、重大公共卫生风险防控法律制度之不足

(一)突发公共卫生事件认定制度的立法欠缺

1.突发公共卫生事件认定标准模糊

国务院《突发公共卫生事件应急条例》规定:“突发公共卫生事件,是指突然发生,造成或者可能造成社会公众健康严重损害的重大传染病疫情、群体性不明原因疾病、重大食物和职业中毒以及其他严重影响公众健康的事件。”①该定义将突发公共事件概括为四类:一是突发的重大传染病疫情。此类公共卫生事件界定相对明确,标准是重大传染病疫情。适用于已为我们认知的传染病性疾病的疫情早期防控。而武汉新冠肺炎最初出现时一时难明原因,是否传染更难早期定论,无法在早期依据此类标准快速将其纳入该类突发公共卫生事件的范畴。二是突发的群体性不明原因疾病。该类的界定相对模糊,标准必须满足两个条件:不明原因和群体性。武汉新冠肺炎似乎符合这一类。但什么是群体性疾病?达到多少人属于群体性疾病?标准难确定,操作缺失标准依据,武汉新冠肺炎据此在早期很难被纳入此类突发公共卫生事件。三是突发的重大食物和职业中毒。达到什么程度是重大食物和职业中毒,这里也不明确,当然,明显武汉新冠肺炎疫情不属此类突发公共卫生事件。四是突发的其他严重影响公众健康的事件。这是一个兜底条款,标准更加模糊,更无法在早期将突发的卫生疫情纳入此类突发公共卫生事件。突发公共卫生事件认定标准不明确,即评价指标不足,难以完成推断,突发公共卫生事件的认定困难。

2.突发公共卫生事件认定主体不适当

《突发公共卫生事件应急条例》对“突发公共卫生事件”作了界定,没有明确“突发公共卫生事件”的认定主体。其上位法《突发事件应对法》赋予了地方政府认定权,其第4条规定:“国家建立统一领导、综合协调、分类管理、分级负责、属地管理为主的应急管理体制。”“属地管理为主”的规定明确了地方行使应急的管理职责,是否属于突发事件则由地方相关部门认定。第7条:县级人民政府对本行政区域内突发事件的应对工作负责;涉及两个以上行政区域的,由有关行政区域共同的上一级人民政府负责,或者由各有关行政区域的上一级人民

① 参见国务院《突发公共卫生事件应对条例》第2条。

政府共同负责。由此,突发事件的认定主体为县级以上人民政府。突发公共卫生事件是否较其他突发事件如自然灾害、事故灾难等有着更突出的不可预测性、难以确认的特性呢？事实证明确实如此。若要抢占时机,实现早期预防,突发公共卫生事件则需要专业的人员和组织机构行使初步认定权。而将其交由掌控本行政区域综合管理事务的政府完全确认,一不符合职能分离原则,不符合专业的人员、组织做专业事务的规则;二增加认定环节,延长认定时间,不利快速应对,延误时机。

3. 缺乏对突发公共卫生事件认定的责任规范

我国当前疫情防控法律体系中,责任规范主要集中在报告制度上,如对迟报、谎报、瞒报、漏报有关突发事件的信息和通报、报送、公布虚假信息等的责任追究,忽略对突发公共卫生事件认定不作为、迟延、玩忽职守等情况的规范。认定环节上责任的缺失,易导致突发公共卫生事件认定上的懈怠和松垮,早期迅速预警防控能力丧失。

(二)预警制度的立法缺陷

突发公共卫生事件确认后,应由相关部门依法及时发布预警,公开信息,才能引导群众快速应对,防控疫情。当前我国预警制度在新冠肺炎疫情中已显露出许多不足。

1. 预警权配置及其规范不合理

第一,地方政府虽被《突发事件应对法》赋予预警权,实质无权预警。《突发事件应对法》第 43 条规定,县级以上地方各级人民政府对“可以”预警的自然灾害、事故灾难或者公共卫生事件即将发生或者发生的可能性增大时,应当根据有关法律、行政法规和国务院规定的权限和程序,发布相应级别的警报,决定并宣布有关地区进入预警期。根据此规定,县级以上地方各级人民政府可以成为预警的主体,发出预警。但必须符合一定条件。从文义和上下文的关系上理解,这里的“可以”预警是指:一是须能够预警,即能够预测、把控事态发展趋势;二是须“有权”预警,即必须有“有关法律、行政法规和国务院规定的权限”才能进行预警。该规定意味着:首先,若这两个条件不能同时满足则县级以上地方政府无权预警。其次,即使对突发的事件有一定把握,但没有相关法律、行政法规和国务院规定的具体授权,则县级以上地方政府仍无权自主预警,县级以上地方政府预警权的行使还须依赖其他法律、行政法规或国务院的其他具体授权。那么,我国相关的法律法规有无对县级以上地方政府预警权的进一步具体规定？回答是否定。从预警的功能和目的看，预警的最终目的是提前预警危机、降低风险带来的严重危害，维护社会可持续发展。[①] 意味着赋予预警权必然应赋予相应的信息发布权，但《突发公共卫生事件应急条例》作为具体实施的下位法，并没有赋予县级以上地方人民政府预警及相关信息发布权，仅规定县级以上地方人民政府有义务建立和完善突发事件监测与预警系统。[②] 所以，虽然《突发事件应对法》规定县级以上地方各级人民政府有权预警，但实质地方政府无权自主预警。

第二，其他法律、法规对突发公共卫生事件预警权的高度控制。相关联的《传染病防治法》也规定了预警制度，同样，高度集中预警和信息发布的权力，明确由国务院卫生行政部门和省、自治区、直辖市人民政府根据传染病发生、流行趋势的预测，及时发出传染病预警，根据情况予以公布的传染病。[③] 预警权的高度集中，显然与属地管理为主的应急管理规则不一致，另一方面，也架空《突发事件应对法》对有关县级以上政府预警的规定。

2. 预警程序规范缺失

当前相关法律、法规无预警程序规范，预警程序缺失，预警制度在整体构架上不完整。对预警发出的时间、预警决定前的公众参与、方式和渠道等无规定。预警发出没有时间限制、决定预警发出前是否群众参与，发出的形式、渠道不明确，预警发出无程序依据，预警缺乏程序规范和制约。

3. 预警责任规范不足

有关预警不力的责任追究流于形式。虽然《突发事件应对法》第 63 条第 3 款规定，未按规定及时发布突发事件警报、采取预警期的措施，导致损害发生的，将追究地方县级以上各级人民政府有关部门的责任。但如上文所分析，由于县级以上地方人民政府预警权被架空，无权力何谈责任，该规定容易导致追责落空，出现预警不力，责任相互推诿也就在所难免。另一方面，预警程序规则缺乏也是预警不力追责难以落实的重要原因。我国预警制度关于预警程序的规范欠缺，相关部门对已确认的“准”突发公共卫生事件，在多长时间内发出预

---

① 参见白丰硕：《我国突发公共卫生危机预警体系的完善研究》，西北大学硕士学位论文，2014 年，第 13 页。

② 参见《突发公共卫生事件应对条例》第 14 条。

③ 参见《传染病防治法》第 19 条。

警，通过什么渠道和方式预警等没有执行依据，同时也缺失了程序上衡量和追究责任的依据。

（三）信息发布制度的缺陷

1.信息发布权与预警权易混同

预警权是在紧急状态中，有关政府及行政部门作出反应而发出警示、号令的权力，具有应急性、特殊时期性。信息发布权即信息公开权是政府及行政部门将涉及公众利益的信息进行公布的权力与义务。信息发布权与其说是权力，不如说是义务，信息发布承载更多的是义务，因涉及公众利益的信息，公众对其具有普遍知晓的权利，无论在常规下还是紧急状态中，相关部门都有义务予以公开，不能加以限制、封锁，信息发布权具有普遍性和常态性。分析相关法律规范，《传染病防治法》第 19 条和 38 条分别规定了预警制度和信息发布制度。将预警权和信息公布权归与同一省级以上政府部门行使。《突发事件应对法》第 43 条规定县级以上政府部门预警权，其 44 条第四项赋予县级以上政府部门在预警后定时向社会发布相关信息。将预警权和信息发布权归为同一部门行使，外在形式上预警和信息发布混合，易混同预警权和信息发布权的属性，易导致信息封锁，不利于信息发布遵循信息公开的规则。

2.信息发布权高度集中

《突发公共卫生事件应急条例》第 25 条规定信息发布制度，将突发事件的信息发布权集中由国务院卫生行政主管部门行使，并规定省级人民政府卫生行政主管部门须经国务院卫生行政主管部门的授权才能进行信息发布。《传染病防治法》第 38 条规定，在一般情况下，国务院卫生行政部门定期公布全国传染病疫情信息。省、自治区、直辖市人民政府卫生行政部门定期公布本行政区域的传染病疫情信息。而在传染病暴发、流行时，即突发事件产生后，由国务院卫生行政部门向社会公布传染病疫情信息，省级人民政府卫生行政部门获取授权后才能在其辖区范围内发布相关疫情信息。信息发布权的高度集中，不利于信息及时公开，不利于引导群众在快捷获取正确信息后积极应对，使民众不知情而处于疫情危险之中；或因信息不及时透明，易引发舆情，引起社会恐慌等一系列问题。

同时，《突发事件应对法》44 条第四项虽然赋予县级以上政府部门定时向社会发布相关信息。但只是在预警后才有权发布信息，且这一规定与其他法律、法规有关由谁发布信息问题的规定有出入，不同法律间规定不一致，规范乱象存在。

疫情防控法律体系的严重缺陷,使我们在应对凶猛的新冠病毒时,出现突发事件认定拖延、发出预警不及时等疫情防控疲软情况。

三、完善重大公共卫生风险防控法律体系

(一)明确突发公共卫生事件认定制度

1.确立不明原因"准"突发公共卫生事件认定制度

鉴于不明原因突发公共卫生事件本身的不确定性和隐蔽性,早期认定上的艰难性和检测认定上的时间需要性,为了及早防范,建议设定不明原因"准"突发公共卫生事件认定制度,区分不明原因"准"突发公共卫生事件和突发公共卫生事件两种情况。根据疫情时间、范围内的发生情况和影响后果,结合地方各级人民政府有关部门制定的相应突发事件应急预案所确定的具体标准,对无法及时识别的疾病的发生,设定相应准突发公共卫生事件,补充对突发公共卫生事件的概括性界定。如,总结武汉新冠肺炎疫情的经验与教训,可对"群体性不明原因疾病"具体细化为:在同一城市或市区(县)半个月内连续发生数10起以上且有死亡,发生与因不明原因严重危害身体健康的特征相同疾病的,应认定为"准"突发公共卫生事件。进而地方有关部门据此调整、启动相关预案,以预防重大突发公共卫生事件的发生。

2.确立"准"突发公共卫生事件的认定主体

因突发公共卫生事件的复杂性和专业性,应将"准"突发公共卫生事件的认定权授予专业的组织来行使,同时应遵循法制的统一性和适应社会实践需要来加以确定。《传染病防治法》第7条规定:"各级疾病预防控制机构承担传染病监测、预测、流行病学调查、疫情报告以及其他预防、控制工作。"县级以上疾病预防控制机构负责疫情监测、预测,是疫情信息收集者和专业的调查者和报告者,因此,其作出"准"突发公共卫生事件的认定与判断具有专业性并兼顾及时性,立法应授予其"准"突发公共卫生事件的确认权。明确规定:县级以上疾病预防控制机构负责其所在县(市、区)发生的"准"突发公共卫生事件的认定;涉及市设的区两个以上发生的,由市疾病预防控制机构负责认定,并同时报送同级卫生行政部门。

3.不明原因"准"突发公共卫生事件的升级与撤销

当不明原因"准"突发公共卫生事件进一步发展,在县级以上疾病预防控制

机构发现有扩大的趋势或人员死亡的情况下，应立即将其确认为突发公共卫生事件，同时依法报送同级卫生行政部门和人民政府。当"准"突发公共卫生事件被遏制在早期时，县级以上疾病预防控制机构应向县级以上卫生行政部门提交撤销认定报告。

4. 明确"准"突发公共卫生事件疏于认定的责任

因突发公共卫生事件的突发性和难预测性，在认定上确有困难，因此认定时出现偏差在所难免，无论是对"准"突发公共卫生事件还是突发公共卫生事件的认定准确性不能苛责，但对于不积极履行职权怠于或疏于调查、分析、判断认定，即玩忽职守导致的不作为、迟延作为等应确立责任追究。

另外，须加强突发公共卫生事件的确认主体(组织)建设。将突发公共卫生事件认定权授予各级疾病预防控制机构，必须在人力、财力上为各级疾病预防控制机构行使认定权提供保障。当前我国相关专业人才和管理人才匮乏，从统计分析结果来看，75.4%的应答人员认为人员数量和能力不足是监测预警工作难点。[①] 特别是县级疾病预防控制机构技术人员缺乏、人员素质参差不齐，因此，应加大县级疾病预防控制机构技术人员的补充和培养力度。在基层还存在硬件和财力保障不足，应急反应装备落后和物资储备不足，县级以上监测网络不健全的情况[②]，因此，应加大对各级疾病预防控制机构的财力投入，尤其加大对县级疾病预防控制机构的财力投入。

(二)完善预警制度

1. 合理配置预警权

预警权行使意味发布预警并在一定范围内采取对应措施，一旦预警，意味着社会立即启动联动应急系统。因此，预警权须结合突发公共卫生事件的级别，根据职能范围与级别在中央与地方之间合理配置。

考察国外的做法，有的国家将预警权赋予各级疾病控制中心，有的国家则由政府行使预警权。如美国，由美国疾病预防与控制中心(CDC)对全国范围的公共卫生监测和预警，有权整合调配卫生资源，应对突发事件。又如印度，各级

---

① 参见刘建春等:《卫生应急人员对突发公共卫生事件监测预警体系现状认知和对策调查》,《中国公共卫生管理》2014 年第 2 期。

② 参见刘建春等:《卫生应急人员对突发公共卫生事件监测预警体系现状认知和对策调查》,《中国公共卫生管理》2014 年第 2 期。

政府主管部门基本都设置指挥中心，指挥中心一旦得到危机报告即进入启动状态。[①] 印度的卫生行政主管部门拥有预警权。再如日本，当突发公共卫生事件的危险来临时，政府对国民及有关机构发出紧急通报，日本之所以能做到强有力的中枢指导，在于其国家较小。[②] 由于国情不同，各国在预警权的配置上也不同。但国外的做法给予我们一定启示，特别是印度和日本的一些做法值得借鉴。

(1)赋予县级以上政府在其所辖范围内的预警权

首先，借鉴印度做法赋予地方在其所辖范围内的预警权。高度集中预警权能，固然有利于国家统一部署、把控局面，加大应对突发公共卫生事件的力度，但另一方面也容易滋长地方的依赖、观望作风，使地方失去对突发公共卫生事件的早期应对能力。赋予地方在其所辖范围内的预警权，符合中央与地方的权力配置的现代规则，即涉及全国范围、宏观层面、全局性的权力交给中央，地方范围内的具体事务则交给地方管理。地方能办的事，中央一般不管，中央主要为地方不能办到的事务提供服务。[③] 当然，地方行使预警权后，还必须依法及时上报中央行政主管部门，以利于中央对事件在全国范围内的把控。

其次，赋予县级以上政府相应预警权。我国人口多，区域辽阔，在信息上报、分析、评定、反馈等环节上，相比较地方，中央政府需要花费更多时间。若将预警权像日本那样高度集在中央政府，这在我国不仅不现实，且不利于地方对疫情及时反应，快速采取应对措施。但对日本由政府预警后所呈现出的统筹安排、社会资源快速调配、措施强力等长处不可忽略。预警一旦发出，意味着各部门间的协调配合、区域内资源的整合等，而我国地方各级人民政府在其管辖范围内是有此能力的，因此，应结合我国国情赋予县级以上政府相应管辖范围内的预警权，以增强疫情早期的防控能力。

最后，完善突发公共卫生事件预警的相关规定。根据我国《突发事件应对法》第4条有关突发公共卫生事件地方和中央职权划分的规则，突发公共卫生事件预警权的配置应以突发公共卫生事件所涉范围、事件影响程度为衡量标

---

① 参见施建华等:《国外突发公共卫生事件应急处置体系及对我国的启示》,《中国卫生政策研》2014年第7期。

② 参见施建华等:《国外突发公共卫生事件应急处置体系及对我国的启示》,《中国卫生政策研》2014年第7期。

③ 参见宋宇文:《地方权力界限的法律分析》,《唯实》2008年第3期。

准，合理配置各级行政部门预警权，进而完善突发公共卫生事件预警规定，立法确立：县级以上人民政府在接到本级疾病预防控制机构有关突发公共卫生事件报告后，应以法定程序在其管辖区域内发出预警。突发公共卫生事件，若在县级以上行政区域发生，则县级以上人民政府有权在其辖区内发布预警；若在省、自治区、直辖市行政区内发生，由本行政区域的省级人民政府发布预警；若跨省发生，由国务院卫生行政主管部门发布预警。

(2)赋予县级以上地方卫生行政主管部门"准"突发公共卫生事件预警权

"准"突发公共卫生事件涉及范围小，需要的控制力度轻，《突发公共卫生事件应急条例》第4条第2款规定："县级以上地方人民政府卫生行政主管部门，具体负责组织突发事件的调查、控制和医疗救治工作。"当县级以上卫生行政主管部门在收到"准"公共卫生事件报告后，应赋予其在所辖区内，发布"准"公共卫生事件的确实信息、提出警示的权力。并局部性、针对性采取应对措施，同时，引导群众行为，消除其不必要的惊慌，将有利于提高群众防疫的心理素质和能力。这将使有关部门对可能发展到来的突发事件提前准备，提前进入应战状态，或将该"准"发生突发公共卫生事件遏制在早期，不再进一步扩大。

2.设定预警程序规范

预警程序规范是预警及时发出的依据和保障，也是预警不力追责的依据。一是规范预警时间，应规定各级政府与卫生行政主管部门在接到相关认定报告后，在合理时限内，如最晚在接到报告后次日发出警报并采取措施。二是规范预警决定前的群众参与。在决定发出预警前，通过网络渠道快速吸收群众代表参与，群众参与不是对预警发出与否发表意见，而是让群众尽快作出反应，协助预警有效发挥作用。三是规范预警方式和渠道，应规定以政府官网、短信发送、微信推送、电视、报纸等方式和渠道进行本区域内的普遍预警。

3.完善预警责任追究规范

强化预警不力的责任。预警权的下放与合理配置，遵循有权必有责规则，应完善预警不力的责任规定，应规定：县级以上地方各级人民政府和卫生行政部门接到突发公共卫生事件报告后，应依法及时发出警报并采取相应措施。如未在法定期限内发出警报、采取措施，造成损害或引起事态进一步扩大的，追究相关责任人员的行政责任，情节严重的追究刑事责任。如未以法定的方式和渠道进行预警，引起不良后果的，追究相关责任人员的行政责任。

（三）完善信息发布制度

1.区分预警权和信息发布权，使信息发布常态化

预警权属于非常时期运行的权力，而信息发布权则应纳入常态下行使的权力。因"准"突发公共卫生事件涉及公众利益，须及时公开信息，提醒民众注意防护，所以，应衔接信息公开制度，使信息发布常态化。只有信息发布常态化，才能使信息公开透明，才能让群众以正确的心态获取信息，关注事态发展，积极正确应对突发事件，消减因毫无准备的预警和信息不对称所引发的恐慌。

2.赋予县级以上疾病预防控制机构信息发布权

应赋予县级以上疾病预防控制机构定期发布信息的权力，同时赋予其在确认"准"突发公共卫生事件上报有关部门后，在法定的合理时间内公开信息的权力。赋予县级以上疾病预防控制机构信息发布权，一方面，可以去掉信影响息发布的中间环节，使公众快捷获取信息，快速进入防控角色，采取自我防控措施；另一方面，与相关政府部门的预警相衔接，合理规范县级以上疾病预防控制机构上报事件后的信息发布时限，如上报后 24 小时内发布信息，可以与相关政府部门所发布预警相互补充、相互配合，共同推进早期防控工作。另外，统一由县级以上疾病预防控制机构行使信息发布权，也一并解决现行法律法规对信息发布规定不一的问题。当然，还应规范县级以上疾病预防控制机构有关信息发布的时限、方式及责任等。

相对重大公共卫生风险防控环节，公共卫生事件的报告制度、认定制度、预警制度、信息发布制度之间相互依存，缺一不可，且一一承接、有机联系。报告制度是重大公共卫生风险防控的最初环节，报告的及时性是汇总信息、发现认定公共卫生事件的前提，是启动有效风险防控的第一步，尽管目前我国有关报告制度的规范相对到位，但还应特别强调与规范对不明原因严重危害身体健康的疾病的上报及流程；认定制度是准确发出预警的必要前提与基础；而预警制度又是应急预案有效启动的条件；信息发布制度则为应急预案的适时调整提供依据。总之，对应重大突发公共卫生事件的报告、认定、预警、信息发布等防范环节完善相应制度，才能最终形成完整统一的防范制度，才能使重大突发公共卫生事件的防范有法律依据和保障，才能提高我们对重大突发公共卫生事件的防范能力。

打击防范妨害疫情防控犯罪问题实证研究*

姚西翠　宋　婧　刘　琦**

摘要:新冠肺炎疫情对我国社会、经济等多方面产生重大影响。检察机关充分履行刑事检察职能,坚持依法从快从严打击妨害疫情防控犯罪,维护医疗秩序、防疫秩序、市场秩序和社会稳定,保护人民群众财产安全。但是通过办案发现,要想取得更好的打击成效、办案质效、防控长效,还要在法律适用准确性、取证及时有效性、科技保障办案力度、化解矛盾、加强市场监管等方面进一步加大工作力度。本文以济南市检察机关参与打击处理妨害疫情防控犯罪案件情况为样本,结合分析案件特点,讨论办案过程中遇到困难和问题,探讨对策建议,以期待对疫情防控工作特别是刑事犯罪打击有所裨益。

关键词:危害疫情防控;刑事犯罪;打击;防范

在全国上下齐心协力抗击新冠肺炎疫情的形势下,检察机关立足充分履行检察职能,以强化对涉疫情刑事案件的介入引导侦查机制为抓手,坚持依法从快从严打击妨害疫情防控犯罪,审查逮捕和起诉环节平均用时 1.86 天,检察机关提出的量刑建议均被法院采纳。其中莱芜区院办理的邓某某妨害公务案,为全省第一起涉疫情妨害公务案,被最高人民检察院作为全国典型案例发布。同时在办案过程中也发现,巩固当前新型冠状病毒疫情应对的既有成果,实现疫情防控工作的法治化,无论从司法执法、市场监管还是社会治理层面上都还有很长的路要走。本文主要以济南市检察机关办理的妨害疫情防控犯罪案件情

---

* 第三十二届全国副省级城市法治论坛获奖论文优秀奖。

** 姚西翠,济南市人民检察院法律政策研究室,三级高级检察官。宋婧,济南市人民检察院第一检察部,四级高级检察官。刘琦,济南市城郊地区人民检察院,检察官助理。

况为样本，分析此类案件特点，讨论执法办案过程中遇到困难和问题，探讨打击和防范此类犯罪的对策建议，以期待对深化疫情防控法治化有所裨益。

一、妨害疫情防控犯罪案件特点分析

新冠肺炎疫情发生以来，截至 2020 年 7 月 31 日，全市检察机关共提前介入引导侦查妨害疫情防控犯罪案件 30 件 40 人，依法从快批准逮捕 3 件 5 人，审查起诉 18 件 23 人，提起公诉后法院已作出有罪判决 9 件 14 人。通过对上述案件认真梳理，发现当前妨害疫情防控犯罪主要呈现以下特点：

（一）案件类型相对集中

基于妨害疫情防控的犯罪客体特征，此类案件共涉及三类行为四大领域：第一类是个别人逃避、对抗疫情防控措施的行为本身涉嫌妨害社会管理秩序类犯罪的案件，包括妨害传染病防治罪 1 件 1 人，妨害公务罪 2 件 2 人，寻衅滋事罪 1 件 1 人，共 4 件 4 人，占全部妨害疫情防控案件的 13.33%。第二类涉及疫情防控物品相关犯罪，占全部案件的 80%。主要是一些不法分子乘疫情暴发初期各地口罩、测温枪等防护物资普遍缺乏之机“蹭热点、谋暴利、赚快钱”，通过制造或者销售假劣产品、无销售资格而非法销售口罩等商品的形式谋取暴利，甚至利用被害人急于购买的心理直接骗取他人财物。涉及的具体罪名包括：生产、销售不符合标准的医用器材罪 2 件 2 人，非法经营罪 2 件 5 人，生产、销售伪劣产品罪 1 人，销售假冒注册商标的商品罪 1 件 6 人，诈骗罪 19 件 20 人。从犯罪客体特征分析，破坏市场经济秩序和侵犯财产两大领域犯罪分别占 16.67%和 63.33%。第三类是非法收购、出售珍贵、濒危野生动物案，共 2 件 2 人，占全部妨害疫情防控案件的 6.7%。

（二）犯罪涉及面广

从发案地域看，济南下辖 12 个区县和高新区均发生了妨害疫情防控刑事案件，各区县检察院介入和办理此类案件至少 1 件，最多 6 件。从危害范围看，涉疫情防控物资犯罪大多表现为异地跨省市作案，被害人往往分散在全国各地。特别是占比高达 63.33%的诈骗案件都是利用网络实施，犯罪嫌疑人通过在微信群、朋友圈发布出售口罩或者测温枪等防疫物品的信息，取得被害人信任后，利用微信转账、支付宝付款或者银行汇款收取被害人支付的定金或者货款，再将被害人拉黑，以达到侵吞被害人钱款的目的。如居住在济南历城区的陈某冒充口罩企业业务员，有口罩现货，在网上发布销售信息，先后诈骗聊城、安徽、北京三名被害人 40 余万元。从犯罪嫌疑人的年龄分布看，绝大多数为青壮年，18～40 岁占 75%，其余 40 岁以上 9 人，未成年人 1 人。从犯罪嫌疑人学历构成方面，小学文化程度占 25%，初中至高中学历占 60%，大学文化程度占 15%，说明妨害疫情犯罪与文化水平高低关系不大。

（三）作案手段多样化

诈骗类犯罪案件犯罪嫌疑人除利用网络实施犯罪，有的还借助真实运单号暂时骗取被害人的信任。诈骗分子手中往往并无货源，为取信于人，便想方设法制造快递揽收信息，将单号发给被害人，营造发货假象。如犯罪嫌疑人郭某某在没有口罩货源的情况下，利用快递单号诈骗被害人张某某“货款”人民币 5 万余元。或者李代桃僵发假货，意图达到骗取信任、拖延时间的目的。如被害人马某从犯罪嫌疑人处购买一次性医用口罩，后来才发现其寄来的是退热贴。在妨害社会管理秩序犯罪案件中，妨害传染病防治案件一般表现为故意隐瞒行程轨迹，逃避隔离观察。如魏某某，在妻子被确诊为新冠肺炎感染者，在其与女儿、母亲作为密切接触者隔离观察期间，擅自带其女儿、母亲驾车逃回住所，后三人均被确诊为新冠肺炎感染者。妨害公务、寻衅滋事案件则表现为拒不执行防疫期间相关规定，暴力袭击正在执行公务的民警，任意毁坏疫情防控设施等。如邓某未按照公司规定佩戴口罩，在防控人员劝说阻止无效的情况下，强行从电动伸缩门跳入公司，民警出警后，邓某某多次打民警脸部，并致执法记录仪滑落；再如李某对因疫情采取的防控措施不满，不顾警示告知，多次任意毁坏疫情防控设置的蓝色铁皮围挡及检查点，等等。

二、打击防范妨害疫情防控犯罪问题思考

对妨害疫情防控案件加强提前介入，坚持优先办理，依法快捕快诉，是检察机关的工作重点。在工作过程中，既遇到了实务问题，也发现了办案保障方面存在的短板，以及现阶段社会综合治理方面存在的不足。

（一）法律适用存在认识分歧

从妨害疫情防控犯罪案件范围看，司法实践中遇到的法律适用问题主要表现为以下四种情形：一是部分罪名的适用存在困难。比如生产、销售不符合标准的医用器材罪、妨害传染病防治罪、利用疫情实施哄抬物价、囤积居奇的非法

经营罪等，有的罪名法条内容较为简单，对罪状描述不清，对情节列举笼统，缺乏与司法实践中复杂多样的案情相匹配的具体标准，使得其适用存在一定困难。检察机关受理审查起诉的案件中，有1起因司法解释发生变化公安机关撤回移送起诉。二是部分事实存在此罪与彼罪难以把握的问题。如以危险方法危害公共安全罪与过失以危险方法危害公共安全罪、妨害传染病防治罪的区分与适用，是在疫情防控前期困扰司法实务的突出问题，公安机关、司法机关在认识把握上存在一定差异。三是常用罪名遇到疫情产生新的适用难题。如生产、销售伪劣口罩案件中产品质量标准、产品鉴定、主观明知问题，以及对销售伪劣口罩定性不同的问题，有的定性为销售伪劣产品罪，有的定性为销售不符合标准的医用器材罪。四是认罪认罚从宽制度的适用存在难点。当前法律政策要求对涉疫情案件从重处罚，与认罪认罚从宽制度的运行存在一定冲突。有的办案人员对妨害疫情防控的认罪认罚案件如何从宽存在疑虑，如何精准提出量刑建议是难点问题。这些问题关系到打击范围的统一把握、司法标准的统一适用、办案质量的统一评价，关系到打击妨害疫情防控犯罪是否在法治轨道上运行。

（二）案件取证受到疫情影响

证据是证明案件事实的关键，直接关系到对相关妨害疫情防控行为能否运用刑事手段进行惩治，而取证的效率则影响到打击的效率，影响人民群众对司法办案的切身感受与满意度。在提前介入和办理妨害疫情防控案件时，遇到的影响案件取证的主要情形有：一是隔离措施使得取证延后。犯罪嫌疑人是确诊新型冠状病毒感染肺炎病人、病原携带者或者疑似病人的，按照疫情防控工作要求，需要采取隔离治疗、隔离观察等措施，防范疫情传播风险。司法机关根据办案需要，拟对犯罪嫌疑人采取强制措施，或者开展讯问的，只能等隔离期满，再开展相关工作，而与其有密切接触者、被其传播的确诊患者也多在隔离中，对其进行调查取证存在困难，可能导致部分认定犯罪的证据灭失。二是反侦查手段使得取证受阻。部分犯罪嫌疑人具有较强的反侦查意识，为了掩盖真实身份，通过从网上购买微信号、冒用他人微信号或者非法获取他人经营执照后实施犯罪。犯罪一旦完成，既难以收集相关证据，亦难以追赃挽损，甚至存在破案抓人、钱无法追回的现象。此外，部分案件需要提取微信聊天记录证明犯罪嫌疑人主观明知，处于隔离期间的犯罪嫌疑人或者到案晚的犯罪嫌疑人可能实施串供或毁灭手机中电子数据的情形。三是强制措施制约取证效果。看守所等监管场所加强了防控,又因全国多所监狱场所发生新冠肺炎疫情,看守所等监管场所的管控措施更加严格,公安机关在破案后无法采取刑事拘留强制措施,不得不采取取保候审、监视居住等替代性措施,给侦查工作带来困难。从提前介入案件采取的强制措施看,取保候审的占 72.5%,监视居住的占 10%。四是涉案物品鉴定存在困难。一些鉴定机构受疫情影响暂不接受送检。如非法收购、销售珍贵野生动物案,鉴定机构出于对接触外来人员及野生动物风险的担心,暂不接受送检,部分工作暂时无法进行。有的涉野生动物案件中需要鉴定的事项,由于本地无具有资质的机构,需送外地相关机构鉴定,受疫情影响无法进行。另外,证据不足还影响到妨害疫情防控案件的办理,导致延长侦查羁押期限案件和"两退三延"案件增加,办案周期变长。

(三)办案科技保障水平有待提高

疫情防控期间,检察机关从加强办案安全、防范疫情传播风险出发,尽量不采取当面方式开展讯问犯罪嫌疑人等诉讼活动,代之以远程视频或者书面听取意见等方式,尽可能减少人员流动、聚集、见面交谈。但是开展远程视频讯问过程中,发现信息化保障方面仍存在问题:一是软硬件建设水平不一。少数基层检察院配套建设不到位,无法开展远程视频讯问。能够进行远程视频讯问的,音视频效果也存在差异,而且无法实现讯问笔录的同步远程打印,需要事后安排人员将讯问笔录送至看守所由犯罪嫌疑人签字后再取回,影响了远程视频讯问的效率。二是缺乏具体的操作指导规范。由于缺乏工作规范的指引,远程视频讯问随意性较强,人员配合不到位,有的是驻所检察室配合提审,有的是司法警察配合提审,有的是看守所干警配合提审,需要大量的时间进行协调,占用了大量办案时间。三是远程视频讯问室数量不能满足实际需求。由于基层检察院案件量大,而检察机关、看守所内建立的远程视频讯问室数量少,导致视频讯问室需求缺口较大,无法满足当前疫情期间刑事讯问工作需要,距离常态化远程视频讯问还有较大差距。如有的看守所仅设置一间远程视频讯问室,多个基层检察院共用,远程视频讯问工作已安排到两周之后。

(四)疫情防控对立情绪应引起重视

疫情防控期间,人民群众普遍精神高度紧张,一定程度上增加了社会矛盾激化的可能,降低了矛盾燃点。面对前期严峻的防控形势,有的人对严格的防控措施给生活和出行带来的不便不满,采取直接破坏防疫设施的方式发泄负面情绪。如李某某寻衅滋事案,其因对疫情防控措施不满,不顾警示告知,多次任意毁坏为疫情防控设置的蓝色铁皮围挡及检查点，严重破坏了疫情管理秩序，并且在批捕和起诉阶段一直不认罪。有的人通过在网络上发表过激言论表达不满，经过微信群、手机APP的传播，造成负面影响。如张某因与他人对新冠肺炎疫情认识不同在互联网上与他人发生争执后，在抖音APP和微信群发布配有偏激文字的小视频，扰乱视听。

（五）防疫物品日常监管急需加强

从提前介入的案件情况看，制假售假涉及的4个罪名占妨害疫情防控犯罪的16.67%，犯罪嫌疑人多为从事劳保用品生意的人员，长期在不同市场经营门店并且有各自的仓库，销售假冒伪劣口罩等防疫物品。如李某某、徐某二人在某市场主营劳保用品，得知新冠肺炎疫情暴发市场急需口罩，便把两年前库存的3M假口罩高价销售给了杜某某从中获取利益，销售金额共计8万余元。该类犯罪严重危及人民群众生命安全和身体健康，直接影响疫情防控大局，需要市场监管部门、司法机关积极配合地方党委政府，加大查处打击力度，加大日常监管力度。

三、解决妨害疫情防控犯罪难题的对策建议

做好打击妨害疫情防控犯罪工作，与国家治理息息相关。针对当前妨害疫情防控犯罪案件呈现的特点、遇到的困难和问题，提出以下对策建议：

（一）坚守疫情防控法治化原则

坚决落实好习近平总书记重要指示精神，在办案中正确把握违法行为与刑事犯罪的界限，正确处理严厉打击与依法办案的关系，正确考量社会危害性评价的一般标准与疫情防控时期的特殊危害性，既做到依法从严从重打击，又注意区分具体情况。一是把好案件入口关。配合侦查机关守牢案件入口关，坚持严格依法打击，针对案件不同情节，妥善运用行政处罚等手段，化解社会矛盾。二是把好案件审查关。充分发挥“审前过滤”作用，准确区分罪与非罪，坚持“不拔高”“不降格”标准，准确认定情节轻重与危害程度，避免因机械执法引发、积累新的社会矛盾。三是把好案件入罪关。守牢法治底线，坚持罪刑法定原则，提高运用法律政策能力，做到程序与实体并重，防止司法擅断，既要为疫情防控大局提供有效司法保障，又要确保办理的每一起案件经得起历史和法律的检验。四是加强业务指导。上级院涉疫情防控检察业务指导工作领导小组继续

加强案例指导和重点案件的督办力度，会同卫健、防疫、公安、海关等部门依法履行疫情防控职责，严厉打击各类涉疫情刑事犯罪，保障“外防输入、内防反弹”总体防控策略的顺利实施。

（二）着力提高法律适用精准度

《关于依法惩治妨害新型冠状病毒感染肺炎疫情防控违法犯罪的意见》《关于妨害疫情防控犯罪法律适用问题的解答》《全国检察机关依法办理涉新冠肺炎疫情典型案例》等，明确了法律适用，统一了司法尺度，提供了办案指引。公安机关、司法机关应当按照以上规定执法办案，对典型案例进行认真地学习研究，确保在认定罪名、适用法律上的统一。一是加强提前介入。及时对证据薄弱环节、补证要点等提出意见，严格证据标准。同时，针对疫情期间违法犯罪活动呈现的新情况、新问题，要主动加强与公安、法院的沟通协调，及时召开联席会议，对案件定性和处理进行充分讨论，保障特殊时期案件办理三个效果的有机统一。二是注重证据的全面审查。充分考虑案件起因、行为人主观恶性、事实情节、危害后果、当事群众对于疫情的恐慌心理等因素，坚持在依法准确认定犯罪的基础上体现从严从快从重打击的政策，不能为从严而拔高认定。三是充分发挥诉前主导作用。强化检察机关引导侦查取证，对存在对案件的定性、处理把握不当的情形，实事求是地作出调整，避免因证据问题引发“三延两退”，影响打击效能。四是注重及时研究消除分歧。准确把握罪与非罪、此罪与彼罪，防止执法、司法简单随意，对认识分歧及时沟通会商，避免相同案情不同处理，对难以把握的要及时请示上级检察机关。

（三）继续加大办案科技保障力度

当前疫情防控背景下，应当处理好严格依法办案与落实隔离防控要求的关系，创新办案方式方法，加大经费支持力度，大力推动远程提审、远程庭审、远程送达和检察工作网“三远一网”信息技术在办案中的运用，充分运用视频网络开展讯问、询问和开庭等办案活动，降低办案安全风险、提升办案效率。一是制定远程视频讯问工作办法。针对办案人员无法进入看守所提审的情况，对内密切与技术、司法警察等部门的配合，对外加强与公安机关的沟通协调，明确规定分工配合、操作流程、法律文书保管交接、安全防护等工作内容，规范疫情防控期间刑事案件远程视频讯问工作，并为今后远程视频讯问系统常态化运用提供制度保障。二是探索集中出庭公诉机制。疫情期间，鉴于需抽调部分检察干警增援疫情防控一线，为保证公诉案件庭审不受影响，对于被告人认罪认罚的速裁、简易程序案件，每周固定检察官负责集中出庭公诉。通过法院视频连线看守所，实现远程庭审，使犯罪情节较轻，量刑期限较短的被告人不因疫情而影响羁押期限。三是在开展认罪认罚工作中加强网络应用。对于犯罪嫌疑人、辩护人均在异地的案件，采取“一线连三地”的方式沟通，由检察官主持，详细听取各方意见后，形成认罪认罚笔录；相关法律文书和笔录，通过视频向犯罪嫌疑人出示，视频记录犯罪嫌疑人确认的意思表示。

（四）防范和化解矛盾贯穿疫情防控全过程

把握好依法从严打击与化解矛盾之间的关系，在严厉打击涉疫情防控犯罪的同时，积极开展新冠肺炎疫情引发矛盾纠纷专项排查化解工作，注意妥善处理疫情防控中出现的矛盾和问题，做好释法说理、化解矛盾、消弭极端对抗情绪等工作，最大限度减少矛盾对立，将人民群众凝聚到抗疫大局中。一是建立妨害疫情防控犯罪案件执法办案风险评估预警机制。及时对案件是否存在引发不稳定因素、激化社会矛盾等执法办案风险进行分析研判，制定应对预案。二是高度关注因疫情防控可能引发的社会群体矛盾。注重涉疫网络舆情引导，及时回应社会关切，对涉案舆情线索，要移送公安机关依法调查。对因疫情原因可能导致的涉法涉诉信访，要及时受理，依法妥善处理，努力化解社会矛盾，坚决防止疫情引发矛盾纠纷演变为群体性事件或形成负面舆情炒作。三是提高宣传活动的针对性。贯彻“谁办案，谁普法”原则，通过微博、微信、传统媒体等平台宣传疫情防控政策法律、检察机关履职行为、妨害疫情防控典型案例、服务保障企业复工复产工作措施等。四是注重发挥好认罪认罚从宽制度在特殊时期促进社会和谐的积极作用。落实宽严相济刑事政策，对情节轻微、认罪认罚的犯罪嫌疑人可以综合考虑作出不起诉决定。

（五）切实强化市场监管

针对借疫情防控制假售假、电信诈骗高发的实际情况，一是检察机关要主动对接市场、网络监管部门。完善“行刑衔接”机制，及时就健全行业监管、净化网络环境提出检察建议，促进依法防控，服务保障社会治理现代化。二是建议市场监管部门加大日常监管力度。严格执法检查，对针对药品药械的制假售假、哄抬物价扰乱市场经济秩序等违法违规行为，及时依法进行查处，促进市场秩序健康有序稳定，更好地守护人民群众生命健康安全。三是严格规范快递公司审核管理制度。建议快递公司对快递单、揽收专用设备实施专人专用、全程留痕，未揽收货物前，不向寄件人提供单号。在确保寄送物品合法合规的同时，通过向收件方提供货物名称、数量、照片等信息，确保寄送物品的真实性。四是坚持打击犯罪与保障防疫物资供应并重。在严惩虚构防疫物资货源实施诈骗犯罪的同时，进一步扩大正规、合格防疫物资的购买渠道，为复工复产复学提供良好的防疫条件。五是深入企业开展法制宣传。利用企业涉疫情案例进行警示教育，帮助涉疫企业尽快恢复正常生产经营秩序。

市域社会治理现代化的地方立法研究*

郝颖钰**

摘要："市域社会治理"是在市域范围内具体实施的国家治理。随着我国城市化水平的不断提升，在市域范围内防范和化解重大风险的压力日益增大，如何用完善地方法制来保障创新改革，规范社会治理，用法制来引领市民的行为，都是市域在具体治理中面临的现实法制问题。坚持法治对市域社会治理的基础保障，充分发挥地方立法权优势，以科学的地方法制体系对全市社会治理的基本要素进行统筹协调与优化整合，构建整体性市域社会治理的新格局。

关键词：市域社会治理；社会治理法治化；地方立法

市域是连接国家宏观治理与基层微观治理的关键枢纽，是政策制度指导与具体实践落实的重要结合部。在我国经济社会快速发展时期，市域范围内呈现出许多复杂的、特殊的、综合的治理问题，比如：因城乡的融合发展、社会发展的不平衡等因素，带来的不确定的社会风险问题；因人口的聚集与快速流动，而带来的公共卫生安全问题，等等。如何有效有针对性地化解社会矛盾，综合解决社会治理中的突出问题，对我国的社会治理提出了挑战。党的十九届四中全会提出，"坚持和完善共建共治共享的社会治理制度"，"加快推进市域社会治理现代化"①，为市域社会治理指明了战略发展方向。

法治是社会治理的基本方式。党的十八届四中全会提出："坚持系统治理、

---

* 第三十二届全国副省级城市法治论坛获奖论文优秀奖。

** 郝颖钰，中共济南市委党校政法教研部副教授。

① 《中共中央关于坚持和完善中国特色社会主义制度、推进国家治理体系和治理能力现代化若干重大问题的决定》，《人民日报》2019年11月6日。

依法治理、综合治理、源头治理，提高社会治理法治化水平。”坚持法治对市域社会治理的基础保障，就是“运用法治思维谋划市域社会治理、运用法治方式破解市域社会治理难题，把市域社会治理纳入法治化轨道”①。坚持市域社会治理法治化，必须做到有法可依，夯实善治的良法基础。因此，加强市域社会治理的地方法制研究，对于提升社会治理效能，加快推进市域治理现代化，实现法治社会具有重要的意义与价值。

一、“市域”的地方立法权力能力分析：基于“市域”范围的法律分析

“市域社会治理”是在市域范围内具体实施的国家治理。这一治理概念创新了我国社会治理方式，是国家对推进社会治理现代化的新部署。在市域层面进行社会治理改革创新，很重要的一个基础就是如何确定“市域”的范围。2019年12月3日在北京召开的全国市域社会治理现代化工作会议，就“市域社会治理”这一概念进行了概括，会议认为：“从空间范围来看，市域社会治理是国家治理在设区的城市区域范围内的具体实施。设区的城市不仅有城区，同时有农村，是两种社会形态的结合体，市域是统筹城乡一体化的有效载体。”②那么，为什么要将“市域”之“市”确定为“设区的市”呢？

实际上，“市域”在我国法律体系中并不是一个法律上的概念，也不是我国行政区划上的概念。从我国城市的行政级别上来看，称之为“市”的有直辖市、副省级城市、计划单列市、地级市和县级市。基于对市域社会治理实际的理解，很多学者在研究中使用的“市”是指地级市。从权力的配置来看，这样的理解符合统筹推进基层社会治理的实践需要。党的十八届四中全会通过的《中共中央关于全面推进依法治国若干重大问题的决定》对中央、省、市的政府事权的规范要求是：“强化中央政府宏观管理、制度设定职责和必要的执法权，强化省级政府统筹推进区域内基本公共服务均等化职责，强化市县政府执行职责。”③可以看出，市一级政府与上级政府的职责具有明显的差异性。而相对于县域，地级市的区域范围内不仅有城市还有县、乡、村，这种综合治理的职责，使得市域治

---

① 陈一新：《推进市域社会治理现代化要发挥“五治”作用》，正义网，http://news.jcrb.com/jxsw/201907/t20190727_2028560.html。

② 陈慧娟：《市域社会治理现代化试点启动》，《光明日报》2019年12月5日。

③ 《中共中央关于全面推进依法治国若干重大问题的决定》，人民出版社2014年版，第17页。

理职责为侧重统筹解决具体实际问题。这样的治理思路是符合基层社会治理现代化改革创新的思路。因此，将市域界定为地级市是有一定缘由的。

从"市域社会治理"这一改革布局来看，社会治理体系创新的重点从"县域"向"市域"转移，是因为"市域层面具有较为完备的社会治理体系"，既能够"贯彻落实好中央关于国家治理的大政方针、制度安排、决策部署和省委的任务要求"，又能够"对本市域社会治理统筹谋划、周密部署、推动实践"。[①] 在这个完备的体系中，很重要的一部分就是立法保障体系。市域可以根据地方治理实际，制定规范具体、便于操作的地方立法，为加快基层社会治理创新，推进市域治理现代化，攻克市域社会治理难题奠定基础的法制条件。因此，"市域"需要有立法的能力。

但是我国的《宪法》和《立法法》中，并没有"地级市"这个概念。地级市在法律上被区分为设区的市和不设区的市。我国《宪法》第 100 条规定，设区的市的地方人大及其常委会可以依照法律规定制定地方性法规。从制度的规定来看，地级市并不都拥有立法权。2015 年《立法法》修正后，从"较大的市"的立法主体到"设区的市"的立法主体，地方立法主体范围扩大，全国设区的地级市普遍拥有了地方立法权。对于不设区的市，在法律修正的时候，全国人大按照赋予设区的市地方立法权的精神，赋予广东省东莞市、中山市和甘肃省嘉峪关市设区的市地方立法权。[②] 这种地方立法权的配置是以法治治理的需求和地方治理的实际需要为调整原则的。随着经济社会的转型变化，城乡融合、城市化进程的加快，设区的市在治理中面临的问题和困难增加，而中央立法和省级立法并未能提供具体的、有针对性的解决方案，如何运用法治思维、以法治方式解决市域内改革发展所面临的现实问题，拥有地方立法权、寻求法治内的解决方案，是设区的市依法治理中的内在要求。立法主体范围的扩大，消除了"设区的市"之间地方立法权的不平等配置，弥合了市域社会治理的地方立法空白，激发了"设区的市"的活力，为其进行社会治理创新奠定了坚实的法制基础。因此，基于各个城市社会治理的"特殊性"而进行的地方性立法，符合《宪法》与《立法法》

---

① 参见陈一新：《新时代市域社会治理理念体系能力现代化》，《社会治理》2018 年第 8 期。

② 2015 年 3 月 8 日，在第十二届全国人大会第三次会议上，全国人大常务委员会副委员长李建国所作的《关于〈中华人民共和国立法法修正案（草案）〉的说明》中提到，按照赋予设区的市地方立法权的精神，建议在依法赋予设区的市地方立法权的同时，赋予广东省东莞市、中山市和甘肃省嘉峪关市设区的市地方立法权。

对地方立法的功能定位，符合社会治理创新于法有据的改革发展思路。

综上分析可以看出，从国家权力行使的完整配置上来看，设区的市是国家治理权力配置的缩影，有了以地方立法保障治理创新改革的必要权力配置，可以在立法、行政、司法上有效履行社会治理的法治保障职能。将"市域"层级理解为依法普遍享有地方立法权的设区的市，更符合社会治理改革的要求，更符合我国社会治理法制建设的要求。

二、市域社会治理地方立法的法治逻辑

法治的治理逻辑是始终让法治思维引领基层社会治理，始终坚持运用法治方式依法治理。自享有地方立法权以来，许多市进行了社会治理方面的立法破局，为基层社会治理建章立制。"2018 年，除去 32 件设区的市制定的立法条例外，在全国 323 个设区的市（包括自治州等）制定的 409 件地方性法规中，城乡建设与管理 249 件、环境保护 113 件、历史文化保护 45 件。"①但面对社会治理领域的复杂性，实现依法治理的条件还不足，地方治理的法制基础还急需夯实。

（一）规范与保障：地方立法的合法性分析

以立法规范和保障地方治理是现代社会基本的治理思路和治理方式。2019 年全国人大的四个立法重点之一就是加强"社会治理领域的立法"，为加强和创新社会治理提供法律支撑。② 中央立法是对社会治理领域中普遍存在的问题作出的基础性规定。从基层社会治理实践来看，随着我国城市化水平的不断提升，在市域范围内防范和化解重大风险的压力日益增大，如何用完善地方法制来保障创新改革，规范社会治理，用法制来引领市民的行为，是市域在具体治理中面临的现实法制问题。

在《宪法》的立法制度安排中，地方立法在不同上位法相抵触的条件下，通过发挥主动性、积极性解决"地方性"的具体问题和特殊化问题。对于设区的市来说，《立法法》不仅保证了地方性法规和地方政府规章两层次地方立法的体系化治理，还对如何保证不冲突作了两点说明：一是上位法有规定的，地方立法执行上位法规定作出本地的具体性规定；二是法律和行政法法规没有规定的，地

---

① 闫然、马潇：《设区的市地方立法大数据分析报告（2018）》，《地方立法研究》2019 年第 6 期。

② 参见《张业遂：今年将加强国家安全、社会治理领域的立法》，中国青年网，https://baijiahao.baidu.com/s?id=1627048258601347073&wfr=spider&for=pc。

方立法“可以先制定地方性法规。在国家制定的法律或者行政法规生效后，地方性法规同法律或者行政法规相抵触的规定无效，制定机关应当及时予以修改或者废止”。因此，设区的市因地方社会治理发展需要，可以在与上位法不冲突的情况下进行创新性立法，这极大地满足了市域社会治理的需求，可以因地、因势进行治理现代化与立法的创新与探索，为国家治理和上级立法提供地方的方案与智慧。

从“设区的市”地方立法权限范围来看，由于我国各个地方在“城乡建设与管理、环境保护、历史文化保护”等方面，会有差异化的治理需求，需要因地制宜地提供法制化方案。相较于原来“较大的市”的立法范围，《立法法》明显对“设区的市”缩小了立法范围，但实际上目前这个限定的范围是符合“设区的市”市域内社会治理实际需要的，立法事项是以市域治理的实效为导向。在城乡建设与管理、环境保护、历史文化保护等方面，市域层面可以将地方立法的注意力精准定位在城市自身的建设、发展与保护上，以为本地域内市民服务为基本价值导向，统筹城市发展部署，为城市长远发展的战略布局提供制度保障。这样的立法避免了过去一些地方跟风式、重复性的立法，为地方立法集中精力精准服务市域内治理实际需要创造了合法性条件。

（二）效力与效能：地方立法的合理性分析

基层治理是我国社会治理体系中的重要一环。经济社会的转型升级与信息时代的快速发展碰撞，城市化高速发展与城镇化进程加快交织，形成复杂的社会生态，引发诸多社会治理难题。县域、乡镇的基层治理，虽直接面对经济社会发展一线，但面对复杂化的风险与矛盾，基层各自为政的低端竞争，明显暴露出统筹协调能力不足和资源短缺的弊端。自身治理层级难以为运用法制为社会治理创新提供制度与政策支持。在社会治理实践中，基层社会治理需要不断创新以解决层出不穷的现实问题，但在实际治理中，无论是资源的统筹协调，县域、乡镇的配合发展，还是制度和政策的支持与保障，都难以依赖自身独立完成，需要在市域层级统筹谋划、统筹协调、统筹细化和统筹落实，以增强社会治理的效力。

从社会治理改革的法治思维来看，党的十八届四中全会通过的《中共中央关于全面推进依法治国若干重大问题的决定》指出：“实现立法和改革决策相衔接，做到重大改革于法有据、立法主动适应改革和经济社会发展需要。实践证明行之有效的，要及时上升为法律。实践条件还不成熟、需要先行先试的，要按照法定程序作出授权。”运用法治方式改革，让法制为改革提供科学的法制保障，是我们依法改革的基本思路。加强社会治理领域的改革，“市域社会治理做得怎么样，事关顶层设计落实落地，事关市域社会和谐稳定，事关党和国家长治久安，意义重大、影响深远，任务艰巨、使命光荣”①。

因此，市域社会治理地方法制体系必须要确保治理的效能，才能让立法服务于社会治理。市域社会治理是以市域为社会治理体系化的治理空间，在市域范围内统筹谋划城镇与农村、区县内部与区县之间所实施的社会治理。在全面深化改革和全面推进依法治国的背景下，市域层级，可以直面基层社会治理中的现实问题和改革难题，及时通过地方立法为解决问题提供法制支持，为治理实践提供有力的保障。

根据《宪法》和《立法法》的规定，设区的市具有相对完备的立法权限，可以依法统筹协调进行地方性法规与地方政府规章的“地方特色化”立法，制定权责明晰、便于操作的地方性法规规章，及时克服市域社会治理中上位法的原则性与不及时性，为化解社会矛盾，解决基层治理难题提供有效的法律依据。从创制性立法来看，两层立法中，地方性法规注重“地方性事务”，而政府规章则针对“本行政区域的具体行政管理事项”，二者不同的立足点，形成了立法的合理空间，既强调了地方政府的责任，又为形成共建共治共享的市域社会治理格局奠定了法制的基础。

三、市域社会治理地方立法的实现路径

依法治理的实效来自精准的科学立法，而社会治理法制的有效性取决于立法是否能满足社会发展需求，是否能实现保障人民权益的价值。对市域一层来说，充分发挥地方立法权优势，以科学的地方法制体系对全市社会治理的基本要素进行统筹协调与优化整合，构建整体性市域社会治理的新格局，促进基层社会稳定有序地运行，必须在地方立法上狠下功夫、下准功夫。

（一）市域社会治理的地方立法模式分析

由于各地区经济社会发展的差异性与不平衡性，决定了设区的市在地方社会治理方面既因治理创新有共性问题，也会因区域发展的差异，有各自不同的

① 陈一新：《新时代市域社会治理理念体系能力现代化》，《社会治理》2018年第8期。

治理重点和急需解决的现实问题。特别是大多数城市的立法权从无到有，在地方制度体系构建上，必然会有立法侧重点的不同。目前来看，设区的市的地方立法，特别是地方性法规，关于市域社会治理有三种基本立法模式。

第一种模式是综合性立法。这类立法就是在地方立法中建立一部关于社会治理的综合性法规。从目前的地方立法来看，通过综合性立法，发挥立法对社会治理的总领、规范与引导作用，是很多地方在进行治理创新和立法创新的一种法治思路。时间早一些的比如，2012 年的《深圳经济特区社会建设促进条例》、2013 年的《珠海经济特区社会建设条例》就是在当时社会管理创新的理念下，出台的比较典型的关于社会治理的综合性立法。这两个立法实际上就是经济社会快速发展带来的社会治理变革的需求立法。在"市域社会治理"概念提出后，社会治理领域的综合性地方立法也在市域层面进行创新型探索。2020 年南京市确定了当年的重点立法项目《南京市社会治理促进条例》。这种立法模式的好处是，可以通过地方性法规把握社会对立法的需求，加强市域内治理的顶层设计，对社会治理中的共性问题和原则性问题，精准治理原则，作出统筹的制度安排和基本原则要求，避免了具体治理中，地方政府通过偏重自身管理需求，为实现自己预期的管理愿望而通过规章立法，扩张行政权。

第二种模式是社会治理某一领域的集合式立法。这类立法就是将上位法或同级法中的多项规定集中起来，再结合当时社会发展的要求和现实，以地方社会治理实际为基础，通过完善相关规定，形成一部集合性立法。比如，各地的文明行为条例，在规定的不文明行为中，很多行为是其他的地方法规中有规定的，一并写入文明行为条例。对于文明行为的倡导，则采取结合地方特色和社会治理需要，进行综合式和列举式相结合的规定。再例如 2019 年成都市开始的《成都市社区发展治理促进条例》立法，就是以社区为城市治理的基本载体，通过定位社区的功能，对基层协同治理立法。类似的例子还有城市管理条例。这种立法模式实际上是在地方立法中对社会治理领域进行分层，形成统领治理分领域的综合性立法。

第三种模式是单行立法。在市域层级中，这类立法是最为普遍的立法。在普遍获取地方立法权后，很多地方都是通过这种方式进行治理规范。这些设区的市的立法多是以地方某一方面治理需要保护和规范而进行的，从新获得立法权的城市立法来看，在执行性立法方面，主要围绕慈善事业、安全生产管理、物业管理、养犬管理、养老服务等方面。这一模式的立法事项范围虽然十分宽泛，但却是设区的市的普遍的立法模式，以满足设区的市地方实际治理需求。从实际情况来看，这类立法极容易出现过多引用上位法，地方特色不突出，在一定程度上存在重复立法问题。

（二）市域社会治理地方法制的精准治理路径

良法是善治的前提，坚持依法治理，推进市域社会治理现代化的基础是科学而精准的法制保障。地方法制只有跟得上社会发展实践，才能统筹应对市域社会治理的复杂性，才能体系化规范社会治理，引领地方社会发展进步。无论是上述哪一种立法模式的选择，其实质都取决于社会治理实践的需要。因此，为保证地方立法的高效供给，市域层面的科学立法需要将市域全局与基层个体实践相结合，需要将市域整体治理与全省立法统筹规划相结合，既要避免"成熟一个，制定一个"的快捷性立法方式，也要避免盲目跟风式的综合性立法。

（1）把握市域社会治理法治化的要求，将社会治理改革要求转化为立法内容。习近平总书记要求"各级党委和政府要把加强和创新社会治理摆到更加突出的位置"①。将社会治理集中于市域层面进行体系化治理，也是因为在法制规范与引领下，社会治理可以在法治的轨道上进行改革创新，可以在市级层面进行统筹安排，合理确定地方立法内容。面对社会治理中的问题，可以及时通过立法调整，并通过经验总结，将立法中的成熟内容，确保质量地进行推广和提升。因此，通过立法将党和国家的政策、法律的原则性规定，与基层治理实践相结合，推动法制的力量产生法治的效力。

（2）地方立法应符合社会治理基本价值要求。习近平总书记强调："保障和改善民生是一项长期工作，没有终点站，只有连续不断的新起点。"②基层社会治理领域涉及民生生活的方方面面，教育、医疗、养老、就业、安全、环境等等，因此，坚持立法为民的理念，加强统筹治理，才能从源头上解决社会矛盾，稳定社会，为人民安居乐业、社会和谐幸福构建提供基础保障。因此，坚持立法的人民性，不仅仅是以人为本，以民生为本，还要通过群众的广泛参与，让尊法、敬法成为社会的信仰，让遵法、守法成为群众行为的自觉，让找法、用法成为办事的依靠，通过法治构建共建共治共享的市域社会治理新格局。

（3）发挥地方立法的沟通协调作用。科学的地方立法应当是反映人民意

---

① 《习近平谈治国理政》第 2 卷，外文出版社 2017 年版，第 386 页。
② 《习近平关于社会主义社会建设论述摘编》，中央文献出版社 2017 年版，第 137 页。

志，得到人民拥护的。为使社会治理法规反映人民需求、规范公共服务、有效防止地方保护主义和行政部门利益法律化，进行开门立法、协商立法可以让地方治理法规更广泛地凝聚社会共识。

(4)立足市域治理需要，统筹规划选择社会治理立法模式。从设区的市地方立法事项来看，地方立法议题较为集中，各地具体立法事项比较集中，这一方面反映出，市域一级在社会治理层面具有很多共性的治理需求，另一方面也反映出地方立法的创新能力不足，立法质量不高的问题。当前，中国的社会治理面临着新的环境，社会治理创新被摆在地方治理的突出位置。

从推动社会治理创新来看，在没有省级立法的情况下，运用综合性立法模式，对市域内社会治理统筹安排，有利于厘清治理思路，规范地方治理行为，让参与者在制度中获得应有的社会预期，有效促进社会良性发展。

从地方立法的条文内容上来看，重复上位法的现象仍然存在，如果将重复的条文去掉，地方立法的内容并没有多少。对于这一类的治理法规，建议通过集合性立法的方式，根据执行立法细化要求和地方治理实际，在立法时将相同领域内规定，分层次、分领域集合在同一部地方法规或地方政府规章中，做到减少数量，保证质量。对于确需要单行立法的事项，经过充分调研、征求意见后，进行创新式立法。

运用市场化机制提升矛盾纠纷化解效能的研究*

栾　涛**

摘要：矛盾纠纷多元化解工作是新时代群众工作的重要内容，也是消除风险隐患、维护社会稳定的重要途径。新形势下，矛盾纠纷的涉及主体日趋多元，表现形式更为激烈，调处难度进一步加大。与时俱进创新理念思路，提升矛盾纠纷化解效能，是当前面临的一项重要课题。强化市场化手段应用，建立政府引导、市场运作的律师调解工作机制，构建分层递进的纠纷化解体系，打造无缝衔接的多元解纷格局，形成规范高效的多元解纷流程，符合新形势下矛盾纠纷多元化解工作的现实要求。

关键词：矛盾纠纷；多元化解；市场化；律师调解

新形势下，伴随着全面深化改革的深入推进，我国步入经济体制深刻变革、社会结构深刻变动、利益格局深刻调整、思想观念深刻变化的历史时期，各类矛盾纠纷多发频发、交织叠加、错综复杂，由此引发的不稳定问题成为影响社会和谐安定的重要因素。与时俱进创新理念思路，提升矛盾纠纷化解效能，是当前面临的一项重要课题。近年来，济南市深入贯彻中央决策部署和省委工作要求，主动践行新时代"枫桥经验"，创新推进矛盾纠纷多元化解工作，有力有效化解了大量矛盾纠纷。但是，对比当前矛盾纠纷的高压运行态势，矛盾纠纷多元化解工作仍存在诸多亟待解决的问题。本文拟以济南市矛盾纠纷多元化解工

---

*　第三十二届全国副省级城市法治论坛获奖论文优秀奖。

**　栾涛，中共济南市委政法委员会研究室四级主任科员。

作为样本，从矛盾纠纷化解工作面临的实践困境入手，对当前面临形势、存在短板进行研究分析，旨在通过研究提出针对性工作建议，助力提升矛盾纠纷多元化解工作实效。

一、当前矛盾纠纷运行态势及原因分析

调研发现，当前济南市社会矛盾总体可控，但影响社会安定的不稳定因素仍大量存在，各类社会矛盾呈现数量增多、规模扩大、程度加深、范围拓展的特点，主要体现在以下方面：

(1)矛盾纠纷涉及领域日益广泛

伴随着经济社会迅速发展，城市建设、村务管理、征地拆迁、房产物业、职工权益、社会保障、教育配套、环境保护等问题引发的矛盾纠纷持续高发。随着生产生活方式的转变及新业态的兴起，旅游纠纷、知识产权纠纷、医疗纠纷、道路交通纠纷、互联网电商等新型矛盾纠纷也大量增多，社会矛盾纠纷日益呈现出专业性、行业性分化的特点。

(2)矛盾纠纷涉及主体日趋多元

伴随着市场经济体制的建立，旧有的经营模式和区域隔阂被打破，阶层群体和社会分工的进一步细化，矛盾纠纷的主体由一元化向多元化发展，由过去的以群众个人之间的纠纷为主，转向个人、法人、非法人组织之间等各类矛盾纠纷共存的态势，由此引发的民商事案件、行政诉讼案件、刑事案件均呈多发态势。

(3)矛盾纠纷规模群体更加庞大

据统计，目前全市共有重点群体数量众多，涉及人员总量庞大。从近年来重点群体情况看，涉军、涉师等重点利益群体一波未平、一波又起，旧有诉求尚未解决，新的群体又已形成，涉众型经济犯罪利益受损群体，乡镇兽医、养路工、离任村干部、农村电工、放映员、疫苗受害家庭、出租车司机、失独家庭等新的诉求群体不断出现，“抱团维权”态势日益突出。

(4)矛盾纠纷表现形式更为激烈

矛盾纠纷特别是信访事项当事人表达诉求方式日趋激烈，组织性、对抗性显著加强，一旦诉求得不到满足，极易采取集体访、进京访甚至极端事件等过激行为向党委、政府施压。特别是，重点利益群体“逢会必访、逢节必扰、逢事必

闹”特征日益凸显，网上串联和网下“维权”活动显著增多，组织串联形势更加隐蔽，有的甚至采用暗语等方式逃避监管，有的扬言采取极端行为方式到重点敏感地区滋事。与此同时，境内外敌对势力意图插手利用我内部矛盾，一些敌对分子加入国内“维权群”，在群中开展“民主”“人权”宣传、煽动群内人员滋事，潜在涉稳形势异常严峻，总体呈现“连续不断、此起彼伏、交织叠加”的高压态势。

（5）矛盾纠纷调处难度进一步加大

矛盾纠纷的多元性、复杂性、关联性特点，决定了调处化解工作的艰巨性。从矛盾性质看，各类社会矛盾既有历史遗留下来长期得不到妥善解决的老问题，也有新形势下出现的新问题；既有利益冲突导致的纠纷，也有观念碰撞导致的纠纷。从化解实践看，大量矛盾纠纷特别是信访案件中，利益因素与心理因素相交织，合理合法诉求与不适当不合法的表达方式相交织，多数人的合理诉求和少数人的无理诉求相交织，调处化解工作面临严峻挑战。

在全面深化改革的当下，各种利益的分化、调整和重组逐渐触及核心区和深水区，不同利益主体之间的矛盾也逐渐从隐形走向显性、从单一走向叠加。这些社会矛盾的性质属于在根本利益一致基础上非对抗性的、具体的、常态化的人民内部矛盾，是社会发展前进过程中的必然现象。深入探究其成因，主要在于以下几个方面：

从经济发展看，发展阶段特征决定了我国正处于矛盾和风险多发期。习近平总书记指出：“我国正处于跨越中等收入陷阱并向高收入国家迈进的历史阶段，矛盾和风险比从低收入国家迈向中等收入国家时更多更复杂。”习近平总书记指出，“我国正处于跨越中等收入陷阱并向高收入国家迈进的历史阶段，矛盾和风险比从低收入国家迈向中等收入国家时更多更复杂。”[①]当前，经济运行态势总体平稳，新常态特征明显，但深层次矛盾尚未从根本上缓解。特别是，新旧发展动能转换迭代更替过程中，经济增速换挡，结构调整阵痛，因利益格局的调整引发的矛盾问题易发多发，长期积累的矛盾和风险进一步凸显。

从社会变革看，随着新型工业化、信息化、城镇化、农业现代化发展，社会日趋开放多样。社会阶层结构分化，一些群体间利益摩擦加剧。城乡结构发生巨大变化，城中村、城乡结合部、偏远农村地区成为社会治理薄弱环节。人们生产

① 中共中央党史和文献研究院编：《习近平关于总体国家安全观论述摘编》，中央文献出版社2018年版，第70页。

生活方式、社会组织动员形式发生深刻变化，社会自组织日益活跃，大量人员跨区域跨行业活动，在增加社会活力的同时，也使不稳定因素存在的空间扩展、链条延长。

从科技进步看，随着信息技术的快速发展和广泛应用，网络成为信息传递的主渠道、生产生活的新空间。近年来，传统违法犯罪不断向网上蔓延，网络黄赌毒、金融诈骗等违法犯罪明显增多。需高度关注的是，互联网具有强大的组织动员能力、聚焦放大效应，共同的利益往往将相关的群体聚集起来，而现代化的通讯手段又容易将不同地域的人联系起来，为重点群体的形成以及矛盾纠纷的激化升级客观上创造了便利条件。

从群众需求看，党的十九大指出，中国特色社会主义进入新时代，我国社会主要矛盾已经转化为人民日益增长的美好生活需要和不平衡不充分的发展之间的矛盾。随着社会发展进步，人民美好生活需要日益广泛，不仅对物质文化生活提出了更高要求，而且在民主、法治、公平、正义、安全、环境等方面的需求日益增长。在期待与现实有落差、诉求与回应不同步的情况下，各类社会矛盾随之产生。同时，与广大群众高涨的权利意识相比，部分群众法治意识相对淡薄，有的存有“不闹不解决，小闹小解决，大闹大解决”的错误认识，有的上访老户在原有问题得到解决的情况下，不断加码、反复缠访；有的甚至把敏感时期上访作为一种要挟政府、达到个人目的的手段，办事依法、遇事找法、解决问题用法、化解矛盾靠法的法治氛围尚未形成。

二、当前矛盾纠纷多元化解工作存在的短板制约

面对新的阶段性特征，以习近平同志为核心的党中央高瞻远瞩、统筹谋划，从顶层设计角度对矛盾纠纷多元化解工作作出了战略部署。2014 年 10 月 23 日，党的十八届四中全会审议通过《中共中央关于全面推进依法治国若干重大问题的决定》，提出：“健全社会矛盾纠纷预防化解机制，完善调解、仲裁、行政裁决、行政复议、诉讼等有机衔接、相互协调的多元化纠纷解决机制。”2015 年 10 月 13 日，中央全面深化改革领导小组第十七次会议审议通过了《关于完善矛盾纠纷多元化解机制的意见》，对矛盾纠纷多元化解工作作出全面安排部署，多元化纠纷解决机制上升为国家治理体系和治理能力现代化的战略行动。近年来，济南市深入贯彻中央精神，把矛盾纠纷多元化解工作摆到突出位置，创新实践

新时代“枫桥经验”，加快建设上下联动、左右协调、城乡一体的矛盾纠纷多元化解工作体系，汇聚全市各方参与矛盾纠纷多元化解的合力，走出了一条适应新时期社会矛盾特点规律、符合济南工作实际的矛盾纠纷多元化解新路子。目前，全市共有人民调解组织 6351 个，人民调解员 23900 余名，其中行业性专业性调解组织 108 个。2019 年以来，各类调解组织排查调解案件 41990 件，妥善化解了一大批社会矛盾。但是，与当前矛盾纠纷多发频发态势相比，矛盾纠纷多元化解工作仍存在一系列不足和短板，主要表现在：

(1)市场化调解机制运用不足。市场化调解是社会经济高速发展、民商事交易日益频繁等多重背景下产生的新型民事纠纷解决方式，调解的组织者和主持者不再限定于法院或人民调解组织等公益性服务机构，调解的需求、供给及服务价格均由市场来决定和调整。其中，市场化调解又以律师调解为最典型的存在状态。虽然我国的调解传统源远流长，但律师调解在我国仍属新型的调解方式，而放眼域外国家及地区，这一调解形式不仅在多国得以确立，而且已经具有成熟的经验模式。美国约 95%的民事案件，经过法院内附设的仲裁或调解等代替诉讼解决程序得到解决，只有不到 5%的案件最终进入审理阶段；日本通过调解解决的案件约占总数的 53%，且审理中和解的案件也达到 35%。由此可见，律师调解在化解矛盾纠纷中发挥重要作用。对此，济南市积极探索创新，制定出台《济南市律师调解试点工作实施细则》，在 11 家律师事务所先行建立调解工作室试点，并邀请省高院法官为 149 名律师调解员作律师调解工作规范培训，有力推动了调解工作深入开展。自 2018 年设立律师调解工作室以来，11 个调解工作室共调处案件 20 余起，收到了良好的社会效果。但是，也应当清醒认识到，我市虽进行了一些有益探索，但律师参与矛盾纠纷调处的深度、广度、积极性方面仍有一定局限性，律师作为中立第三方主持调解的工作机制还不完善，预防和化解矛盾纠纷的独特优势仍未得到充分发挥。特别是，在经费保障方面，如何实现政府保障与市场调节相平衡，以促进律师调解工作深入开展，仍需进一步深入研究和完善。

(2)理解认识存在偏差。一些部门单位对多元化解工作认识不准确不深刻，片面认为用法治思维和法治方式化解矛盾纠纷就是走诉讼渠道，推进矛盾纠纷多元化解工作的积极性不高、措施不硬、力度不强。有的部门单位片面认为多元化解是司法行政机关、审判机关的事，多调联动机制落实不充分，对主管行业领域内的矛盾纠纷化解不及时、不得力。有的群众对矛盾纠纷多元化解机制缺乏应有认知，对人民调解工作不了解、不信赖，“有纠纷找法院，有问题找政府”仍是惯性思维。

(3)调解力量相对薄弱。当前，全市人民调解组织网络基本形成，但基础仍不牢固。特别是村居一级，调解员多数由村居干部兼任，知识程度较低、年龄结构老化特征突出，且基层调解员大多未接受过正规的业务培训和法律政策培训，业务素质能力亟待提升。行业性、专业性调解组织覆盖面仍然较窄，有些行业领域虽然成立了专门调解组织，但工作主动性不强，对矛盾纠纷摸底主动深入排查不深入、不全面、不细致，化解效能仍有不足。

(4)衔接机制不够顺畅。从工作实践看，矛盾纠纷化解存在三道防线：人民调解是第一道防线，仲裁、行政裁决、行政复议等是第二道防线，司法是最后一道防线。三道防线都有各自的功能定位，理想状态为从第一道防线起，纠纷由多到少、由简单到复杂逐级递进，形成“漏斗形”层级递减的化解结构，使各类纠纷都能找到最佳解决途径。实际工作运行中，各类解纷主体工作衔接不畅、联动效果不佳问题仍较突出，各解纷主体之间缺乏有效的信息共享和工作联动机制，人民调解、行政调解、仲裁、行政裁决等非诉解纷的前端化解功能没有充分发挥出来，大量矛盾纠纷最终涌入司法程序，“案多人少”压力凸显。

(5)组织保障不够有力。矛盾纠纷多元化解工作“牵头抓”总机制尚未形成，各解纷主体由谁统筹联动，工作落实情况由谁监督考核，需进一步进行明确。经费保障不力，部分县区人民调解工作经费仅有2万～3万元，部分县区尚未将人民调解经费纳入财政预算，调解案件“以奖代补”制度落实不平衡、不到位，基层调解员工作责任心、主动性受到很大影响，制约了人民调解工作的深入开展。信息化建设和应用不足，基层矛盾纠纷排查化解情况录入不及时不全面不准确，给工作决策和指导带来困难。

三、全面提升矛盾纠纷多元化解效能的建议措施

矛盾纠纷多元化解工作是一项重要的系统工程，必须置于社会治理现代化的大局中谋划和推进。针对当前面临态势及存在问题，提出如下工作建议：

(1)统筹设计，构建分层递进的纠纷化解体系。村(社区)实行一线化解，加强村(社区)人民调解室建设，由村(社区)党支部书记或村(居)委会主任担任调解室主任，并配备调解员、信息员，严格执行人民调解案件奖励补贴制度，推动

调解工作触角进一步向网格、家庭延伸，力争实现矛盾不激化、小事不出村。区镇实行重点化解，依托区镇综治服务中心，设立矛盾纠纷调处中心，建立矛盾纠纷受理化解工作标准化流程，对矛盾纠纷实行“一条龙”受理、“一站式”服务、“一揽子”解决，力争实现大事不出镇街，疑难问题不出区县，矛盾不上交。行业部门实行专业化解，在人社、医疗、交通等重点行业领域实行“一站式”纠纷解决服务，建立规范调解室，落实专职调解员，完善行业领域内部矛盾纠纷化解制度流程，力争将矛盾纠纷化解在行业、系统内部。同时，针对新旧动能转换中热点难点矛盾问题，抽调专业知识过硬、调解技能过硬、政治素质过硬的人民调解员，建立专业调解人才库，组建征地拆迁、招商引资、项目建设、生态环保、劳资纠纷等行业性、专业性调解组织，最大限度将各类社会矛盾化解在萌芽状态。市级实行一体调度，依托综治信息系统，开发上线集调解、公证、行政、仲裁、诉讼为一体的矛盾纠纷多元化解平台，做到各类案件统一受理、归口化解，分层过滤、非诉优先，在线考核、在线督办，实现纠纷案件的信息收集、材料传输、数据分析、风险研判、预测预警，推动社情民意在网上了解、矛盾纠纷在网上解决。

(2)多元共治，打造无缝衔接的多元解纷格局。健全诉调对接机制，在各级法院全面设立诉调对接工作室、行政争议审前和解中心、调解组织调解室、律师代理申诉值班室，配备专兼职调解人员，健全调解组织和调解人员名册制度，实现诉调对接规范化、系统化、常态化，力争诉前调解分流案件达到80%以上。健全公调对接机制，在公安机关交通管理部门设立道路交通事故调解室，配备专兼职调解员，为当事人提供“一站式”纠纷解决服务；在公安派出所设立驻所人民调解室，配备专兼职调解员，开展治安调解工作。健全检调对接机制，在办理轻微刑事案件、民事申诉案件过程中，加强刑检部门与派驻人民调解室的衔接配合，将执法办案与化解社会矛盾相结合，促进当事人就案件中的民事责任和解息诉。健全仲调对接机制，充分发挥人民调解与商事仲裁功能优势，加强联动调处和沟通研判，仲裁委受理的矛盾纠纷可委托或邀请人民调解员介入调解，人民调解组织在处理重大疑难或专业性强的商事纠纷案件时邀请仲裁委派员参加，并运用简易程序将符合确认条件的调解协议书制作成仲裁裁决书，确保协议的强制执行力。健全访调对接机制，规范访调对接工作流程，健全完善与各级矛盾纠纷调处机构和行业性、专业性调解组织的衔接机制。在信访接待中心设立调解室，协调推进用调解的方式解决信访人的诉求，有效化解矛盾纠纷。理顺信访与行政复议、仲裁、诉讼等制度的关系，推进通过法定途径分类处理信访投诉请求，切实把信访纳入法治化轨道。

(3)创新举措，建立政府引导、市场运作的律师调解工作机制。建立专业化调解队伍。探索在律师协会设立调解委员会，选任委员会主任及委员，专门负责对接和开展律师调解工作。根据律师调解工作资质管理制度，建立承办律师调解工作的律师事务所和律师调解员名册，并鼓励发展专事婚姻家庭、合同纠纷、知识产权、金融证券、公司股权等领域纠纷调解的专业化律师调解员队伍或者调解工作团队。各级法院、公共法律服务中心(站)、律师协会和律师事务所在受理案件或事项时，向当事人提供承办律师调解工作的律师事务所和律师调解员名册，并在公示栏、官方网站等平台公开名册信息，方便当事人查询和选择。建立便捷化调解平台。将律师调解与诉讼服务中心建设相结合，在法院诉讼服务中心、诉调对接中心或具备条件的人民法庭设立律师调解工作室，配备必要的工作设施和工作场所，方便律师开展调解工作。将律师调解工作与公共法律服务相结合，在各级公共法律服务中心及公共法律服务站设立专门的律师调解工作室，由公共法律服务中心(站)指派律师调解员提供公益性调解服务。将律师调解与律师业务相结合，在律师协会设立律师调解中心，律师调解中心在律师协会的指导下，组织律师作为调解员，接受当事人申请或法院移送，参与矛盾化解和纠纷调解。鼓励和支持有条件的律师事务所设立调解工作室，组成调解团队，将接受当事人调解申请作为一项律师业务开展，同时承接法院、行政机关移送的调解案件。建立常态化保障机制。坚持公益性与市场化相结合，将公益性律师调解服务列入政府购买服务目录，采取财政专项预算、财政资金补贴等多种途径，从办公设施、宣传培训、表彰奖励等方面加大对公益性律师调解工作的经费保障力度，并探索建立与地方经济发展水平相适应的律师调解业务收费机制。完善工作激励机制，探索建立人民法院评估、司法行政机关评估、律师协会评估、当事人评估和律师自评有机结合的综合评价体系，充分调动律师参与调解的积极性，促进律师调解工作深入开展。

(4)健全机制，推动形成规范高效的多元解纷流程。完善矛盾纠纷排查预警制度。健全属地为主、条块结合、全覆盖、无缝隙的矛盾纠纷排查预警格局，实行经常性排查与集中排查相结合，及时了解掌握各类矛盾纠纷的苗头性隐患，第一时间发现和处置不安全、不稳定因素，并逐级上报。完善矛盾纠纷分析研判制度。定期召开矛盾纠纷分析研判会，排查矛盾隐患，分析维稳形势，制定工作措施，并将分析研判的矛盾纠纷逐一登记，建立台账，明确包案领导、明确责任人员、明确化解时限，第一时间逐级上报。完善矛盾纠纷分级调处责任制度。对各类矛盾纠纷的调处实行分级负责、逐级办理和首问负责制，依法处置，限时办结。做好对当事人的释法明理、稳控疏导工作。对直接到各中心要求调处的矛盾纠纷，各中心要统一受理登记、分流交办、协调督办。完善矛盾纠纷建档回访制度。各调解组织实行一案一档制度，如实记录和收集有关信息资料，规范文书档案。对调处化解的矛盾纠纷，调解人员要在 30 日内对当事人进行回访，并记录在案。完善矛盾纠纷调处效力保障制度。对经行政机关、人民调解组织、商事调解组织、行业调解组织或者其他具有调解职能的组织调解达成的具有民事合同性质的协议，当事人可以申请有管辖权的法院确认其效力，让当事人双方吃上“定心丸”。

(5)强化保障，确保矛盾纠纷多元化解工作顺利推进。加强组织领导。各级党委、政府要将实施矛盾纠纷多元化解全覆盖工程列入重要议事日程，定期研究部署，确保组织领导到位、人员落实到位、投入保障到位。按照“属地管理”和“谁主管谁负责”的原则，各级各部门、各系统各行业承担矛盾纠纷多元化解的主体责任，全力做好本区域本系统矛盾纠纷分析研判、调处化解工作。落实经费保障。将矛盾纠纷多元化解工作经费纳入同级财政预算统筹安排，主要用于专职调解员生活补贴、有关工作人员工资、律师调解费用、基础设施建设等。行业主管部门按照谁主管谁负责的原则，将调解工作经费纳入本部门预算，给予支持和保障。各行业性专业性调解组织、商事调解组织要通过市场化、商业化的方式筹措运行经费。严格考核奖惩。把矛盾纠纷化解工作作为检验各级各部门领导班子、领导干部工作绩效考核的组成部分，对工作突出的进行表彰奖励，对矛盾纠纷排查不深入、发现不及时、调处化解不力，不作为、乱作为、慢作为导致矛盾升级、案件多发、社会秩序混乱或者发生重大案件的单位和部门，依法依规追究责任。

疫情防控常态化背景下的市域社会治理现代化：问题、挑战与对策*

费帅帅**

摘要：新冠肺炎疫情的暴发，是对市域社会治理的一次严峻考验，也证明了市域社会治理的特殊地位和重要作用。本文针对疫情“大考”中市域社会治理暴露的问题和疫情防控常态化背景下市域社会治理面临的新挑战，从系统化、社会化、精细化、法治化、智能化五个方面，提出推进市域社会治理现代化的具体对策。需要说明的是，市域社会治理现代化是一个庞大课题，本文没有面面俱到也没有聚焦于某一具体方面。在疫情防控工作中，笔者作为区疫情处置工作领导小组村居防控组、社会稳定组的成员，承担了大量政策解释、材料撰写、表格填报等工作，也进行了大量的实地调研、督导检查。因此，本文的写作既是基于理论研究，也是源自笔者的现实观察与思考。

关键词：疫情防控常态化；市域社会治理；现代化；对策

2020年年初暴发的新冠肺炎疫情，是新中国成立以来发生的传播速度最快、感染范围最广、防控难度最大的一次重大突发公共卫生事件。在习近平总书记的亲自部署、亲自领导下，经过全国上下的艰苦努力，我国疫情防控形势持续向好，生产生活秩序加快恢复的态势不断巩固和拓展，当前已进入常态化疫情防控阶段。

习近平总书记在主持召开中央全面深化改革委员会第十二次会议上指出：“这次抗击新冠肺炎疫情，是对国家治理体系和治理能力的一次大考。”对于在

---

* 第三十二届全国副省级城市法治论坛获奖论文优秀奖。

** 费帅帅，济南市市中区委政法委政工科副科长。

国家治理中起着承上启下枢纽作用、作为国家治理重要基石的市域社会治理而言，这次举国参与的战“疫”大考，同样也是对市域治理能力的全方位考验。

党的十九届四中全会明确提出“加快推进市域社会治理现代化”的目标和任务。习近平总书记在对2020年政法工作作出的重要指示中也强调，要“着力推进市域社会治理现代化试点，努力建设更高水平的平安中国、法治中国”。在疫情防控中，市域社会治理发挥了重要的作用，但也暴露出短板和不足。针对抗击疫情中暴露出的问题，在疫情防控常态化背景下加快补齐市域社会治理的短板和弱项，既是全面贯彻落实以习近平同志为核心的党中央关于国家治理重大部署的应有之义，也是推进市域社会治理现代化的必要举措。

一、疫情“大考”中市域社会治理的特殊地位与重要作用

2019年12月召开的全国市域社会治理现代化工作会议指出，市域治理做得怎样，事关人民安居乐业、事关社会安定有序、事关国家长治久安。这次抗击疫情的实践再次证明，市域治理是国家治理的重要支柱，在推进国家治理体系和治理能力现代化中具有特殊意义。

第一，基于市域承上启下的枢纽作用，党中央采取的最全面、最严格、最彻底的防控举措，在基层一线得到迅速贯彻落实。对上，市域是贯彻落实党中央决策部署的执行者；对下，市域是推动基层治理的组织者、领导者。抓住了市域，就抓住了将中国特色社会主义制度优势转化为治理效能的关键。以武汉为例，作为千万级人口的特大城市，为有效切断病毒传播途径，精准遏制疫情蔓延势头，武汉市采取了“封城”“全覆盖排查”“四类人员集中收治隔离”等一系列超常规、最严格的防控举措，对有效减少人群流动、切断病毒传播链、控制新冠肺炎传播起到了重要作用[①]，也为控制疫情向全国蔓延争取了时间。

第二，基于市域以城带乡的引擎作用，村居群防群控、联防联治机制得以在城乡大范围建立并较好运转。市域作为城市和农村两种社会形态的结合体，是统筹推进城乡一体化的有效载体。新冠肺炎疫情暴发以来，“防控一线在社区”成为普遍共识。作为疫情防控的“最后一公里”，社区成为防止疫情扩散的重要

---

① 参见卿菁：《特大城市疫情防控机制：经验、困境与重构——以武汉市新冠肺炎疫情防控为例》，《湖北大学学报》（哲学社会科学版）2020年第3期。

战场。需要说明的是，本文所讨论的社区，是城市社区和农村村庄的统称。在各级部署疫情防控工作后，城市社区得益于相对较高的治理水平，比较迅速动员了社区各方力量联防联控、群防群治。但多数农村地区行动相对滞后。各级党委、政府通过建立疫情防控指挥部来加强统一领导，在城市社区封闭管理的辐射带动下，农村地区也普遍实行了封闭式管理。

第三，基于市域政策制定的自主空间，疫情防控相关法律制定得更加及时，分区分级复工复产政策落实得更加精准。一方面，习近平总书记在主持召开中央全面依次治国委员会第三次会议时强调："疫情防控越是到最吃劲的时候，越要坚持依法防控，在法治轨道上统筹推进各项防控工作。"设区的市享有地方立法权，因而具有更大、更灵活的自主制定政策的空间。以济南市为例，2020 年 2 月 13 日，济南市第十七届人大常委会第十次会议审议通过了《济南市人民代表大会常务委员会关于依法全力做好当前新型冠状病毒肺炎疫情防控工作的决定》，为动员全市上下做好疫情防控工作提供了全面有力的法律依据。另一方面，习近平总书记在统筹推进新冠肺炎疫情防控和经济社会发展工作部署会议上强调："要落实分区分级精准复工复产。各地市根据其实际情况，纷纷出台了推进复工复产的有关政策。"比如，济南市委政法委、市法学会牢固树立"服务复工复产就是服务大局"的理念，优化细化政法服务措施，充分发挥政法机关职能作用，政法系统相继出台了《关于为中小微企业应对疫情提供法律服务的实施意见》等一系列政策，积极运用法治思维和法治方式有力推动了复工复产。

二、疫情"大考"中市域社会治理的短板与困境

全国市域社会治理现代化工作会议指出，当前市域社会治理的突出问题是社会矛盾外溢、治安问题复杂多变、优质公共服务供给不足。这些问题在疫情防控中同样不同程度存在。但结合工作中的大量调研观察和理论学习，笔者认为，在疫情中暴露出的市域社会治理存在问题，主要有以下几点：

(1)基层治理精细化程度不高，是市域社会治理的突出问题。市域社会治理现代化一个重要标志就是精细化。但在疫情防控工作中，尤其是在防控初期，无论是农村地区采取的所谓"硬核"防疫举措——"一刀切"地断路堵路、禁止一切人员出入等，还是城市社区投入大量人力、物力、财力的反复摸排，都暴露出当前基层治理精细化程度不高。精细化程度不高，又具体体现在两个方

面：一是部分地区网格化工作依然存在“网大格空不管用”的问题。网格化服务管理工作已在全国推广多年，但通过这次疫情考验可以看出，有的地方网格化工作基础仍然薄弱甚至徒有其表：综治网格、环卫网格、环保网格等“多网并行”却依旧存在空白地带；有的一个网格覆盖上千户，一两名网格员根本无法开展摸排掌握信息；有的网格员平时只是“挂名”拿补贴，对网格内的基本情况不掌握、对自己职能不清楚，等等。二是部分地区智能化水平较低。部分村居，主要是农村地区，除基本的治安监控系统外，几乎没有智能化设备用以支持日常管理。有的社区有一定的智能化硬件，但社区掌握信息有限，比如“双实”信息等基础数据没有更新。此外，自上而下的数据信息不足。有的地区实行各种不同的“健康码”或居民出行系统，但基础数据都需要基层临时采集。这样做看似通过科技手段及时掌握了居民出行轨迹等信息，但实际给基层增加了大量负担，有些还是重复性工作。群众也有所抱怨，一人多码，不知如何使用。

(2)社区治理能力不足，是市域社会治理的明显短板。社区是社会的细胞，是市域社会治理的基本单元。在疫情防控中，社区处于联防联控的第一线，其基础性作用更加凸显，但也暴露出当前社区治理能力普遍不足的问题。一是社区力量薄弱。社区工作人员少、任务重，特别是对于无物业管理公司和业主委员会的老旧社区，与此相对的是，社区承担的工作量大。二是社区自治能力弱。一方面，社区没有储备必要的防疫、防灾等应急资源，特别是在疫情暴发初期，社区工作人员严重缺乏口罩、手套、防护服、消毒水、体温仪等基本医疗物质和防护装备，一定程度影响了工作开展。另一方面，也是更为重要的一点，社区有时忽视市民主体性，对居民群众的动员力弱，社区凝聚力低，很多时候群众参与社区治理的积极性和主动性不足，在一定程度上有集体无为现象。[①] 社区内部治理关系也未理顺，有的居委会、业委会、物业公司之间利益协调不畅，相互间矛盾多，比如，物业公司拒绝布设物理“硬隔离”。三是社区共建机制不健全。在疫情防控工作中，社区没有能全面调动辖区内各机关、单位、组织等各类资源投向社区。当然，这主要与社区处于最基础单元，组织协调能力有限有关。

---

① 参见傅宇剑、窦潇儒、淡志荣、陈江峰：《从疫情大考看社区治理现代化——社区疫情防控的宝鸡实践与思考》，《宝鸡社会科学》2020 年第 2 期。

三、"后疫情时代"推进市域社会治理现代化的路径思考

当前我国疫情防控已取得阶段性战略成果，虽然国际疫情形势依然严峻，但相信在不久的将来，疫情会被彻底战胜，全球都将进入"后疫情时代"。在新的发展阶段，需要树牢问题导向，更有针对性地推进市域社会治理现代化。

习近平总书记在武汉考察时提出："要着力完善城市治理体系。城市是生命体、有机体，要敬畏城市、善待城市，树立'全周期管理'意识，努力探索超大城市现代化治理新路子。要着力完善城乡基层治理体系。这次疫情防控凸显了城乡社区的重要作用，也暴露出基层社会治理的短板和不足。要夯实社会治理基层基础，推动社会治理重心下移，构建党组织领导的共建共治共享的城乡基层治理格局。"习近平总书记的重要讲话，为推进市域社会治理现代化提供了根本遵循，指明了正确方向。

（1）要重塑理念，理顺架构，切实提高市域社会治理系统化水平。一方面，要将"全周期管理"理念引入城市治理领域。"全周期管理"所蕴含的动态性、整体性和统筹性，要求城市在常态时需做好应急准备，提前规划部署，提升应对潜在危机的能力，减少危机损害，提升非常态下的应对能力。[①] 对各级官员而言，城市治理现代化既要关注常态下的治理问题，也要聚焦"非常态"下的治理效能和治理能力问题。建立基于"全周期管理"视角的"常态＋应急"动态融合治理机制，从应急机制建设、应急性政府行为合法性、公共卫生管理、应急物资保障、应急队伍建设等方面，推进城市治理体系和治理能力的现代化。另一方面，要进一步理顺市、县、乡镇（街道）权责关系，进一步向县、乡镇（街道）放权赋能，尤其是通过人、财、物投入夯实乡镇（街道）基础。要坚决落实中央"基层减负年"相关部署，进一步激发基层干部的主观能动性，比如在改进督查检查考核方式方法的同时，创新增设自下而上的考评机制。

（2）要完善机制，壮大队伍，切实提高市域社会治理社会化水平。一方面，要不断完善共建共治共享机制。要进一步完善社区自治相关政策，保障并发展基层社会自治，尤其是提升社区治理的社会化能力。一要充分发挥党建引领作

---

① 参见卿菁：《特大城市疫情防控机制：经验、困境与重构——以武汉市新冠肺炎疫情防控为例》，《湖北大学学报》（哲学社会科学版）2020 年第 3 期。

用。通过发展壮大社区党建、提升社区党建地位，加强社区党支部（综合党委）对居住于本辖区的党员领导干部、辖区内企事业单位的统筹协调能力。二要努力支持一批去行政化、专业化的社会组织的发展。三要实现社会组织参与公共事务管理的制度化，一个重要方式是不同功能性的社会组织，作为平等的一员，参与到基层政府在相关领域推进的社会治理工作中。四要提高居民群众议事协商能力，尊重居民群众的主体地位和首创精神，谋划工作要向居民群众问计，推动落实要靠居民群众参与，衡量成效要由居民群众评判。五要建立危机应急管理指挥体系，将社区、物业公司、驻区单位等各方力量纳入其中。另一方面，要加强村居干部队伍建设。通过建立科学的晋升渠道、加强绩效管理、提升待遇、进行专业技能培训等，吸引更多年轻人和综合素质较高的人进入村居干部队伍，壮大社区治理力量。

（3）要细化网格，优化服务，切实提高市域社会治理精细化水平。经过疫情防控中对网格化服务管理的进一步实践和探索，网格化工作的重要性更加凸显。网格化服务管理，既是基层治理模式，更应该成为一种工作理念。当前，济南市市中区以完善疫情防控终端网格为契机，在推动网格化服务管理从“多网并行、网大格空”的 1.0 版本升级为“多网融合、一网统筹”的 2.0 版本后，继续探索打造“多层级架构运行、实体化平台支撑”的 3.0 版本，做法值得借鉴。一是，构建“1＋5”基层网格化治理体系，即加强党的网格建设，采取“科学划分社区”“规范网格设置”“配强网格力量”“优化运行机制”“开展常态服务”等措施，努力打造高质量党建引领基层网格化治理的“市中样板”。其中，使开展常态服务成为网格化体系的落脚点。二是，分类细化网格。对居民区网格，按照“1＋1＋X＋N”的队伍建设标准进行人员配备；对居民区以外划分的专属网格，按照“1＋X＋Y”的队伍建设标准配备。采取统一招录一批、审核选拔一批、调整优化一批的方式，全面配齐、配强以党员为主的专兼职网格员队伍。当然，充分发挥网格效能还需要正确把握减负增效“风向标”。其一，要避免网格化服务管理成为增加基层负担的新变种。要建立入“网”事项清单，对入“网”事项也要明确哪些由网格员“唱主角”，哪些由网格员“唱配角”的问题。其二，要避免出现网格员人浮于事、队伍臃肿的问题。按照“平战结合，专常兼备”组建的兼职网格员队伍，在非战时状况下，要进行科学有效的管理，避免人力资源和财政资源的浪费。

（4）要防患未然，依法防控，切实提高市域社会治理法治化水平。中央政法委秘书长陈一新指出：“这次抗疫表明，推进市域社会治理现代化具有极端重要性;市域风险隐患防控处置不及时,潜在的问题就会变成现实的风险,区域性风险就会酿成全局性风险。未来要把小矛盾小问题解决在基层、把大问题大风险必须解决在市域。"一要坚持和发展"枫桥经验"。要发挥好网格信息树和智慧化治理的作用,建立相对完整的信息功能平台,努力打造社区治理的"智慧枫桥"模式。二要在基层开展"敞亮工程",通过构建社区心理服务体系,有效疏解群众对疫情的恐慌心理,提升市民心理健康指数。三要依法协调基层矛盾纠纷,以法治精神与法治文化破解城乡社区治理的法治难题。比如,近年来,市中区委政法委将创新非诉讼纠纷解决机制作为一项工作重点,在全区各街道统一建立"诉调对接工作室",打造"全区诉调对接智慧平台",不断拓展矛盾纠纷多元化解工作的内涵。四要加快城乡社区治理法治建设步伐,加快修订相关法律法规,研究制定符合社情民意的各项规章制度。要完善城乡社区民主选举制度,进一步规范民主选举程序,通过依法选举居民群众心中的社区居民委员会。五要深入开展普法工作。充分发挥"一村(社区)一法律顾问"、警务助理等的作用,深入开展法治宣传教育和法律进社区活动,推进覆盖城乡居民的公共法律服务体系建设。

(5)要强化支撑,科技赋能,切实提高市域社会治理智能化水平。一是要打造社区基本信息数据库。要推动数据融合共享,将更多科技设施、创新应用投入基层,增强社区管理的智能化水平。比如,要通过对社区人口、驻区单位、车辆信息、商户统计等数据的收集,形成社区基本信息数据库。二是要进一步推进"智慧社区"公共服务平台建设,结合"最多跑一次"改革,解决公共服务主要是政务服务"最后一米"的问题。三是要坚持创新。疫情防控期间所创新的电商、网上交流、扫码服务等方式得到公众的认可,要进一步创新非接触工作、非接触服务模式。在简政放权、流程再造方面,疫情期间的"网上办""掌上办"、企业和群众不跑腿当即办,要努力把"战时"做法转化为"平时"机制。四是要加强信息保护。在赋予社区更多信息集成和利用的职能之外,还需重视信息保护问题,对于涉及居民隐私和具有较强情报价值的信息,要加强对社区工作者法律、纪律的培训教育,恪守保密原则,通过技术加密和部门保存等方式加强信息安全管理。①

---

① 参见何雪松、李佳薇:《数据化时代社区信息治理体系的重构——基于新冠肺炎疫情社区防控的反思》,湖北大学学报(哲学社会科学版)2020 年第 3 期。

公众参与地方政府立法问题研究*

马振强**

摘要：公众参与地方政府立法不仅能够保证立法的公正性、科学性、操作性，而且能够彰显法规的地方特色、提升公众民主法治意识，不仅是人民当家作主的直接体现，而且也是国家治理体系和治理能力的需要。当前，公众参与地方政府立法存在公众参与保障机制缺乏、立法信息公开面过窄、顶层立法不足等问题，要增加公众参与地方政府立法的制度供给、拓宽公众参与路径、增强公众参与地方政府立法的主动性和实效性。

关键词：地方政府立法；公众参与；制度供给；利益群体

我国《宪法》以根本法的形式对国家的根本制度和根本任务、公民的基本权利和义务、国家机构的组织原则和职权作出了明确规定。立法权是一项重要国家主权，是国家权力中的重要权力，我国人民民主专政的国家性质决定了我国人民享有参与立法的权利。我国《宪法》第 2 条规定："中华人民共和国的一切权力属于人民。……人民依照法律规定，通过各种途径和形式，管理国家事务，管理经济和文化事业，管理社会事务。"《立法法》第 5 条明确规定："立法应当体现人民的意志，发扬社会主义民主，坚持立法公开，保障人民通过多种途径参与立法活动。"法治作为有效的治国理念和治国方略成为普遍共识，公众参与地方政府立法成为实现行政合法性与正当性的必然要求，成为一种普遍有序的民主政治常态和法治实践活动。公众参与地方政府立法不仅能够保证立法的公正

---

* 第三十二届全国副省级城市法治论坛获奖论文优秀奖。

** 马振强，济南市政府法制研究中心七级职员。

性、科学性、可操作性，而且能够彰显法规的地方特色、提升公众民主法治意识，不仅是人民当家作主的直接体现，而且也是提升国家治理体系和治理能力的需要。

一、公众参与地方政府立法的内涵

（一）地方政府立法的内涵

地方政府立法作为地方立法区别国家立法，地方立法具体包括地方人大及其常委会制定的地方法规以及地方政府制定的规章等。地方政府立法的主体只能是省、自治区、直辖市和较大的市的人大及其常委会或政府、设区的市。地方政府立法是指依法拥有立法权的地方政府依照法定程序，根据相关法律法规对本地区城乡建设与管理、环境保护、历史文化保护和经济社会等各项事务进行的相关立法活动。

（二）公众参与地方政府立法的内涵

公众参与地方政府立法是指为确保立法质量，保证立法的科学性、民主性，保证公众参与民主政治的权利，地方政府立法机关进行立法时依法通过各种途径将立法信息向公民、法人和其他社会组织公开，并听取公民、法人和其他社会组织提出的意见建议、反映的诉求，实现反馈互动的一种民主立法活动。

二、当前公众参与地方政府立法的概况和存在的不足

（一）概况

当前，随着公众民主法制意识增强，公众参与政府立法的意识也明显增强。地方政府对公众参与政府立法越来越重视，立法质量不断提高，一些地方政府相继制定了公众参与地方政府立法的法规制度，比如广州市2006年出台了《规章制定公众参与办法》，被认为是地方第一个专门规范公众参与政府立法的规章，该办法规定广州市所有政府部门在制定规章前，都须征求公众意见并对意见进行反馈，并规定了多样且具可操作性的公众参与形式。《北京市人民政府规章制定办法》《湖南省行政程序规定》《山东省行政程序规定》等均涉及公众参与政府立法的内容，《济南市人民政府规章立法前协商工作规则》明确，对确定进行立法前协商的市政府规章立法项目，市政府法制办（现市司法局）在向社会公开征求意见的同时，应把立法项目的征求意见稿送市政协社会文教（法制）委

员会。市政协社会文教(法制)委员会在收到市政府规章征求意见稿后,及时组织有关政协委员开展调研,召开立法前协商会议,并在规定时间提出意见建议。立法前协商会议将邀请有关政协委员、专家学者和社会各界代表人士参加。在实践中,地方政府积极利用现代网络媒体资源,积极拓展公众参与政府立法渠道、平台,在政府网站开通立法意见征集系统,通过微博、微信及新闻客户端等平台广泛征求社会意见。有的地方采取该方法收到了不错的效果,江苏省连云港市除充分利用传统的报纸、电视、广播、网络等媒体发布征求意见信息外,还采取了城区街道和小区电子屏公示、发送手机短信等方式。2018 年,烟台市政府第 23 次常务会议研究通过了《烟台市公众参与政府立法工作程序规定》(以下简称《规定》)。这是山东首个公众参与政府立法保障办法。《规定》共有总则和立法、起草、审查、实施过程的公众参与等 6 章 35 条组成。《规定》以制度形式固化了公众参与制度创建的权利,充分体现"民意第一""民为天"的人民思想,明确了公众参与政府立法活动的主要途径,卡实了公众参与政府立法活动的"第一责任",开设了公众参与政府立法活动网上"听证会",除了起草过程中"立法草案"遇有"重大意见分歧",起草部门应当组织听证会外,《规定》第 25 条还专门设立了非常规形式的、不受场所容纳规模限制、随机客观性更强、参与面更广、公众规模更大、公约指数更高、参与形式更为便捷的网上"听证会"。强化了公众参与政府立法活动的"话语权"。参与范围和事项实现了立项、起草、审查、实施、评估等各环节全覆盖。该《规定》比较全面、系统地对公众参与政府立法作了细致详尽的规定,有较强的实践借鉴意义。

现行相关法律法规对公众参与立法作出了规定,但总的看来由于现行《立法法》仍是原则性、方向性的规定,现行《行政法规制定程序条例》《规章制定程序条例》相关规定的操作性仍需细化,同时各地实践中相关制度过于零散不统一、程序规则存在粗疏、缺乏制度刚性和权威统一性,公众参与地方政府立法制度体系尚亟待完善。当前公众参与立法仍主要是政府主导而不是制度主导的形式,公众参与立法的主动性、实效性比较欠缺,公众参与的意识不强和能力不高问题比较突出。

(二)存在的不足

当前公众参与地方政府立法存在的主要问题是公众参与政府立法意识不强,参与度不高,表现为不想不愿参与,认为与己无关;公众参与地方政府立法的能力有待提升,表现为积极参与,但不知、不能如何充分行使权利的问题;公众参与政府立法的途径不畅也是影响公众参与立法实效性的重要原因，具体看来，主要有以下方面：

1. 公众参与地方政府立法的保障机制缺乏

一是地方政府在立法的启动和组织过程的自由裁量权过大与公众提起立法动议权启动缺失和参与权利受限的矛盾。这种矛盾决定着公众参与的地方政府立法的形式和程序与程度和实效，地方政府立法机关对于公众是否参与、如何参与及参与的时效性等自由裁量权过大，相应地公众的参与权利就会受到限制。《立法法》第 5 条规定："立法应当体现人民的意志，发扬社会主义民主，坚持立法公开，保障人民通过多种途径参与立法活动。"《行政法规制定程序条例》第 13 条和《规章制定程序条例》的第 15 条规定了公众参与政府立法的形式。中共中央国务院印发《法治政府建设实施纲要(2015～2020 年)》第 11、15 条之规定对公众参与政府立法进行了明确，但需要更细化的制度规定设计配套跟上，比如各种座谈会、论证会、听证会等召开的时间和条件没有具体规定，哪些立法项目必须听证、可以听证、无需听证没有明确界定，参与人员的产生过程、比例组成没有具体规定，也没有法律法规具体规定公众参与的权利和义务，特别是没有具体规定公众参与的事项和程序，具体的听证程序步骤，比如提案人说明、辩论程序及旁听人的组织参与程序缺乏必要的制度性供给，对收集到的意见如何处理没有作出具体规定，对听证结果的公开也没有明确要求，导致随意性较大、公众参与积极不强，影响了听证制度的效能。近年来，一些地方出台了相应规章或内部工作规则，但制度统一性、权威性和实效性还有待加强。二是缺乏地方政府立法的约束机制和责任追究机制。公众参与政府立法过程中，各种法律主体权利和义务要明确，履行什么义务、如何履行义务，不履行义务如何追责都需要通过法律法规进行相应规定。对于政府来说，有权就有责，地方政府的行政立法权力作为一种行政权力，需要依法合理规范行使，必须要遵循严格的程序步骤，合理使用行使自由裁量权。对于政府在启动和组织政府立法时，哪些违规违法的事项没有明确，对于违规违法失职渎职行为也没有责任追究机制设计。三是缺乏公众对参与权利受到侵害时的行政救济途径机制。公众参与政府立法作为一种现实的民主政治权利，需要具体化、明确化、法律化，以权利与义务的形式予以明确，包括参与权、知情权、监督权、陈述权、申诉权、获得告知权、听证动议申请权、立法动议申请权等，当这些权利受到侵害、不能实现时，公民、法人或其他社会组织有获得相应救济的权利，比如提起申诉、申请行政复议、提起行政诉讼或信访等救济途径。而现行相关法律法规中并没有相应规定。

2. 立法信息公开公开面仍过于狭窄、限制过高

保证公众对地方政府立法信息的知情权，是公民、法人或其他社会组织有序参与民主政治的重要内容和权利，是保证公众参与地方政府立法参与权、监督权的重要前提，是实现良法善治的重要基础。当前，我国地方政府立法对于立法信息公开的内容缺乏明确的刚性制度规定，公开面仍过于狭窄、限制过高。因此，公众有时得到的仅是一些零碎的、片面的信息，立法公开信息不对称的问题还比较普遍，使得公众处于一种被动参与状态。《规章制定程序条例》第 16 条规定："起草规章，涉及社会公众普遍关注的热点难点问题和经济社会发展遇到的突出矛盾，减损公民、法人和其他组织权利或者增加其义务，对社会公众有重要影响等重大利益调整事项的，起草单位应当进行论证咨询，广泛听取有关方面的意见。起草的规章涉及重大利益调整或者存在重大意见分歧，对公民、法人或者其他组织的权利义务有较大影响，人民群众普遍关注，需要进行听证的，起草单位应当举行听证会听取意见。听证会依照下列程序组织……"规定公开的条件是直接涉及利益标准、普遍关注且减损公民、法人和其他组织权利或者增加其义务，笔者认为就当前实践来说公开面仍过于狭窄，且限制过高。此外，各地政府立法对于公开的方式包括公开的载体、立法各个阶段公开的期间缺少统一的明确规定，不便于公众参与，造成了操作上的随意性，统一性、权威性欠缺。

3. 立法公开征求意见和意见反馈制度不健全

《规章制定程序条例》第 15 条规定："起草规章，应当深入调查研究，总结实践经验，广泛听取有关机关、组织和公民的意见。听取意见可以采取书面征求意见、座谈会、论证会、听证会等多种形式。"规定了公开征求意见制度和四种形式，但对于公开征求意见的规定，在实践中仍过于原则化，制度刚性和操作性不强。现行法律法规对于立法征求意见反馈制度体系不健全。实践中一些地方在立法过程中导致公众参与地方政府立法时无提出的意见，或者虽然提出意见，但无论是否被采纳都缺乏是否采纳的告知及其理由，影响了公众参与政府立法实效。

4. 国家层面的顶层立法缺位

公众参与政府立法的时间、范围、程序、形式等具体问题，直接关系公众参

与政府立法活动的实际运转和权利实现，公众参与地方政府立法的权利是属于国家法律应当统一规范和具体规定的内容，应由国家制定统一的法律法规制度体系加以规范。当前，公众参与地方政府立法还处于发展完善中，理论论证和实践操作仍处于不断探索和发展阶段，许多地方为推动公众参与政府立法实践依法制定了相应的公众参与立法的规章制度，这保证了公众参与地方政府立法，但同时也形成了公众参与形式多样、程序不一的局面。比如，是否所有地方政府立法都要公众参与，公众参与地方政府立法属于任意性程序还是强制性程序，现行法律法规没有明确。

5.公众参与地方政府立法的参与度和参与效果有待提升

这与公众的参与意识、参与能力有很大关系，同时我国公众参与政府立法法律制度，在很大程度上是政府积极推动的结果，地方政府机关立法过程中的主导性相对较强，而不是制度刚性要求的结果，公众参与的主动性、实效性欠缺，比如政府立法工作中，往往重意见的征求、轻意见的处理，政府立法者与公众的主动沟通不够导致公众参与政府立法的有效性受到质疑。当前公众参与政府立法，需要自上而下建立一整套专门的规范，变政府主导为制度主导。目前，我国国家层面尚没有统一的法律法规去规范，缺乏这一重要法律制度安排。

三、推进公众参与地方立法的对策建议

（一）全面建立地方政府立法信息公开制度，确保公众参与知晓度

政府立法信息公开制度的实质是保障公众知情权，而公众知情是公众参与政府立法的前提。立法信息公开要坚持“公开为原则，依法不公开为例外”，政府立法公众参与是全程参与，在这个过程中，从政府立法立项阶段开始到立法的公布、实施，立法信息都要公开透明。在制度上把立法信息公开作为立法机关的法定义务，明确信息的公开主体和相应责任，要明确立法信息公开内容。政府立法信息公开从立法信息公开的内容看主要包括以下内容：一是立法计划公开。包括编制计划的指导思想、立法项目、立法宗旨、立法依据等。要让公众从源头上参与政府立法，公众可以提出立法项目建议，也可以对拟列入立法计划的项目提出必要性、可行性意见。二是规章草案文本公开。包括起草说明、规章草案文本、制定依据、会议记录、听证记录、利害关系人提供的证据等要向公众公开，听取公众的意见和建议。三是征求意见情况公开。公众反馈的意

见、意见输送情况都要按规定时限和方式向公众公开。四是采纳意见情况公开。对于公众通过各种方式输送的意见和建议,特别是采纳或不采纳意见的理由要按照规定时限和方式公开,比如通过新闻发布会、官方媒体、专题问答等方式对公众意见是否采纳及理由做出回复,对公众有交待。五是实施公开。政府立法项目颁布后,要将规章文本及时向公众公开,并召开新闻发布会予以宣传。六是立法评估与立法清理公开。完善政府立法的评估与清理制度是对公众立法监督权的保障。具有政府规章制定权的国家机关或由其委托的主体,通过接收群众意见、专业机构的评估、随机抽样调查、问卷调查等方式,让公众参与立法评估。同时根据评估结果,对相应的规章作出保留、修改或废止的处理。要明确规定立法信息公开的载体、方式包括法定公开和依申请公开以及程序步骤和公开期限等。充分利用报刊、电视、网络等公开载体,将每个阶段产生的争议、问题都及时传递给公众,使公众了解最新立法动态,保证公众的知情权、参与权和监督权。

(二)拓宽参与路径,畅通公众参与立法通道

一是建立健全听取意见的方式制度。当前在实践中,公众参与政府立法方式多种多样。根据不完全统计有十多种,包括听证会、论证会、座谈会、民主协商会、书面公开征求意见、内部征求意见、听取人大代表政协委员意见、专家咨询论证、公共论坛、群众来电来函、政府法律顾问、民意调查、网上意见征询、微博微信意见征询、新闻调查,等等。在上述参与方式中,法定方式只有书面征求意见、座谈会、论证会、听证会四种,其他则是实践中采用的非法定的方式。因此,有必要进一步明确细化听取意见的方式、途径、程序,对听证会、论证会、座谈会等会议召开的条件、主持人与参加人员的选择和组成、不同阶层人员和相关利益群体的产生和比例结构、座谈和论证意见的反馈与处理作出明确可操作的规定,比如法定听证制度的建立,应当通过立法对听证统一规划,对听证效力、听证组织机构、听证对象范围或听证内容、听证程序、听证意见处理、参加听证的人员组成结构等要明确设定。

二是赋予公众听证动议的申请权。科学合理设定公众动议申请权的条件和程序,只要符合法定申请人数,经过审查核实认证,就应举行听证会。

三是规制行政立法机关对公众参与立法事项的自由裁量权。对可能涉及公民、法人或其他组织的重大利益,不同利益群体对立法草案存在很大意见分歧,社会影响较大的必须举行听证会,而不是“可以”。凡是涉及国家安全、商业

秘密和个人隐私等依法不应当公开的行政立法,应不公开举行听证会。

四是建立采纳公众意见情况答复说明制度。明确规定负责的答复机构,答复方式比如新闻发布会、专题问答等方式等,对公众意见是否采纳及理由做出回复。

(三)加强相关制度建设,增加公众参与地方政府立法的制度供给

公众的主动性、有效性是有效参与的前提,要加强借鉴和探索,强化公众参与地方政府立法的制度设计。

一是赋予公众参与地方政府立法的启动权。赋予行政相对人立法动议权,并对相对人行政立法的具体实体权利义务内容加以立法规定,对行政立法动议权的程序规则加以明确。

二是设定行政立法的通告评议制度。行政立法通告评议制度是指行政立法评议过程中,行政主体及时地将拟进行或正在进行的行政立法信息予以公告,由公众对立法事项进行评论并提出意见和建议的制度,主要包括通告和评议两个过程。其针对的相对人是不特定的,所有利害关系人、行政相对人都可以自主地、真正地参加到评议过程中,能保障公众参与的广泛性和平等性,不会像听证会受到时间、地点、人员数量等条件限制,使之成为公众参与地方政府立法最方便有效的基本制度。建立强制性的通告和评议程序,对通告和评议的内容、形式、期限和权利救济方式等给予制度性、刚性规定。比如要明确评议主体针对所有公众,评议方式可采用书面和资料意见的方式或运用口头评议的方式及利用政府官方网站设置评议栏的途径,也可用公众的来电、致函和电子邮件、公共论坛、微博、微信等方式,对收到的意见整理、分析、归纳,及时公布,并对公众意见采纳情况以文字形式向社会公告,及时评议处理。权利救济上,行政复议、行政诉讼的受案范围应加入公众对行政主体是否采纳意见及其理由说明持有异议及其不服的情形。

三是建立健全高效透明的公众代表选拔机制。合理界定公众参与的主体。我国目前虽然有听证会、座谈会、论证会、书面征求意见等多种方式。但相关规定过于原则,立法机关自由裁量权过大,可操作性细则、程序缺乏。应当对立法可能影响到的利益群体,进行合理划分,并合理确定各个层面的利益代表比例、结构组织。在拟定的规章所涉及的利益群众中公开透明选拔利益代表参与地方政府立法,对选拔比例、选拔程序、人员结构,要坚持公开公正公平,合理确定比例结构。应当综合考虑立法可能影响到的人群,按照影响程度由高到低进行

区分，并区分得益方、受损方，列出公众参与的主体清单，确定参与的优先次序、比例构成。

四是建立利益群体代表机制。社会组织作为组织化的利益共同体，其表达利益诉求的意识和能力较强，鼓励、支持行业协会（商会）、公益慈善团体及其他社会组织积极参与到决策过程中，充分表达其利益诉求。总工会、共青团、妇联等组织在地方政府立法中作用的发挥依然是不可或缺的。2008 年，上海市政府法制办举行的旅馆业管理办法规章草案听证会，参加听证的既有公民个人代表，也有各种类型旅馆行业代表、旅游行业协会代表、消费者协会代表和律师协会代表。其中行业和协会代表表现了较强的为利益群体代言的欲望和能力。

五是建立提高公众参与意识和参与能力的制度机制。既要加强法制宣传教育，提高公众参与政府立法的法制意识和能力，也要有组织地加强对选出的公众代表进行必要的培训，提高公众参与能力。

六是建立基层立法联系点制度。在基层，坚持全面覆盖和地域代表性、行业代表性原则，选择乡（镇）人民政府、街道办事处、村（居）民委员会和企业，作为协助收集立法工作相关信息的固定联系单位，进行第一手资料收集，反馈意见建议，开展立法调研。这是基层群众和社会组织直接参与立法活动的平台，是公众参与政府立法的有效渠道，有利于更好地了解群众的立法需求，实现各利益群体的利益平衡，增强立法的可操作性和科学性。

七是建立健全公众参与地方政府立法的救济保障机制。“有权利就有救济”，公众参与地方政府立法应当有救济程序的保障；“有权必有责，用权受监督”，地方政府立法权的行使要受到有力的监督和制约。将地方政府立法纳入行政复议、行政诉讼的审查范围。把地方政府立法权纳入法院管辖范围，在管辖上可以提高级别管辖的方式进行管理，就地方政府立法进行形式和内容上的审查，就公众参与地方政府立法的情况进行审查，进而审查判断地方政府立法的效力情况。建立健全责任追究责任机制，明确行政责任主体。不论行政机关一方还是参与行政立法的公众一方都应该遵守立法的规定，违反法律规定的行为都将收到不利的法律后果。明确各种责任形式的适用情形。比如，对违反行政立法程序的应当公开而不公开立法信息的情形，要追究相关责任人责任，同时作出撤销、责令重作或采取补正措施的决定。行政法规违宪或违法，没有按法定程序制定的都应视为无效；对公共利益造成严重影响，除依法予以撤销还应依法依纪追究相应责任人的法律责任、政治责任。

八是建立物质激励和精神激励机制。政府要对参加政府立法的公众代表报销适当的人力、资金和时间费用，对提出建设性意见给予物质奖励和精神奖励。

（四）构建国家层面统一法规制度体系，强化公众参与政府立法的权威性和实效性

公众参与政府立法的范围和程序需要国家法律统一规定。当前无论是国务院还是地方政府，均有行政法规或者政府规章规定公众参与政府立法的要求及相关程序内容，虽然《立法法》对于公众参与行政立法提出了要求，但普遍存在原则要求多，规则细则少。例如，公众参与政府立法属于任意性程序还是强制性程序，是否所有政府立法都要公众参与。又如法定四种听取公众意见形式，即书面征求意见、座谈会、论证会和听证会，但是四种形式是选择程序还是必经程序，四种形式的适用情形如何，每种形式举行方式如何以及四种形式之间是什么关系，法律法规都未明确规定。这些公众参与的程序和规则，事关保障公众有效参与，是法律法规应当明确的。公众参与政府立法作为一种政治制度设计，是公众有序参与民主政治的重要内容，公众参与政府立法的时间、范围、程序、形式等具体问题，直接关系公众参与政府立法活动的实际运转和权利实现，是属于国家法律应当统一规范和具体规定的内容，应当由国家立法规范。当前实践中，各地方各部门自立规章、规则，造成公众参与形式多样，程序不一，影响了地方政府立法的质量，也不利于维护和增强法制统一性、权威性。因此，随着我国公众有序政治参与不断推进，国家立法机关一方面应总结前期政府立法的实践情况和公众参与的实践情况，不断将经过实践检验的有效做法和可行程序提炼上升为法律的程序和规则，同时借鉴国外有关立法经验，出台统一的具体规范，构建国家层面的公众参与立法及政策制定法规制度体系。具体可采取三种立法方式：一是通过立法专门制定公众参与政府立法的法律；二是通过补充《立法法》的有关内容，增设专章专节的形式，规定公众参与政府立法的内容；三是通过立法制定行政程序法，在行政程序法中作专章规定。

网格化管理在突发公共事件应急管理中的作用研究*

李春雷**

摘要：网格化管理利用现代信息技术和各网格单元间的协调机制，达到资源、信息共享的效果。网格化管理实现了打破部门间信息壁垒、社会管理机构的下沉，实现了社会管理横向到边、纵向到底，具有精细化、高效率等优势。在新冠肺炎疫情防控工作中，网格化以其优势发挥了重要作用，实现了疫情监测预警的准确化、疫情防控管理的精细化、疫情防控指挥的信息化和疫情防控管理的服务化。目前网格化管理仍有一些不足，包括增加了政府层级，对人力、资金投入要求高；网格化的行政化倾向与社会治理的多元化趋势相违背；基层网格解决问题能力不强等。要对网格化管理作出改进，由网格化管理向网格化治理迈进，需要在引入多元主体参与、强化网格的服务功能、厘清政府权利责任配置问题等方面作出改进。

关键词：网格化管理；新冠肺炎疫情；突发公共事件应急管理

网格化管理的理念是指将管理对象按照一定的标准划分成若干网格单元，利用现代信息技术和各网格单元间的协调机制，使各个网格之间能有效地进行信息交流，透明地共享组织的资源，以最终达到整合组织资源、提高管理效率的现代化管理思想。① 在传统管理模式中，政府部门由于受信息手段的制约和部门之间的壁垒，信息共享不通畅，管理活动相互独立，管理能力和效果局限在自身的系统，不能形成系统化的效果；政府部门和基层群众联系不密切，难以突破

* 第三十二届全国副省级城市法治论坛获奖论文优秀奖。

** 李春雷，济南市天桥区司法局四级主任科员，法学硕士。

① 参见郑士源、徐辉、王烷尘：《网格及网格化管理综述》，《系统工程》2005 年第 3 期。

联系群众的“最后一公里”，基层的问题反馈不顺畅，问题容易积累恶化。网格化管理在运用信息技术手段搭建信息管理系统的基础上，横向打通部门之间的壁垒建立综合性的分析、研判、决策、指挥中心，纵向深入网格与群众直接接触，及时发现问题，作出反应，解决问题并跟踪反馈，实现精细化管理，提高了社会管理的效率和深度。

在对2019年底暴发的新型冠状病毒肺炎疫情防控期间，面对新冠肺炎病毒传播快、隐蔽性强的特点，需要随时对人员流动情况、易感人群情况、病患救治情况进行掌控并作出反应，网格化管理的高效率和深度为疫情防控提供了有力的支撑。以新冠肺炎疫情防控中网格化管理取得的经验为例，研究网格化管理在突发公共事件中的作用，将为我们利用好网格化管理打好基础。

一、网格化管理的基本特征

有别于传统行政体制中部门之间相互隔离导致的条块分割，网格化管理通过利用信息技术打造信息共享平台，实现了整合行政资源，达到各部门信息共享、统一协作的效果，实现了部门间横向的贯通。在社区下设网格，配备网格长、网格员，并且伴随行政机关干部下沉到网格，打通了行政机关与群众接触的“最后一公里”，把政府的力量深入到基层，实现了上下贯通。

（一）利用信息平台实现横向组织贯通

网格化管理利用信息技术搭建一套系统，由基层网格员使用信息设备构成网格终端，网格终端负责收集、上传信息，包括事件信息、需求信息、反馈信息等，信息由网络平台收集、汇总，通过大数据、云计算等信息手段筛选、分析，整合成有价值的信息，通过信息平台由各政府部门共享。各部门通过共享信息，共同作出决策，信息平台向网格终端分配工作任务，网格员收到任务负责落实。在工作过程中网格员将落实情况上传平台，对决策实施情况作出反馈。

以北京东城区网格化管理为例，将全区17个街道、205个社区划分为589个社会管理网格，每一社区划分2～5个网格[①]，聘用大量网格员全面铺开作为网格信息的收集者，建立由监管系统和指挥系统组成的双轴化管理模式，各政府部门整合在信息平台上实现信息共享，共同决策。市区划分成各种功能部

① 参见魏娜：《社区管理原理与案例》，中国人民大学出版社2013年版，第60页。

件,由网格员负责收集信息,运用专用设备,在第一时间把收集到的信息,以包括图像、视频、声音等形式上传到监管系统,监管系统收集网格员上传的信息,通过信息技术筛选整合,各政府部门共享信息,作出决策后通过指挥系统向网格发出指令执行办理,监管系统同时监督办理进度。这样,通过运用信息技术和大量网格员的收集处理信息,政府部门通过信息平台实现共享,达到了各部门增进横向联系,打破信息壁垒、实现系统治理的效果。

(二)政府力量下沉网格实现纵向贯通

街道、社区工作人员下沉网格担任网格员。为网格配备上级人员,并配套相应的调度资金、物资的权限,提升网格的问题处置能力。网格是直接与群众接触的一级机构,政府工作人员下沉网格不但为网格带来资源,也实现了政府部门直接与群众接触。有别于传统行政模式中群众向政府反馈情况需要通过各种渠道导致的沟通不畅,网格化可以让群众直接与政府部门沟通,畅通了信息传递渠道,降低了因信息间接传递导致的不实和扭曲。随着政府工作人员下沉到网格带来的行政资源下沉,网格的处置问题能力有较大提高,并且有政府力量的参与,相对于属于居民自治组织的居委会来说,处置问题显得更加有力。

以舟山市"网格化管理,组团式服务"模式为例,舟山市构建了市级、区县级、街镇级、社区级与网格级的五级管理服务系统,领导小组设立在市级;为每个网格配备了一支由6～8人组成的管理服务团队,由乡镇(街道)机关干部、社区干部、医护人员、教师和民警组成[①],网格服务团队与网格内群众建立经常性的联系,定期进行走访等联络活动,为群众服务到位的同时确保实时无遗漏地收集社情民意;定期对民意进行分类汇总、分析研判,帮助居民协调解决反映的问题;建立五个服务管理层级统一的问题协商解决机制,通过联席会议商讨确立问题解决的方向,并交相关部门限期解决。通过建立五级服务管理体系,服务团队下沉网格,实现了上下层级纵向贯通、政府的管理和服务直达群众中间的效果。

二、网格化管理在新冠病毒疫情防控中的作用

2019年年底新型冠状病毒肺炎疫情开始传播,随着疫情快速蔓延中国进

① 参见杨海涛:《城市社区网格化管理研究与展望》,吉林大学博士学位论文,2014年,第64、81页。

入了疫情防控模式，上下一心、全民防疫成为疫情防控的景象。在新型冠状病毒肺炎防控期间，社区成为了防疫最前线，人员流动监控、重点人员的隔离、检疫、消毒等工作都以社区为重点开展。在社区构建起的网格化管理体系发挥了重要作用，各级网格员及时掌控社区人员情况，接收执行上级防疫指令，基层网格担任了防疫第一线的重任。

（一）疫情监测预警的准确化

网格化在灾害预警中可以发挥其信息化、系统化的优势，网格化管理利用网格收集信息，在各部门间形成信息共享，利用大数据分析等手段做出分析预测，在突发公共事件预警中具有共享性、前瞻性、综合性、立体性、开放性等特点。[①]

1.获取信息的实时性

区别于传统的突击排查、汇总上报的隐患排查模式，网格化管理在隐患排查方面有精准、实时的优势。由于网格划分严密，网格内的所有要素都处于实时监控之下，任何变化都可以被网格员及时获知上报，有助于网格系统平台及时获取信息并分析，提高了信息获取的准确率。

2.处理信息的立体性

不同于以往的各部门条块分割、互为信息孤岛的治理体系，网格单元在不同层级之间，不同区域之间都可以通过技术手段连接起来，可以做到信息的直接共享。上下级网格之间可以直接传递信息，避免了层层上报导致的信息滞后，也避免了信息在传递过程中被人为扭曲的问题。各部门之间也可以通过网格化平台共享实时信息，接受统一决策部署，结束相互信息隔绝、各自为战的状态。这就保证了信息的实时性和真实性，提高了决策的科学性。

3.参与的开放性

通过对社区划分网格，每个网格可以做到直接从居民收集信息。通过网格员收集情况或者直接向网格员反映，居民能充分地参与到信息的收集和上报过程中。在居民区发生的涉及安全隐患的事项，由于涉及居民的个人利益，居民会有更强的参与意愿，积极通过报告、举报等方式参与信息收集上报，把网格系统的信息来源大大拓展了。

---

① 参见祝小宁、袁何俊：《基于网格化管理的突发公共事件预警机制探析》，《中国行政管理》2006年第10期。

（二）疫情防控管理的精细化

在社区按照面积、居民密度、潜在危险程度等因素划分若干网格，并根据实际情况对网格划分再细化，细分到楼宇、企业，做到无遗漏，每个网格配备专属网格长和网格员。网格员负责网格内事务，实时收集网格内信息，落实上级下发的任务，在网格内实现事项无遗漏、责任落实到人。

1. 目标明确细化

精细化管理要求对实际情况进行分析研判，根据实际需要制定明确具体的目标，并根据目标的完成效果及时进行调整。网格员对网格内的疫情防控情况进行收集并上报，指挥中心收集信息并分析研判，根据具体情况制定详细的防控策略，把任务细分到网格，做到了使防控措施具有针对性和科学性。

2. 流程规范化

精细化管理要求处理流程规范，以最少的成本采取最有效的手段取得最好的成果。在疫情防控中，网格员实时收集上报网格内人员流动、易感人群、重点人员、防控情况等信息，经过上级分析研判，制定适于当前形势的方案，由指挥系统分配防控任务给网格落实。网格员数量庞大、深入网格收集，保证了信息的全面、准确，网格管理平台经过对数据的分析和多部门共享数据、联合制定防控方案，保证了方案的科学性和可行性。网格管理平台利用信息手段分配工作任务、核查落实情况，确保了网格员严格按照规范流程处置任务，保证了疫情防控工作的程序科学、操作精准。

3. 责任落实明确

精细化管理要求责任落实到人，做到事项可追责，通过把社区精细划分为网格，责任落实到网格员，做到责任细分。在科学划定网格的基础上按照疫情防控任务对网格员进行分工，网格员在社区人员流动管控、重点人员监管、突发事件处置等工作中各负其责，每个网格由网格长负责，并通过信息技术手段向网格化指挥平台及时反馈工作信息，接受监督。做到专人有专责，工作无遗漏。

（三）疫情防控指挥的信息化

网格化管理是利用信息技术手段，实现对网格的信息高效收集、处理，产生决策并执行决策的过程。在疫情防控工作中，信息技术的运用为疫情防控的高效性和科学性提供了可能。

1. 信息收集手段的信息化

网格员配备有信息终端设备，通过使用设备收集数据、照片、影像等资料，做到实时采集、实时上传，保证了收集信息的及时、准确。在疫情防控工作中，网格员在社区人员出入口对人员流动情况管理和统计、对重点人员登记造册并走访监管、对人员密集场所消毒等，工作的同时用手机等终端随时拍照、录像上传，把第一线的最新信息随时传递到网格化平台。在疫情期间对居民相关数据的采集，利用微信公众号、手机 APP 等作为平台，由网格员动员居民自行从平台录入，大大提高了收集信息的效率。

2. 信息处理与决策产生的信息化

网格化管理利用计算机、网络技术对数据进行处理、整合，以便于参阅的形式传递给决策部门，各政府部门通过网格化信息平台实现信息共享、共同决策。在疫情防控工作中，决策的制定涉及卫生部门、公安部门、民生保障部门、经济发展部门等多个政府部门，通过网格化平台对信息的整合、共享，各部门都可以实时共享信息，网格化指挥中心对需要做的工作科学规划、统筹安排，保证了决策的科学性。

3. 防控指挥信息化

在疫情防控工作中，网格化指挥平台利用指挥系统向网格员分派任务，网格员通过网格终端设备等接受任务后，在工作中实时向网格平台上传信息反馈，便于网格平台的跟踪和分析。通过微信公众号、网站平台等向公众发布信息，对居民进行宣传动员，大大提高了效率。

（四）疫情防控管理的服务化

在网格化管理中，管理和服务相辅相成，一体两面，要以“寓管理于服务之中”的理念做好服务工作。

1. 网格员扮演服务角色

网格员在疫情防控工作中不但担任管理角色，也担任为群众服务的角色。疫情期间社区对高感染风险、高携带病毒风险的人员进行管理，网格员负责他们的登记造册和监管，由于重点人员在外出、进入公共场所方面受限制，网格员就负责他们的日常照料，包括生活物资的采购、垃圾清运，还包括经常性把与他们谈心、做心理疏导等。在对重点人员的管理中，网格员既是管理者，又是服务者，只有做好服务，才能更好地实现管理。

2. 对网格内居民提供防疫服务

在疫情防控工作中，对居民提供健康、资讯、生活等方面的服务是工作的重要方面。出于防控疫情的需要，人员流动、人员聚集受到限制，居民的生活以居家为主，大量社会服务业关门歇业，给居民的生活带来不便。网格中不但有负责招聘的网格员，还配有社区医生、社区民警等专业人员，这些人在疫情期间为群众提供医疗、安全、生活方面的服务，网格员每天进行公共场所消毒、为居民量体温、发放通行证等工作，网格平台定期通过网络向群众发布信息，保证群众信息畅通，掌握最新情况。

3. 正确处理管理与服务的关系

在网格化管理中要正确处理管理和服务的关系。为居民服务是网格化管理的落脚点，管理与服务是相辅相成的，管理是服务的一种形式，服务是为了更好地实现管理。在疫情期间，网格实施的控制人员流动、对居民体温登记、重点人员管控等管理措施保障了在社区控制疫情传播，实际上是为居民的健康服务。而在对居民生活、健康等方面的服务中，保障居民在疫情期间的正常生活，引导居民积极配合防控措施，也是为了更好地实现管理。

三、网格化管理的局限性

（一）网格化管理增加了政府层级，对人力、资金投入要求高

在提升社会治理水平、构建社会治理新格局的今天，行政机构扁平化是发展趋势，减少行政机构层级、提高行政效率是行政机构改革的方向。现有的网格化管理方式在社区划分网格，相当于在原有的行政层级基础上增加了网格这一级机构，实际上增加了管理层级。

1. 对人力投入要求较高

在社区设立网格这一级机构，在街道办事处、居委会工作人员下沉网格的同时还需要聘用大量人员担任网格员，在用人成本上比较高。网格化管理的高效性有赖于大量网格员的工作，网格的细分和具体责任的落实导致了对网格员的需求很大，为搭建网格化管理系统需要聘用数量庞大的网格员。相比于传统的依靠居委会进行基层管理的模式，网格员的数量比社区工作人员的数量大得多，网格员的工资发放、社会保障由政府承担，成本更高。

2. 对资金、设备投入要求较高

网格化管理是对网格的信息化管理，搭建一套信息化系统需要大量资金投入，包括指挥中心建设，计算机、传感器等硬件设施的建设，软件系统的开发，终端器材的采购等，对财政资金不充裕的市县来说压力较大。

(二)网格化的行政化倾向与社会治理的多元化趋势相违背

社会治理的一大特点是治理主体的多元性,包括居民、社会组织、企业等主体共同参与,通过协商形成共治的局面。而在网格化管理中,更多的是强调政府力量下沉和管理的精细、高效,有很强的行政化倾向,不强调各社会治理主体的参与。

1.政府力量下沉冲淡了居民自治组织的作用

我国的基层民主自治制度以居委会、村委会为主体,居民选举出居委会、村委会成员作为代表行使居民自治的权利,居委会、村委会是居民行使自治权的代表。网格化管理的实践在政府主导下进行,政府通过对社区划分网格实现了更加直接、精细的管理,网格化管理平台由政府搭建,由政府部门作为处理信息、作出决策并监督执行的主体,网格收集信息上报给政府部门,执行的决策主要由政府部门作出。在这套管理模式中居委会的一部分管理职能就被网格取代了,网格化管理强化了基层治理的科层化倾向,网格化管理在政府干预下,变成强势的一级管理组织,凌驾于社区之上①,网格化管理带来的政府力量下沉,让作为居民自治组织的居委会、村委会作用被冲淡。

2.居民缺乏有效参与的机制

在网格化管理中,居民参与社区治理的层次比较低。居民在网格化管理中主要是作为被管理对象与网格互动,反映的诉求也要经过网格员反馈至网格管理平台,然后得到回应。很少有网格采取保障居民有效参与的制度化机制,这影响了居民作为社会治理主体之一的积极性。

3.企业和社会组织的参与程度较低

企业和社会组织作为社会治理的参与主体,在提供社会产品和公共服务方面具有重要作用。网格化管理主要由政府部门主导,企业和社会组织的参与主要是通过政府购买提供服务,在规范制定、决策产生的过程中发言权较少,缺乏表达利益诉求和参与协商的机制。相对于社会治理倡导的通过协商与共治来实现共同价值的观念来说,网格化管理更多强调管理机制,实现诉求表达和协商的功能较弱。

(三)基层网格解决问题能力不强

网格化管理在网格层面主要体现为收集上报信息、执行决策的作用。基层

---

① 参见何瑞文:《网格化管理的实践困扰》,《苏州大学学报》(哲学社会科学版)2016年第1期。

网格可以就地解决一些发现的简单问题，但是对复杂问题还是要靠上级网格指挥中心发挥作用。发现问题靠“格内”，解决问题靠“格外”，最终还是靠上级部门。[1] 网格化管理的价值体现在其解决问题的系统性，然而，实践中基层网格的能力并不强。

1. 网格员解决问题能力不强

网格员主要负责信息的收集和上级决策的执行，自身并没有协调政府机关解决问题的能力，严格意义上来说只是作为信息的传递员。在网格化管理的实践中，网格员的身份限制了其作用的发挥，网格员为网格管理中心聘用人员，既没有公职人员身份，也没有执法权限，但是作为网格这一管理层级的人员，面临的工作却很繁重，包括入户调查、重点人员管控、人员流动监控等，在工作中由于群众对其身份的认同感比较低，拒不配合的现象也时有发生。

2. 网格占有的行政资源较少

在网格化管理中，网格划分的细化带来问题发现的细化，在网格内发现问题、解决问题体现了网格化管理的精细化特征，发现、处置问题的任务因此下沉到网格。随着问题发现和处置职能的不断下沉，上级网格化管理机构的协调职能却没有跟上，解决问题所需要的条线部门的资源并没有下沉。[2] 这就带来了网格面临的任务重、资源少的困境，也就是说问题解决的能力并没有下沉到网格，真正能解决问题的还是政府部门。

四、网格化管理改进的方向

网格化管理是我国社会治理的重要实践，在新冠肺炎疫情防控中发挥了重要作用。网格化管理目前来看还是一种政府主导的管理模式，未来如何适应多元主体的社会治理模式，如何实现从管理者到服务者的转变，向网格化治理发展，是我们应该研究的问题。

（一）引入多元主体参与

目前网格化管理实践中面临主体单一、功能单一的缺陷，应当引入公民、社会组织、企业等多元化主体，利用网格信息化平台，建立多主体准入、协调机制，

① 参见何瑞文：《网格化管理的实践困扰》，《苏州大学学报》（哲学社会科学版）2016 年第 1 期。

② 参见叶岚：《城市网格化管理的制度化进程及其优化路径》，《上海行政学院学报》2018 年第 4 期。

允许多种主体参与决策过程，以多方利益的表达和协调提高决策的科学性，达到共治的局面。

(二)强化网格的服务功能

网格化管理中网格的主要作用是发现问题、解决问题，但是对服务关注较少，从本质上看，网格化管理所关注的实际上是公共服务的缺失，而不是缺失所造成的后果。[①] 可以把公共服务功能加入网格，如物资储备、处置突发事件演练等工作放在网格内执行，并借助网格对政府部门的公共服务落实情况进行核查，让网格承载更多的服务功能。

(三)厘清政府权利责任配置问题

厘清基层政府权力责任边界，改变政府向基层转递压力的做法，缓解基层权利责任不匹配的现象。建立政府责任权利清单，改变上级政府向属地压责任的做法，突出基层政府的服务功能，为基层网格匹配与其权利相称的责任。

① 参见汪云峰、白庆华、田欣：《城市突发公共事件管理的网格化：控制结构的功能障碍及其突破》，《情报杂志》2010 年第 4 期。

疫情防控下激情犯罪心理形成机制及预防体系建设*

鲁玲红**

摘要:2020年春节前夕,一场突如其来的新冠肺炎疫情打乱了人们的日常生活,随着疫情的日益严峻,人们的心理压力和生活压力不断累积,极易引发情绪型犯罪,而激情犯罪作为情绪型犯罪中最重要、发案率最高的一种,更是严重威胁疫情大背景下社会的稳定与和谐。激情犯罪既是一种社会现象,又是一种个体现象。激情犯罪是行为人在瞬间的情感冲动下实施的,行为人并没有足够的时间进行心理准备,其犯罪心理结构是在短时间内迅速形成的,这也便是研究激情犯罪心理形成的核心问题——激情犯罪心理的形成机制。通过对激情犯罪心理的形成机制、模式进行深入的研究,并在激情犯罪心理形成的因素分析的基础上,探讨适当的防范措施,以增强预防的针对性和有效性,从而构筑科学的激情犯罪心理预防体系。

关键词:情绪型犯罪;激情犯罪;犯罪心理形成机制;预防

2020年春节前夕,一场突如其来的新冠肺炎疫情打乱了人们的日常生活,交通管制、居家隔离成为遏制新型冠状病毒蔓延的有效手段,“不走亲、不聚会、不来往”,成了2020年春节的独特口号。但随着疫情的日益严峻,交通管制、居家隔离、学校停课、工厂停工成为生活的常态,人们的心理压力和生活压力不断累积。在这种状态环境下,一句话、一个眼神,都可能成为压死骆驼的最后一根稻草,引发情绪型犯罪,而激情犯罪作为情绪型犯罪中最重要、发案率最高的一

---

* 第三十二届全国副省级城市法治论坛获奖论文优秀奖。

** 鲁玲红,济南市公安局槐荫区分局法制大队二中队民警。

种，更是严重威胁疫情大背景下社会的稳定与和谐。因此，预防和减少激情犯罪的发生在当前疫情防控关键时期也显得愈为重要。笔者从激情犯罪心理的形成过程、机制、模式、影响因素等方面对激情犯罪心理的形成及预防作了较为系统的研究，探索有效预防激情犯罪心理形成的措施，以减少和预防激情犯罪的发生，维护好疫情防控之下的社会和谐稳定与发展。

一、激情犯罪概述

激情犯罪是一种基于强烈、短暂、迅猛的情绪体验而产生的犯罪行为，在犯罪心理学中属于情绪型动机犯罪，是犯罪心理学的重要研究内容。个体往往来不及经历动机斗争就足以推动犯罪行为的实施，诱因出现，犯罪动机也随之出现，诱因消失，犯罪动机也随之消失，而且犯罪行为实施完之后犯罪动机也会发生良性转化。① 在西方犯罪学中，激情犯罪往往被看作是挫折攻击型犯罪之一，是指行为人在受到强烈挫折后，由于情绪异常激动而产生难以控制的侵害行为。② 在我国，根据业内人士的普遍看法，激情犯罪是指由于犯罪人在激情体验发展到一定极限时而迅猛暴发的一种危害社会的行为，多发生在伤害、杀人、毁物、爆炸等暴力性案件中。③

激情犯罪是在特定环境下迅猛暴发的，因此，激情犯罪的产生必须具备一定的条件④：第一，必须存在足量的不良外界刺激。这是产生激情犯罪必不可少的前提条件，同时也是对外界刺激在质和量上的要求。激情犯罪是在强烈的情绪支配下发生的犯罪行为，没有足量的外界刺激，行为人通常不会在短时间内产生急剧的情感变化并达到难以自控的状态。导致激情犯罪发生的不良刺激大多是由被害人的过分言行引起的，主要包括语言刺激和行为刺激。第二，行为人必须因受到某种具体不良刺激而处于激情状态。即在受到不良刺激后和实施犯罪行为前，在巨大刺激的作用下，处于激情暴怒状态并一直持续不变甚至更趋强化。这是产生激情犯罪的实质条件。当然，不良刺激并不必然使人产生激情，这还与行为人的个体特质有关。第三，行为人在激情支配下丧失理

---

① 参见吴宗宪：《中国犯罪心理学研究综述》，中国检察出版社 2009 年版，第 146 页。

② 参见宋术：《论激情犯罪的成因与对策》，《商业经济》2007 年第 5 期。

③ 参见刘琪：《犯罪心理学》，中国人民公安大学出版社 2006 年版，第 86 页。

④ 参见刘琪：《犯罪心理学》，中国人民公安大学出版社 2006 年版，第 86～87 页。

智。这是激情犯罪外化的关键条件,即行为人因不良刺激导致的激情超过了本人的控制力和忍耐程度,怒不可遏甚至暴跳如雷,丧失了理智,并实施了在理智情形状态下不可能实施的行为。

激情犯罪在产生犯罪动机到实施犯罪行为,时间短,过程迅速,具有突发性;行为人在实施犯罪行为过程中完全受某种情感所左右,认知范围狭窄,难以自控,具有典型的情绪性;行为人在实施激情犯罪前,往往伴随着高度的情绪紧张,行为人便不能从达到目的的可能性的角度对所形成的情境作专门的分析,具有一定的盲目性;犯罪一般是在某种未知的刺激下瞬间暴发,行为人没有预谋过程,并对事态的发展缺乏预见性;行为实施过程中,行为人处在强烈的情感体验中,完全失去理智,因此造成的后果往往比较严重;犯罪多是由于突然发生的事情引起的,与当时所处的情境直接相关,具有情境性;行为人实施完犯罪行为,情绪安定下来、恢复理智后,才发现问题的严重性,一般都会感到后悔。

二、激情犯罪心理的形成机制

对于一般犯罪而言,行为人都会有一个较长时间的心理准备,他们在实施犯罪时已经具备了完整的心理结构。然而,激情犯罪行为人往往是在瞬间的情感冲动下实施了犯罪行为,并没有进行一定的心理准备,他们在实施犯罪行为时是否也已具备了完整的心理结构呢?其实,任何故意犯罪主体,在实施犯罪行为时都已经形成了犯罪心理结构,否则不可能实施犯罪行为,激情犯罪也是如此。[①] 激情犯罪心理是如何形成的,这便需要了解激情犯罪心理的形成机制。最早将"机制"一词引入心理学研究的是美国心理学家武德沃斯,他认为"机制"是一种或一组有目的的反应方式。而后,在犯罪心理学的研究过程中,"机制"开始被广泛运用,对于犯罪心理机制的研究便由此开始,并取得了一定的成果。梅传强认为,犯罪心理形成机制研究运用组织学和系统分析法,将犯罪心理的形成和发展过程视为一个有一定组织结构和功能的、由各种内外因素共同参与的工作系统,指在犯罪心理的形成和发展变化过程中,各种影响因素之间相互作用的过程、方式和原理。[②]

---

① 参见何贵初:《论激情犯罪心理》,《四川警官高等专科学校学报》2000 年第 2 期。

② 参见梅传强:《犯罪心理生成机制研究》,中国检察出版社 2008 年版,第 9 页。

激情犯罪心理的形成机制主要包括四个层次的内容：

第一层次，人格缺陷的形成。通过对一些激情犯罪案例的分析可以看出，激情犯罪行为人在社会化进程中便出现某些缺陷，形成不健全的人格倾向，在日常生活中表现出一些狭隘甚至错误的认识，并由此产生了不合理甚至非法的需求，在他们遇到一定的外界刺激时，犯罪动机就会迅速形成，进而转化为犯罪行为。早些年，B. H. 库德里亚夫采夫等人对犯罪人个性形成的研究的结果便证实了他们的结论。这些结论表明，对情境所作反应的特点的根源，是过去早些时候的，其中包括家庭内部的个人发展条件。这些条件对后来可能发生的犯罪行为的影响的基本意义在于这些条件是形成个性自我认同的那种环境，这环境或多或少地与意识中的“我”相符，因此这环境决定了对行为的选择性。[①] 人格特征决定着一个人对现实的认知态度和情感倾向，决定着一个人用什么方式与现实社会环境发生，所以它是心理活动和行为表现的基础；反过来，一个人的人格特征又总是通过他的外在行为所反映和表现出来。[②] 由此可见，激情犯罪心理的形成是以行为人已有的人格缺陷为必要条件的。

第二层次，激情犯罪意向的形成。犯罪意向，简称犯意，是指行为人在实施犯罪行为前产生的犯罪意图或冲动。当行为人已经存在一定的人格缺陷，在遭受突如其来的不良刺激时，行为人的心理便处于紧张的不平衡状态，形成强烈的优势欲望，激发行为人产生了模糊的进行违法犯罪的内心冲动，此时，行为人便产生了进行激情犯罪的犯罪意向。这时，行为人的认知能力低下，情绪情感体验强烈，意志薄弱，其认知、情感、意志已经发生了畸变，已足以克服内心的矛盾冲突而达到犯罪意向的内部协调。这标志着激情犯罪心理的初步形成——有关实施激情犯罪的多种心理因素开始组合，产生向着犯罪行为方向发展的合力。

第三层次，激情犯罪动机的形成。犯罪动机是指推动犯罪主体实施犯罪行为的内部动力系统。[③] 激情犯罪中，犯罪动机是指在特定刺激条件下，促使行为人实施激情犯罪行为的内部动力系统，是由外部的不良刺激导致行为人内部的冲动因素所产生的，对激情犯罪的发生起着激发、指向及调节作用。激情犯

---

① 参见[苏]库德里亚夫采夫：《犯罪的动机》，刘兆祺译，群众出版社 1992 年版，第 76 页。

② 参见梅传强：《犯罪心理生成机制研究》，中国检察出版社 2008 年版，第 12 页。

③ 参见刘琪：《犯罪心理学》，中国人民公安大学出版社 2006 年版，第 107 页。

罪动机是一种情境性动机，即在情境因素的作用下，在短时间内迅速形成的犯罪动机，同时，它又属于无意识的犯罪动机，是在激情状态下产生的没有被行为人认识到其存在及内容的犯罪动机。一般说来，犯罪动机是由行为人的需要和外部刺激相互作用下产生的，而激情犯罪动机主要是由于不良刺激等外部诱因引起的。个体的某种需要本来处于无意识状态，但由于外在的刺激或情境因素作用，激活了无意识状态的需要，从而引发犯罪动机的生成，这里，犯罪动机是行为人对适合于进行犯罪的诱因所作出的心理反映。① 正如苏联犯罪学家斯·塔拉鲁欣所说："犯罪动机可以由形形色色的原因引起，一些动机是由个人以前的不良道德造成的，这首先取决于内在因素，另一些动机在相当大程度上是由客观形成的外在情况引起并具有境遇的性质。"②激情犯罪动机的形成主要经过以下两步：第一，突如其来的刺激等外在诱因激活了行为人潜在的某种需要，形成了一定的犯罪意图。第二，行为人仅受强烈的情绪体验控制，迅速将犯罪意图转化为犯罪目的，从而形成了激情犯罪动机的形成和犯罪目的的确定。一般而言，行为人在实施犯罪过程中都要受到自我调控机制的作用，包括三个要素：一是自我监督系统机制即道德观念和法制观念对行为的调节作用。二是认知判断系统机制即行为人对主客观力量对比及作案成功可能性的判断，尤其是在能否逃避刑罚惩罚方面作出判断，然后决定是否作案。三是欲求及情绪强度机制，如果犯罪欲求强烈、情绪冲动且爆发性强，则有可能置其他因素于不顾，贸然采取犯罪动机，反之，则踌躇不前，难以形成犯罪动机。③ 而激情犯罪动机形成过程中，由于行为人处于激情状态下，完全失去理智和意志的监督，自我监督系统几乎不起作用，认知水平低下，难以作出理智的判断，完全受强烈的情绪体验支配，主要受欲求及情绪强度机制调控，而置其他因素于不顾。

第四层次，激情犯罪决意的形成。犯罪决意是在犯罪目的形成后，经过再次的动机斗争和意志选择，在行为人头脑中产生的比较清晰的犯罪计划和决心。④ 激情犯罪是在激情状态下发生的犯罪行为，其犯罪决意属于冲动型犯罪决意，即行为人在实施犯罪行为前并没有明确的犯罪动机，因突然受到某种因

---

① 参见梅传强：《犯罪心理生成机制研究》，中国检察出版社 2008 年版，第 114 页。

② [苏]斯·塔拉鲁欣：《犯罪行为的社会心理特征》，公人、志疆译，国际文化出版公司 1987 年版，第 44 页。

③ 参见罗大华主编：《犯罪心理学》，远方中国政法大学出版社 2007 年版，第 97 页。

④ 参见梅传强：《犯罪心理生成机制研究》，中国检察出版社 2008 年版，第 128 页。

素的强烈刺激而诱发激情，在激情驱使下突然生成犯罪决意。激情犯罪中，犯罪决意的形成过程中，行为人由于完全受制于某种强烈情绪情感，认知水平低下，失去理智的监督，已完全丧失对犯罪目的可能性的判断，在激情支配下毫无顾忌地瞬间作出犯罪决定。

三、激情犯罪心理的形成模式

犯罪心理的形成，从犯罪行为的实际情况来看，呈现出非常复杂的现象，存在着不同的模式。很多专家学者都进行了系统的研究并提出了各自的理论，现在主要有两种观点：一种认为主要包括渐进式、突发式和机遇式，另一种认为主要包括渐进式和突变型，机遇式包含在突变型之中。笔者认为，将机遇式纳入突变型犯罪心理形成模式中较为合适。渐进式犯罪心理形成模式是指犯罪心理的形成由量逐渐演变成质，由需要逐渐转变成犯罪动机，主要包括原发型和继发型两种类型。原发型犯罪心理形成模式指从小时候开始，因为不良的交往、不良的社会环境而逐步发展成为犯罪心理的类型；继发型犯罪心理形成模式是指行为人早期的社会化过程中并没有任何劣迹，但在某阶段时期，因受不了诸如金钱、美色等诱惑或受到错误思想的腐蚀而逐渐堕落走上不归路。一般有预谋的犯罪心理形成模式都属于渐进式犯罪心理形成模式。突变型犯罪心理形成模式是指行为人并没有劣迹和预谋，只是因为突然发生对个人至关重要的某种情况或刺激，从而导致犯罪心理的形成。突变型犯罪心理形成模式又分为暴发型和机遇型。暴发型的犯罪心理形成模式，是指行为人因突然发生对个人至关重要的情况或受环境、气氛的刺激而形成犯罪心理，实施犯罪行为，其特点主要有：由产生犯罪意向到发生犯罪行为，时间短、过程迅速，带有突发性；行为人一般无预谋，并对事态的发生缺乏预见性；犯罪多与突然发生的情况有关，具有情境性；行为人不能适应情况变化，认知范围狭窄，意志薄弱，不能自控，具有明显的情绪性特征。机遇型的犯罪心理形成模式，是指行为人在接触有利于实施犯罪之机遇前并无犯罪意图，接触此种机遇后，或瞬间产生犯罪心理，或犹豫、矛盾后而形成犯罪心理。① 根据激情犯罪心理的形成过程及其特征可知，激情犯罪心理的形成模式属于突变型犯罪心理形成模式中的暴发型犯罪心理

---

① 参见林少菊：《犯罪心理学》，中国人民公安大学出版社2008年版，第112页。

形成模式。

四、激情犯罪心理形成的因素分析

激情犯罪心理是由于行为人在日常生活中已经形成错误的认识，在特定的情境中因受某种刺激而迅速转化产生的，是主体与环境相互作用的结果。具体说来，影响激情犯罪心理形成的因素主要有主体因素和情境因素。

（一）主体因素对激情犯罪心理形成的影响

主体因素是行为人的自身所表现出的生理、心理等因素，是影响人们行为的内在的、起决定性作用的因素。① 影响激情犯罪心理形成的主体因素主要包括生理、心理两个方面。

1. 生理因素

生理因素是先天的、与生俱来的，虽然在激情犯罪中所起的作用可能比较有限，但却是影响激情犯罪心理形成的一个不可忽视的因素，主要包括遗传、性别和年龄等因素。遗传是人心理形成的物质基础，激情犯罪行为人自身的遗传因素也必然在一定程度上影响了其犯罪心理的形成。有关遗传对反社会行为的影响的一项研究假设是，不存在特殊的犯罪基因，复杂的人类行为也不是预先安排的，基因型通过提供基本的行为成分而提供了最初的发展方向，这些行为成分通过学习而吸收到更大的适应单位中。② 可见，遗传因素给激情犯罪心理的形成提供了潜在的可能性。性别方面，男性的激情犯罪率明显高于女性，一方面，男性的体力素质较女性要好，在处理事情时喜欢依靠武力，采用直接的方式解决问题，缺乏理性的考虑；另一方面，男性在激情犯罪心理形成时具有较强的冲动性、激情性，很少有较长的思想斗争。年龄方面，浙江公安高等专科学校副教授杨持光说："在成年人犯罪中，激情犯罪约占 30%，而在青少年犯罪中，激情犯罪占 70%。"③可见，激情犯罪中青少年所占比重很大，这主要是因为青少年心理尚未完全发育成熟，自制力较差，情绪不稳定，易冲动，在处理突如其来的情况时对事态的发生发展缺乏理性的判断，容易采用极端、直接的方式解决问题，进而产生激情犯罪心理，引发激情犯罪。

---

① 参见梅传强：《犯罪心理生成机制研究》，中国检察出版社 2008 年版，第 87 页。

② 参见林少菊：《犯罪心理学》，中国人民公安大学出版社 2008 年版，第 88 页。

③ 宋术：《论激情犯罪的成因与对策》，《商业经济》2007 年第 5 期。

2.心理因素

心理因素是在先天因素的基础上，在环境因素的作用下逐渐形成的，在激情犯罪心理的形成过程中起着主导作用。主要包括偏激的认识方式、不良的情绪情感、不良的个性。

(1)偏激的认识方式。行为人在日常生活的认识过程中对某些客观事物形成了错误甚至扭曲的认识观，进而形成了对事物的偏激的认识方式。这些人一般都是思维狭隘，看待问题片面、肤浅，无视社会规范，喜欢钻“牛角尖”，不会辩证地一分为二分析问题，往往以偏概全，遇事容易夸大阴暗面、走极端，当遭受突然的不良刺激时便会迅速地将其错误的认识转化为犯罪心理，产生激情犯罪。

(2)不良的情绪情感。消极的情绪和情感作为犯罪行为的动力性因素，不仅伴随着生理状况的变化，影响着内在意识、意志的活动，而且表现在外部的表情、言语、动作和行为方面。[①] 激情犯罪是行为人在强烈的情绪体验的支配下产生的。因此，不良的情绪情感在行为人的激情犯罪心理的形成过程中起着支配作用。激情犯罪过程中，处于激情状态下的不良情绪情感体验使行为人失去自制能力，丧失理智，完全受此种不良情绪的支配，不计后果地发泄自己的不满或愤怒，导致激情犯罪的发生。

(3)不良的个性。个性是指一个人的整个心理面貌，即具有一定倾向性的各种心理特征的总和。[②] 人的行为的产生与其个性密切相关，良好的个性将促使行为人产生积极的心理体验，同样，不良的个性将促使行为人产生消极的心理体验，在受到一定的刺激时产生强烈的消极情绪情感体验，进而直接影响着激情犯罪心理的形成，不良的个性主要包括消极的个性倾向性和个性心理特征。个性倾向性是人进行活动的基本动力，它决定着人对现实的态度，决定着人对认识活动的对象的趋向和选择，主要包括需要、动机、兴趣、理想、信念和世界观。[③] 当一个人具有了消极的个性倾向性，也就决定了他在对认识活动对象的选择上会出现歪曲，则当他在面对突然的刺激或状况时便很可能会选择以简单粗暴甚至极端的方式来应对，因而引发激情犯罪的产生。个性心理特征包括

---

① 参见罗大华主编:《犯罪心理学.，中国政法大学出版社 2007 年版，第 175 页。

② 参见叶奕乾、何存道、梁宁建:《普通心理学》，华东师范大学出版社 2004 年版，第 312 页。

③ 参见叶奕乾、何存道、梁宁建:《普通心理学》，华东师范大学出版社 2004 年版，第 312 页。

能力、气质和性格，消极的个性心理特征对犯罪心理的形成具有关键的影响。对于激情犯罪而言，影响其心理形成的个性心理特征主要包括气质和性格。心理学将人的气质类型分为四种，即多血质、胆汁质、黏液质和抑郁质。不同的气质类型会表现出不同的行为倾向，影响着犯罪行为人对犯罪类型、犯罪手段和方式的选择。激情犯罪行为人多属于胆汁质，敏感、多变、兴奋、冲动，具有攻击性，这些人犯罪动机形成过程短，犯罪行为瞬间暴发，手段大多较残忍，不计后果，往往造成严重的后果。性格是具有核心意义的个性心理特征，对人的行为起着决定性的影响。不良的性格对激情犯罪心理的形成具有重要的影响，具有易冲动、不稳定、脾气暴躁、缺乏自制力、富于攻击性、自尊、自私、易受暗示性等性格特征的人更容易产生激情犯罪心理，实施激情犯罪行为。

（二）情境因素对激情犯罪心理形成的影响

情境因素是指容易使犯罪人的情绪受到某种影响的特定情境或心理气氛。[①] 激情犯罪中，情境因素主要包括被害人和现场其他人及氛围。

1. 被害人因素

激情犯罪大多是行为人由于遭受被害人的语言刺激或事件行为刺激而处于激情状态，失去理智后实施的犯罪行为。因而，激情犯罪心理的形成在相当程度上是由被害人因素引起的，而且，被害人的言行对行为人犯罪心理的发展起着诱发、强化的作用，如果被害人能适当控制自己的言行，则在很大程度上会减少激情犯罪的发生。因此，被害人因素是激情犯罪心理形成的重要影响因素。

2. 现场其他人及现场氛围

激情犯罪中，现场其他人主要指当时在场的目击者。他们的言行举止及其形成的现场氛围对行为人犯罪心理的发生、发展及变化起着非常重要的作用。现场其他人的表现有时候会直接促使、加剧或减弱、消除行为人的激情犯罪心理。在行为人和被害人产生矛盾时，如果周围其他人冷眼旁观，窃窃私语，甚至起哄，则势必会使行为人为保存颜面，保持自尊而产生更加强烈的刺激反应，从而促使或加剧其犯罪心理的产生；如果周围其他人可以及时对双方进行劝解，化解矛盾，则可以减弱或消除行为人的犯罪心理，从而避免激情犯罪的发生。

---

① 参见林少菊：《犯罪心理学》，中国人民公安大学出版社 2008 年版，第 86 页。

（三）主体因素和情境因素在激情犯罪心理形成中的地位和作用

辩证唯物主义观认为，心理是人脑对现实的主观反映。一方面，客观现实是人的心理活动的源泉，心理是由客观现实决定的，即内容是客观的；另一方面，心理是一种主观反映，具有一定的主观能动性，即形式是主观的。从这个意义上讲，主体因素和情境因素在激情犯罪心理形成中具有不同的地位和作用。

1. 客观存在的情境因素决定着激情犯罪心理的形成

激情犯罪是在足量的不良刺激下瞬间暴发产生的，刺激是其产生的前提条件，没有一定的刺激是不可能发生激情犯罪的，因而激情犯罪心理的形成是由当时所受的刺激所决定的，而刺激则来源于被害人或现场其他人的表现，因此，情境因素决定着激情犯罪心理的形成。

2. 主体因素在受情境因素影响的同时具有主观能动性

由于每个人的经历不同，个人所形成的人生观、价值观、世界观及个性不同，甚至当时的心理状态不同，都会使人对同一事物产生不同的反应。个体对具体刺激会作出怎样的反应，具有主观能动性、自主选择性，并非同样的条件下一定会作出同样的反应，其心理活动是客观内容与主观形式的辩证统一。

3. 主体因素和情境因素在激情犯罪心理形成中的作用

就激情犯罪心理的形成而言，主体因素是内因，情境因素是外因，二者在激情犯罪心理形成中各自发挥不同的作用：主体因素是激情犯罪心理形成的内因，对激情犯罪心理的形成具有决定性作用；情境因素是激情犯罪心理形成的外因，是激情犯罪心理形成的前提条件；主体因素和情境因素二者相互影响、共同作用，最终导致激情犯罪心理的形成。

五、疫情防控下激情犯罪心理的预防

与一般犯罪相比，激情犯罪更容易进行事前预防，尤其在当前疫情防控期间，疫情的发展给广大群众带来了一定程度的焦虑和恐慌，甚至影响到正常的生活和工作。过度紧张造成高度恐慌，严重影响个人的心理健康和抵抗力，甚至对周围其他人的情绪状态产生影响。

人的情绪具有两极性，积极情绪和消极情绪并存。激情犯罪心理是行为人在社会化过程中，由于受到某种刺激而导致消极情绪情感的爆发，进而产生的犯罪心理。一般而言，激情犯罪心理是在行为人、被害人及当时的情景三者的相互作用下形成的。因此,我们可以从主体、被害人和情境三个方面对激情犯罪心理进行系统的预防。

(一)主体预防

影响激情犯罪心理形成的主体因素主要包括生理因素和心理因素,其中,生理因素是先天的,不易改变;心理因素是在生理因素的基础上,在后天的社会环境中逐渐形成的,可以通过后天的教育与指导予以改变,这也便是主体预防的重要内容。

1. 加强认识观教育,培养正确的压力观

要加强个体日常生活中的人生观、认识观教育,纠正个体偏激地认识问题的方式,使个体面对客观事物具有正确的认识观念。做人要心胸开阔,面对他人施加的不良刺激和压力要学会包容、理解,大事化小,小事化了,不要把小事化大,甚至"没事找事"。

2. 增强与人为善的教育,培养积极的情绪取向

人与人之间的关系都是相互的,只有与人为善,别人才会以善回之。面对他人的过激行为,与人为善者能本着"退一步海阔天空"的原则,从而避免矛盾的产生甚至激化。因此,要培养个体的移情能力,遇事学会换位思考,多站在对方的角度看待问题,理解对方,为对方着想,逐渐树立个体对情绪情感的积极取向。

3. 加强修养教育,培养良好个性

性格是个性的核心,因此要加强个体的修养教育,提高其自身素质,逐渐培养个体形成良好的性格,增强理智,使其具有较高的素养和良好的个性,以此来促使个体在遇事时能不惊、不怒,心平气和,泰然处之。

(二)被害预防

被害预防是指从被害人的角度采取的各种防范措施的综合,包括社会、社区、个体三个层次的被害预防措施。

1. 第一层次预防——社会预防

社会预防是指在较大范围内,动员社会各部门、各阶层的广大成员,运用大量的社会资源,采取多种手段等进行预防。[①] 它具有宏观指导意义,主要着眼

① 参见董士昙等:《犯罪学》,远方出版社 2004 年版,第 409 页。

于社会的长治久安，主要措施有成立全国性或地域性的被害预防组织体系，建立具有指导意义的被害预防措施体系，建立被害服务制度，通过大众宣传媒介及各种教育渠道加强被害预防宣传，使全民参与到被害预防工作中来。

在新冠肺炎疫情防控大背景下，社会层面应积极发挥其良性指导作用。政府部门定期通报疫情防控动态，充分保障人们的知情权，同时积极引导民众正确应对疫情，做好自身防护；新闻媒体应做到实事求是，准确报道，正面引导，不发布未经证实的信息，引导大众不盲目信谣传谣，避免加重人们的恐慌心理；相应社会组织通过网络等非接触方式积极开展心理疏导，提供释放的平台，尽量缓解长期心理压力或生活压力造成的不良影响。

2.第二层次预防——社区预防

社区预防主要通过改善社区的建设环境、人文环境等来进行被害预防，在当前疫情防控、各社区封闭管理的状态下更应积极采取措施，例如将社区环境建成温馨、和谐等有利于被害预防的地域；增强居民主人翁意识，提高居民责任心，爱护社区设施和环境，提高居民参与被害预防的积极性，使社区形成不容侵犯的形象；加强居民间的交流与联系，形成团结和谐的人际关系；组织开展有关被害预防知识的学习交流，增加居民被害预防的知识储备，提高居民被害预防的意识；确定重点被害人群，加强防范；建立心理辅导服务机构，帮助居民开展心理健康教育，指导其合理宣泄不良情绪；注意平时观察，对具有行为反常征兆的人群及时发现情绪恶化苗头并进行疏导，做到事前预防、事中调解、事后巩固。

3.第三层次预防——个体预防

在疫情防控持续推进的大背景下，人们的心理压力和生活压力不断累积，这种状态下，个体更应该积极学会被害预防。首先，个体要加强自身教育，提高自身修养，学会尊重他人，积极与人交往，寻找社会支持，不要对人使用伤害性的语言或行为，密切自己与他人的关系。其次，个体应尽量反省，总结被害因素，应加以关注，积极寻求解决方法。再次，个体要学会选择交往对象，避免与那些容易施行激情犯罪的人单独或频繁接触。最后，个体要增强被害防范意识，经常学习有关知识、技能，以避免激情犯罪心理的形成。

（三）情境预防

情境预防是通过控制或影响犯罪行为产生的直接环境以避免和减少犯罪

行为发生的一种具有较强应用性的犯罪预防。[①] 不良刺激或情境，是导致不良信息输入，影响个体品德畸变与堕落，进而导致行为恶变的外在原因。既然情境是行为的原因，按照这一法则，就可以根据刺激情境及其变化来预测个体行为的发生或变化，也可以设计安排某种刺激情境以改变其原有的行为反应。[②] 激情犯罪心理的形成不仅与行为人和被害人有关，在一定程度上还受制于当时所处的情境。在这些场合下，要采取措施削弱、减少、缓和、抑制、中和这些外部因素的犯罪影响，有时还要采取措施截断它们对某人的作用机制，或者用反犯罪性质的因素来对抗与均衡反面的影响。[③] 通过情境预防掌握对影响激情犯罪心理产生的环境的控制权，从而减少诱发激情犯罪心理形成的各种情境因素。情境预防的主要措施有通过环境设计来减少易于发生激情犯罪的地域；发现矛盾激化时应及时缓和气氛，使紧张的环境趋于平静，减少犯罪机遇，从而预防激情犯罪心理的形成。正如汉斯·托奇所说："虽然我们不能彻底革世界的命或弥补过去的损失，但我们常常可以说服人们，对甚至最使人伤心的难题，也要采用相当合理的、不怀恶意的办法去解决。"[④]

---

① 参见董士昙等：《犯罪学》，远方出版社2004年版，第412页。
② 参见吴宗宪：《中国犯罪心理学研究综述》，中国检察出版社2009年版，第147页。
③ 参见[苏]库德里亚夫采夫：《犯罪的动机》，刘兆祺译，群众出版社1992年版，第26页。
④ [美]汉斯·托奇：《司法和犯罪心理学》，周嘉桂译，群众出版社1986年版，第255页。

市域基层社会治理中的法治堵点及其消解*

李富建　邵大林**

摘要:近年来城市规模呈现爆发性增长的态势,给市域基层社会治理带来了新的挑战。突发的新冠肺炎疫情对我国市域基层社会治理能力进行了一次全方位检验,暴露了基层治理法治体系尚不完善、涉疫引发的社会矛盾复杂、运用法治思维水平不高等问题,需要进一步推动完善基层治理法治体系,正确处理涉疫引发的社会矛盾纠纷,提高基层治理的法治化水平。

关键词:基层社会治理;法治堵点;治理法治体系;基层网格管理

引言

近年来,随着我国城镇化水平的不断提速,城市规模、人口规模均呈现爆发性增长的态势,给市域基层社会治理带来了新的挑战。年初突发的新冠肺炎疫情对我国市域基层社会治理能力进行了一次全方位检验,在为基层社会治理现代化按下了"快进键"的同时,也暴露了基层社会治理中的法治堵点与制度短板。随着疫情防控进入常态化,我们要正视这些堵点和短板,实事求是不回避问题,在追根溯源、客观分析的基础上,坚持党的领导,扎紧制度篱笆,将矛盾消解于萌芽之中,将法治堵点及时化解。

一、市域基层社会治理的现状和方式

党的十九大报告提出:"打造共建共治共享的社会治理格局。"这一要求为

---

* 第十五届环渤海区域法治论坛获奖论文优秀奖。

** 李富建,济南市中级人民法院研究室主任,四级高级法官,法学硕士。邵大林,济南市中级人民法院研究室工作人员,法律硕士。

当下的市域基层社会治理提供了思想引领。[①] 基层是国家的底石，更是社会的细胞，基层治理影响整个国家治理体系。基层社会治理的法治化水平，直接影响国家法治的进程。常言道“郡县治，则天下安”，正确研判市域基层社会治理的现状，对保障国家长治久安具有重大意义。

（一）市域基层社会治理的现状

随着经济社会的发展和变革，人民群众的生活水平逐年提高，人们的思想观念也发生了较大改变，对于社会秩序、幸福感的期望值不断增加。与此同时，行政手段对于经济生活的干预逐步减少，政府职能逐步向服务型政府转变，致使当下市域基层社会治理的现状呈现多元化的态势。

一是市域基层社会治理重要性凸显的同时，治理难度也逐渐提升。市域社会治理是国家治理在市域层面的具体实施，起着承上启下的枢纽作用。[②] 在城市中，社区是最基础的治理模块，由居民委员会负责管理。居委会在为城市居民提供服务的同时，也担负着社会治理的重任。近年来，城市人口急剧增加，人员流动性增强，为市域基层治理带来了较大难度。城市本身属于陌生人社会，人们彼此之间不熟悉，就难以建立基本的信任，面对问题时难以沟通调和，导致社区内部容易滋生矛盾和纠纷。

二是人民群众积极参与市域基层社会治理。随着基层治理法治化的逐步推进，社会上逐渐形成知法懂法的良好风尚，人们的权利意识如雄狮般觉醒，使得他们自发主动地投入到基层社会治理中来。一方面，这对市域基层社会治理产生积极的影响，使得治理的成本下降，治理效率逐步提高。另一方面，这对市域基层社会治理的制度与能力提出了更高的要求，如若治理能力或水平不足，就会有损政府权威。

三是对公共突发事件的处理逐步成为市域基层社会治理的关键。公共突发事件具有社会影响大、突发性强、与人民群众密切相关的特点。应对公共突发事件，就要求基层社会治理体系具有完善的预案，对于突发情况能够及时作出反应。对基层人员的工作能力也有了更高的要求，需要他们及时启动应急预案并按照规程正确处理突发事件，把对人民群众的利益影响降到最低。

---

① 参见唐皇凤、王豪：《可控的韧性治理：新时代基层治理现代化的模式选择》，《探索与争鸣》2019年第12期。

② 参见汪世荣：《“枫桥经验”视野下的基层社会治理制度供给研究》，《中国法学》2018年第6期。

（二）市域基层社会治理的方式

党的十九大报告提出:"打造共建共治共享的社会治理格局。加强社会治理制度建设,完善党委领导、政府负责、社会协同、公众参与、法制保障的社会治理体制。"目前市域基层社会治理的方式均以十九大报告所提出的要求为指导,在结合地方治理情况的基础上有所创新,方式上主要有以下特点:

一是党委领导市域基层社会治理。我国社会治理是按照党委领导的原则组织进行的。在基层社会治理中必须坚持党的领导,强化基层党组织的核心作用,这是推动社会治理重心下移、开展基层社会治理的前提。基层党组织是党在社会基层组织中的战斗堡垒,是党的全部工作和战斗力的基础。① 基层党组织建在社区,成为基层社会治理最为亮眼的底色。

二是信息化改革助力基层社会治理。利用大数据、区块链等新兴技术,可以为市域社会治理提供必要的技术支持。实践中,各级政府不断完善政务信息的整合和共享,搭建网格管理中心、管理工作站,将治理信息高效汇总,提高社区"微治理"能力。

三是发动社会公众广泛参与。在对基层社会治理体制进行改革时重视协同治理,形成社会公众广泛参与的良好氛围。② 当下,通过搭建和完善政府相关信息服务平台,拓展公民参与基层社会治理的途径和方式,在保障社会公众合法权益的同时,进一步形成市域社会治理合力。

二、疫情防控期间暴露的市域社会治理法治堵点和制度短板

突发的新冠肺炎疫情是对我国基层社会治理能力的一次大考,在这次抗击新冠肺炎疫情的过程中,党和国家采取果断措施,取得了明显成效。但是也要看到,随着疫情防控常态化,一些市域社会治理法治堵点和制度短板逐步显现。

（一）基层治理法治体系尚不完善

基层治理法治体系是以基层治理网格为基础的,只有夯实基层治理网格的根基,才能够确保基层治理法治体系的稳固。通过这次疫情的检验,可以发现基层治理网格虽然已经被普遍建立,但是由于各种原因,仍然出现了管理粗放、

---

① 参见吴青熹:《基层社会治理中的政社关系构建与演化逻辑——从网格化管理到网络化服务》,《南京大学学报》(哲学·人文科学·社会科学)2018 年第 6 期。

② 参见汪世荣:《提升基层社会治理能力的"枫桥经验"实证研究》,《法律适用》2018 年第 17 期。

网格不实不细的情况。突出表现在原有的治理模式被打破，但是新的治理网格尚未被构建出来。在新建小区，虽然物业机制较为完善，但是物业机构作为商业机构，缺少相应的社会治理职能，难以充分发挥其处理社会矛盾、社会治理的功能。同时在一些老旧小区，尤其是一些单位宿舍，由于与原单位脱钩等原因，物业设施不完善，缺少物业管理人员，存在基层社会治理的真空。

出现这种情况的原因主要还是基层管理中对辖区网格情况摸排不到位，没有建立起网格系统定期巡查制度。部分居委会对基层治理网络重视程度不足，对情况摸排不够细致，对网格员的管理不够精准，就容易导致基层治理网格出现遗漏。

(二)涉疫引发的社会矛盾纠纷尚难处理

疫情对经济社会发展产生了重大影响，在使社会运转暂停的同时，也会引发一系列复杂的社会矛盾。人员流动减少、企业停工停产、劳动者收入减少等情况，则会进一步加剧矛盾，成为基层社会治理的不稳定因素。

与疫情有关的社会矛盾主要有以下方面：一是合同履行矛盾。由于调控原因，企业正常经营活动不能开展，会导致部分合同不能履行或履行延迟构成违约，产生合同纠纷。二是劳动者与用人单位的矛盾。有些企业不能足额发放薪酬，或被动进行裁员，也会与劳动者之间发生劳资纠纷。三是消费纠纷矛盾。疫情期间人民群众对防护用品的需求激增，部分商家趁机哄抬物价，或生产质量不达标的口罩、消毒液等，引发其与消费者之间的纠纷。四是企业破产纠纷。部分企业应对疫情的能力较弱，难以继续维持正常的生产经营，不得不进入破产程序，引发矛盾，带来社会不稳定因素。

上述这些社会矛盾纠纷的产生，虽然直接原因在于疫情的不可抗力，但有些社区在矛盾之初，并未加以重视，对这些问题的重视程度不够。一旦放任其自由发展，不能及时将其化解在萌芽之中，导致矛盾膨胀后集中爆发，就会引起社会的不安定，损害人民群众的利益，不利于基层社会治理的稳定。这说明在基层社会治理中，及时关注社会矛盾萌芽的重要性。对于这些苗头要提高警惕、加强引导。

(三)运用法治手段解决问题的水平尚需提高

面对突发的疫情，基层治理所要解决的问题更为复杂和紧迫，不能简单通过行政手段进行干预，要运用法治思维，综合考虑疫情防控与人民生活两个方面，以法治方式加以解决。基层运用法治手段水平不高主要体现在以下几个方面：

一是提供公共服务主动性不够。正确运用法治手段，就要求居委会在处理基层治理问题时，正确把握疫情防控与保障人民群众合法权益的关系，牢固树立法治理念，依法全面履行社会管理职能，主动提供公共服务。但从实践情况看，所取得的成效与预期仍有较大差距。少数社区在处理问题的时候，还依靠行政惯性，没有做到以合法性判断为优先、以法律规则为中心。不考虑社区的实际情况，对于疫情防控一刀切。

二是基层执法人员法治水平不足。正确运用法治手段，对于基层执法人员的法治水平也提出了更高的要求。执法人员法治思维淡化。没有培养基层的法治化意识，没有将法治意识贯彻到日常工作的方方面面，执法人员发自内心的认同法律、信赖法律的法治思维还没有养成。基层党建工作虚化、弱化也是造成基层执法人员法治水平不足的原因之一。基层执法人员陷入诸多繁杂的行政事务，不能积极参与到党的教育活动中来，造成服务群众的意识淡化，官僚主义、形式主义有所抬头。①

三是基层治理制度有待加强。制度是处理矛盾问题纠纷的最好抓手，基层社会治理法治水平的高低，还在于是否形成了良好的治理制度。有些社区基层社会治理的制度需进一步建立健全，社区领导对于疫情防控等治理制度不够重视，只是照抄照搬上级要求，完成规定动作，对于要求之外的问题，并没有积极主动地去分析处理，更不要说积极探索可推广、可复制的经验。极少数社区对志愿服务人员的分配没有形成良好的制度。普遍存在利用志愿服务人员不够充分，分配任务不够合理，对其培训不到位，沟通机制没有及时理顺等问题，这些都导致基层治理效果不显。

三、化解基层社会治理问题的对策和建议

基层社会治理是社会主义建设的重要内容，更是国家建设的重要组成部分。推动基层社会治理法治化，进一步完善基层治理理念，构建起坚持党的领导、人民当家作主的基层治理体系，是推进国家治理体系和治理能力现代化的重要组成部分。今后应当从以下几个方面发力：

---

① 参见曹海军：《党建引领下的社区治理和服务创新》，《政治学研究》2018 年第 1 期。

(一)推动完善基层治理法治体系

基层治理法治体系的完善,有赖于宏观层面上的制度引导,以及微观上的网格管理的动态平衡。只有将宏观与微观相结合,树牢法治理念,强化责任担当,才能够推动和完善基层治理的法制体系。

一是要加强各部门间统筹规划。基层社会治理法治体系的建立不能简单地依靠某个部门或者个人,而是需要整体推进。[①] 要进一步强化顶层设计,理顺条块关系,压实部门责任。通过运用系统化、统筹化的思维来制定和完善工作制度,使得工作制度更加切合实际。可以通过建立联席会议等方式加强对各部门的协调,发挥制度合力作用,逐步完善基层治理法治体系。

二是要落实网格节点制度。要充分发挥网格管理中心、管理工作站以点带面作用,分批次、分阶段推进网格管理中心、网格管理工作站建设。要整合多种社会资源,创新网格管理的方式方法,提升复杂社会条件下的网格管理的实战能力。[②]

三是要细化管理网格。要进一步把控当下社会变化出现的新情况、新问题,及时对管理网格进行细化。对于新式小区要进一步整合物业的管理职能,对其进行基层治理培训,更好地发挥其化解矛盾、处理突发事件的社会职能。对于老旧小区,要充分发挥原单位的组织作用,积极协调业主之间进行沟通,尽早成立业主大会。通过引入新的物业管理机构,使老旧小区能够适应当下社会的治理需要。

四是要明确基层网格管理员的职能。制定基层网格管理员操作守则,对于矛盾纠纷,要求网格管理员在厘清事实的基础上,主动答疑解惑,为矛盾化解提供帮助。对能够达成协议的要积极促成和解,对于超出职责、能力范围的,上报网格管理平台,统一归口管理,由网格管理中心指派责任部门限期处理。从而建立一整套网格业务办理工作流程,构建自下而上、自上而下的工作闭环,实现事事有办理、过程有监督、结果有反馈的管理模式。

---

① 参见李德:《从“碎片化”到“整体性”:创新我国基层社会治理运行机制研究》,《吉林大学社会科学学报》2016 年第 5 期。

② 参见徐选国、徐永祥:《基层社会治理中的“三社联动”:内涵、机制及其实践逻辑——基于深圳市 H 社区的探索》,《社会科学》2016 年第 7 期。

（二）正确处理涉疫引发的社会矛盾纠纷

疫情引发的经济纠纷涉及众多企业和家庭，其影响范围广、影响程度深，需要我们高度重视。在处理涉疫引发的社会矛盾纠纷时，要求我们把服务保障“六保”作为“六稳”的工作着力点，坚持审慎的工作态度，对于矛盾早发现、早解决，服务经济社会发展大局。

一是深入排查，尽早预警。应当在党委领导下，依托基层网格中心，扎实开展“基层涉疫纠纷排查行动”。网格员要对辖区内的企业、居民进行入户走访，了解在疫情防控进入新常态后，广大企业的真实需求，尤其是在生产经营上是否存在困难，经济活动上是否产生纠纷。对于已经有的涉诉苗头，要及时予以汇总分析，分别建档处理，进一步明确涉诉主体、纠纷原因、主要诉求等。在对其进行风险研判的基础上，进一步明确风险等级，逐级进行汇报。

二是激活调解组织。要充分发挥基层调解组织的全覆盖、机动灵活的优势，发挥先行调解的制度功能。推动地方在乡村、社区普遍设立调解工作室，构建“一村一室”“一区一室”多元调解新平台，法院定期派驻人员指导、参与调解，支持城乡社区群众自治组织依法自治，努力实现止纠纷于未发，解纠纷于萌芽。通过基层调解，将涉疫案件能调尽调，通过协商来处理矛盾纠纷，使得涉疫案件不需进入法院流程就能得到解决，降低了企业的诉讼成本。

三是建强调解队伍。要充分发挥人民调解员的积极作用，吸纳人大代表、政协委员、专家学者、律师等具备条件的个人担任特邀调解员，加强对调解人员培训、指导和管理，使其发挥贴近群众、专业水平高的优势，进一步促进基层矛盾化解。

（三）提高基层法治化治理水平

坚持党的领导是推进国家治理体系与治理能力现代化的关键。推进社会治理法治化，关键就在于坚持党的领导和提高法治手段的运用水平。一方面，要加强对于党的政治理论以及方针政策的学习，将党的方针政策贯彻落实。另一方面，要引导基层工作者树立法治思维，在日常工作中形成法治观念。

一是坚持党的领导，创新党建引领方式。以区域化党建、开放式党建为抓手，加快党员干部下沉社区，加强基层党组织建设，充分发挥社区党支部、物业党支部、业委会党组织及居民党员的引领作用。通过将支部建立在每个小区的方式，创建小区党建联席会议制度，统一部署安排疫情防控重点工作，形成“问题共商、困难互帮、信息共享”的协同机制，进一步提高党对基层治理的引导作用。[①]

二是严格依法办事，注重治理成效。社会公共事务管理和社会治理都必须依法依规，遵照法律规定，按章办事。要用好市域立法权，加快社会治理领域立法进程，发挥法治的引领和规范作用，着力解决影响基层社会治理的突出问题，以法治来提升社会治理的水平。转变传统的严厉惩罚、以罚代法的处理方式，重视运用法治教育、法律思维和法律手段来实施社会治理，提高法治执行力度。

三是落实重心下移，促进基层治理水平进一步提升。要推动政府职能部门下沉社区解决矛盾机制的常态化。落实职能部门对口帮助社区，通过选派优秀干部充实到基层，为辖区企业、居民提供法律服务，建立起全方位、立体化的法律服务保障体系。

四、结语

在疫情防控逐步进入常态化的大背景下，市域基层社会治理仍然面临着一些法治堵点与制度短板。需要在基层治理体制、矛盾纠纷化解、提高基层法治化治理水平上持续发力，通过多方协调、多措并举，将矛盾化解在基层，积极打造多元化矛盾纠纷化解的制度样板，努力实现社会治理体系和治理能力现代化。

---

① 参见田毅鹏、薛文龙：《“后单位社会”基层社会治理及运行机制研究》，《学术研究》2015 年第 2 期。

市域社会治理中矛盾纠纷多元化解的实践与优化路径

——以S省J市法院实践为考察样本*

王　倩**

摘要:建设共建共治共享的社会治理制度是党的十九届四中全会提出的新要求。以S省J市法院的司法实践为样本进行考察分析,收案数量呈连年上升态势,尽管法院采取了诉调对接、重点案件化解、"分调裁审"机制改革等系列做法,但多元化解矛盾纠纷仍然存在人民群众接受度不高、矛盾纠纷分层过滤效果不明显,整体合力有待提升等问题。对此,法院应当主动融入社会综合治理体系,健全分层递进的纠纷解决体系,积极参与诉源治理,非诉讼纠纷解决机制,加强基层司法宣传和普法教育,为市域社会治理提供更加优质的司法保障。

关键词:市域社会治理;多元化解矛盾纠纷;诉源治理

党的十九届四中全会指出:"必须加强和创新社会治理,完善党委领导、政府负责、民主协商、社会协同、公众参与、法治保障、科技支撑的社会治理体系,建设人人有责、人人尽责、人人享有的社会治理共同体。"这对坚持和完善共建共治共享的社会治理制度提出了新要求。当前,人民法院审判工作面临的总体态势是新收案件逐年增多、办案压力逐年增大、人案矛盾较为突出。新形势下,创新发展新时代"枫桥经验",深化诉源治理,提升社会治理效能,构建市域社会治理新格局,成为当前一个重要的理论课题和实践课题。本文以S省J市两级法院化解矛盾纠纷工作情况为样本,从实践现状与制约因素等角度入手,对社会治理中化解矛盾纠纷的优化路径进行探讨,以期对创新基层社会治理模式提

---

* 第十五届环渤海区域法治论坛获奖论文优秀奖。曾在第六届京津冀法学交流研讨会上交流。

** 王倩,济南市中级人民法院研究室副主任,法学博士。

供参考。

一、诉讼案件基本情况

近年来，随着经济发展、社会转型，特别人民群众法治观念、维权意识不断增强，法院受理的案件数量持续大幅增长，长期保持高位运行。

（一）诉讼案件收结基本情况

近三年，全市法院收结案数呈持续上升态势，居全省法院前列。2017 年，全市法院新收各类案件 123528 件，办结 135259 件，同比分别上升 1.06％和 13.9％；2018 年，新收各类案件 166053 件，办结 161987 件，同比分别上升 34.43％和 19.76％；2019 年，新收各类案件 213838 件，办结 222518 件，同比分别上升 17.38％和 25.13％。2020 年 1～7 月，新收各类案件 141961 件，办结 120470 件，[①]受新冠肺炎疫情影响，第一季度收案数大幅下降，但第二季度呈反弹式增长。

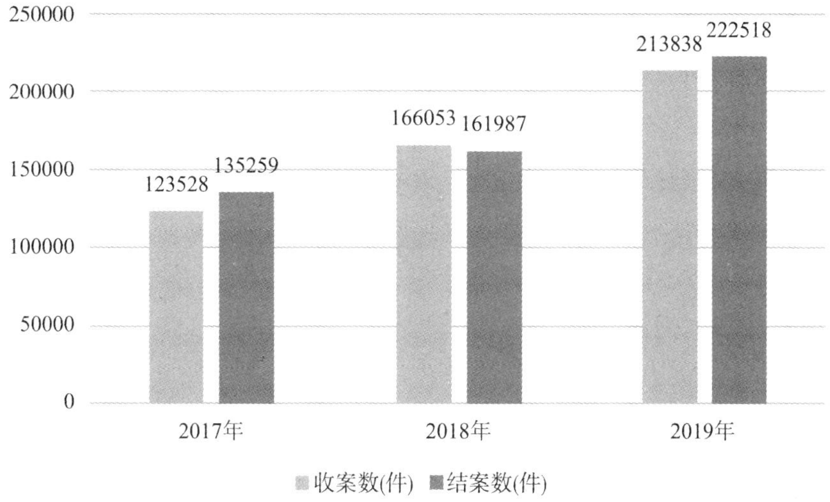

图 1　近三年全市法院收结案情况示意图

2017～2019 年员额法院结案数分别为 257 件、309 件、335 件，办案最多的超过 600 件，法官办案压力不断增大。

① 数据来源于人民法院审判业务云平台、全国法院司法统计系统。

（二）诉讼案件分布情况

以2019年案件分布情况为例，民事案件46096件，占全部案件数的24%；商事案件51877件，占26%；刑事案件6615件，占3%；行政案件4990件，占3%；执行案件80844件，占41%；减刑假释案件3833件，占2%；其他案件2211件，占1%。其他年份各类案件所占比例基本与2019年持平。可见，民商事案件在总案量中占比最大，是整个诉源治理工作的重点和难点。从司法统计来看，案件数量最多的为民间借贷纠纷、金融借款纠纷、买卖合同纠纷、离婚纠纷、交通事故纠纷等五类案件，约占案件总数的60%以上。要解决法院案多人少矛盾，重点是如何采取有效措施减少民商事案件的诉讼增量。

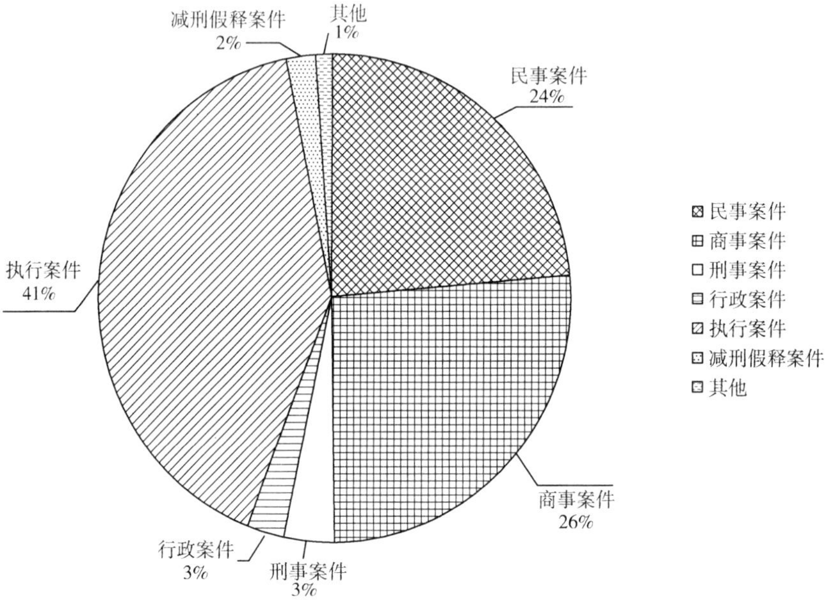

图2　各类案件所占比例图示

（三）法院参与多元解纷的做法

大力推进诉调对接工作。最高法院提出要完善多方参与的调解机制，构建立体化、多元化的矛盾纠纷化解体系，从源头上减少诉讼增量，让法院集中精力解决更具规则意义的案件。[①] J市两级法院把诉调对接工作作为多元化解矛盾纠纷的总抓手，中院先后制定了《深入推进诉调对接工作的意见》《推进民商事

---

① 参见李少平：《以习近平新时代中国特色社会主义思想为指导，推进实施人民法院第五个五年改革纲要》，《中国应用法学》2019年第4期。

案件"分调裁"工作的意见》等一系列制度，市委办公厅、市政府办公厅出台《关于深入推进诉调对接工作的实施意见》，进一步完善工作机制，搭建诉调对接平台，共设立人民调解室、律师调解室、行业性纠纷调解室等 96 个，累计共引导 11.5 万纠纷当事人选择诉前调解方式解决矛盾纠纷，诉前调解成功 1.7 万件。各基层法院结合工作实际，开展了一系列各有特色的探索。如有的基层法院与保险行业协会合作，创设"保险调解日"，集中解决交通损害赔偿纠纷案件；有的基层法院开发"一案一群"团队协作平台，增强速裁团队力量，有效减少了进入诉讼的案件；有的基层法院构建多领域合作"大调解格局"，构建"1＋1＋1＋N"的审判模式，即"一名审判员＋一名助理＋一名书记员＋N 名人民调解员"的办案模式，使人民调解从诉前到诉中贯穿到审判的全过程，取得了良好效果。

对重点案件实行分类化解。分析梳理多发性、群发性的矛盾纠纷，针对婚姻家庭、相邻关系、交通事故、劳动争议等易发多发纠纷，依托社会力量，建立联调联解机制。依托专业调解与行业调解组织，与相关部门联合制定了《金融消费纠纷诉调对接机制实施办法》《证券期货纠纷诉调衔接工作合作备忘录》《关于建立劳动人事争议案件裁诉调对接制度的实施意见》等 10 余项制度，覆盖了大部分常见性、多发性矛盾纠纷。

结合"分调裁审"改革实行分层化解。认真贯彻"繁简分流、轻重分离、快慢分道"要求，对于诉前调解不成功进入诉讼程序的案件，加大繁简分流工作力度，建立以案件类型、特点、繁简程度为依据的分流模式，建立要素式审判试点，组建速裁团队 56 个，对于标的额较小、当事人争议不大、事实较为清楚的案件通过速裁程序处理，促进简案快审快结。建立专业化审判模式，对人数众多、诉求一致的群体性案件，由同一审判团队集中处理，做到类案专办，统一裁判尺度。

二、多元化纠纷解决体系运行中存在的问题

多元化纠纷解决体系包括诉讼、调解、仲裁、公证、行政裁决或复议等多种方式，从全国推广情况来看，呈现法治化、专业化、社会化、国际化趋势。[1] 但从实践情况来看，人民群众对诉讼的倚重程度仍然居高不下，通过调解方式化解

① 参见胡仕浩:《多元纠纷解决机制的中国趋势》,《人民司法》2018 年第 1 期。

纠纷的比例相对偏低。近年来,各法院建立健全工作机制,搭建诉调对接平台,大力推行多元化解矛盾纠纷,但实际效果不够明显。通过实证分析,发现其实践困境主要表现在以下几个方面:

(一)诉源治理尚未完全融入党委领导的基层治理大格局

诉源治理是党委和政府领导下的社会治理创新,覆盖非诉解纷组织、基层治理单元、村级组织、社区街道等,涉及人民调解、行政调解、信访化解及网格治理等工作内容,非人民法院一家可以完成。目前诉源治理大格局尚未形成,一方面基层治理的主体意识、责任意识不强,思想认识有待统一,部分责任部门认为诉源治理是法院的工作职责,存敷衍应付之嫌;另一方面当前仍处于法院主推主导阶段,部分工作权责不够明晰,部门之间的衔接缺乏落地机制,工作成效缺乏奖惩措施,纠纷源头治理的合力尚不明显。2020 年济南市委市政府出台了《市域治理现代化建设实施意见》,对诉源治理提出明确要求,但该项工作仍需进一步推进。

人民群众对社会治理的参与意识不强。随着多元解纷模式的推广,群众对化解矛盾纠纷的思维有所转变,逐步开始考量司法成本、解纷效果及便捷性等因素。然而更多基层群众法治意识和法律观念更新较为缓慢,对诉讼以外的解纷渠道信任不够,对非诉讼矛盾纠纷解决机制不了解,选择诉前调解的意愿较低;有些诉讼代理人受经济利益的驱使,不愿说服当事人主动选择诉前调解。多元化解矛盾纠纷的社会认知度不高,群众对诉讼解决方式过分依赖,"信判不信调""有矛盾找法院"已形成习惯,仍然把诉讼当成解决矛盾纠纷的最终途径、甚至唯一途径,自治法治德治融合的推进阻力仍较大。

(二)矛盾纠纷分层过滤责任没有压实

多元治理主体责任不清。"多元解纷,实质就是多种解纷主体根据各自定位,按照'自治—调解—裁判'的纠纷递进规律化解矛盾的过程。"[①]健全分层递进、衔接配套的纠纷解决体系,是构建新型基层社会治理体系的必然要求,将大部分矛盾纠纷在诉前分流,一部分简单案件速裁速审,少部分疑难复杂案件精细处理。以 J 市两级法院为例,依托公共法律服务体系,建立市、区县、乡镇、村居四级诉调对接机构,在区县、乡镇、村设立 40 个法官联系点。乡镇(街道)政

---

① 张爱云:《司法保障和谐的新实践》,人民法院出版社 2009 年版,第 28 页。

府虽作为基层治理的主导,但往往将更多精力花在经济社会发展方面,在诉源治理环节投入精力较少,基础工作不够到位。例如离婚纠纷、邻里纠纷以及校园欺凌等,从纠纷缘起到激化存在逐渐发展演变的过程,由于相关职能部门或责任主体介入不及时、处理不到位,致使事件矛盾升级,大量矛盾纠纷涌向法院。

诉前化解矛盾纠纷效果不明显。全市两级法院收案数量持续增长,不断创下历史新高。诉前矛盾纠纷化解全面推开后,成功化解矛盾纠纷 1.75 万件,是同期审结案件数量的 3.89%。相对于收案数量和增长幅度,远没有达到明显缓解办案压力,“从源头上减少诉讼增量”的效果。

繁简分流改革有待深化。今年初,J 市法院被最高法院确定为民事诉讼程序繁简分流试点,开展为期两年的试点改革工作。繁简分流改革试点工作启动以来,全市法院认真贯彻落实上级法院改革精神,科学谋划,精心组织,制定《实施方案》及操作规程,推开试点改革工作。但由于该项改革启动不久,有的法院参与改革的积极性不高,行动不够迅速有力,改革成效尚不明显。以小额诉讼程序、简易程序为例,截至 2019 年底,全市法院法定适用小额诉讼程序审结案件 25818 件、合意适用 6103 件,实际适用小额诉讼程序审结案件 3024 件,适用率远远低于改革要求。简易程序适用率 74.75%,并且存在审理周期过长、简化不规范等问题。

(三)多元解纷的合力有待提升

人民调解员、特邀调解员调解能力有待提高。近年来,J 市两级法院与司法行政部门联合,陆续选派人民调解员 600 余人参与调解工作。在此基础上,研究制定了《关于与特邀调解组织、特邀调解员开展诉调对接工作的实施意见(试行)》,基层法院结合各自实际,分别制定了特邀调解员制度、建立特邀调解员名册。但是人民调解员、特邀调解员能力水平参差不齐,有的纠纷化解组织工作人员虽具备良好的专业能力,但有的工作积极性不足,有的缺乏与人民群众沟通的能力,不能满足人民群众多元需求,诉前化解矛盾纠纷效果有待提高。

行业调解组织作用发挥不充分。目前,中院已经与劳动争议、金融、证券、保险等单位或组织联合会签文件,建立联调联动机制,指导基层法院建立诉前调解、诉中调解、司法确认、强制执行相衔接的诉调对接工作机制。大部分基层法院与金融保险、医疗卫生、劳动争议等专业性、行业性纠纷调解组织建立了协调机制。从十三类调解前置案件化解情况分析,2018 年以来,诉前化解纠纷占比较高的有：交通事故损害赔偿纠纷、占 19.7%，物业纠纷、电信服务合同纠纷、占 17.3%，民间借贷纠纷、买卖合同纠纷、占 17%，家事纠纷、占 14.1%。与之相对，诉前化解数量占比较低的有医疗损害赔偿纠纷、消费者权益保护纠纷、宅基地和相邻关系纠纷、建筑物区分所有权纠纷，分别占化解矛盾纠纷总数的 1%以下。

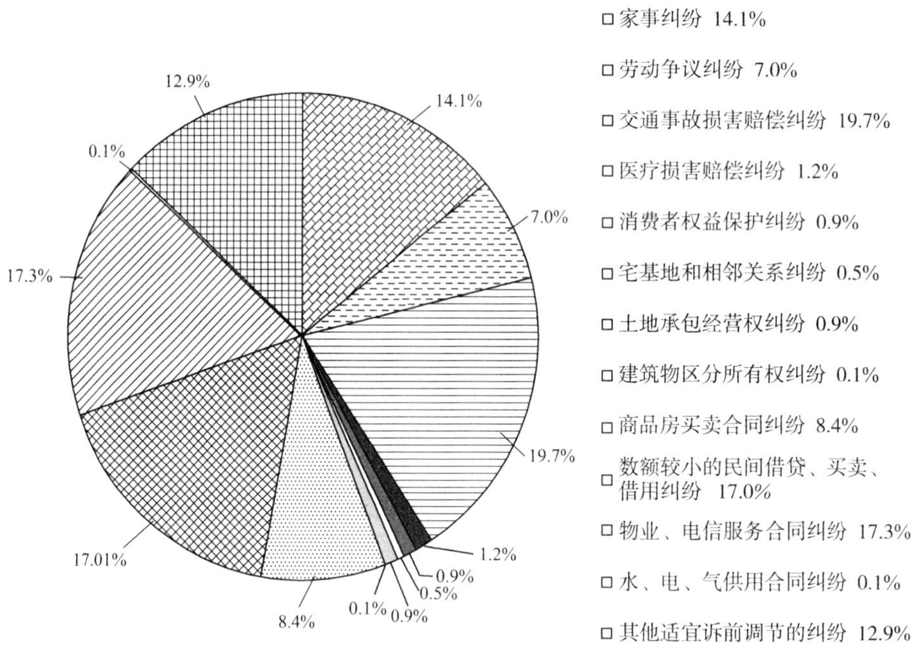

图 3　调解前置案件矛盾化解数量占比图

从作用发挥来看，有的行业调解组织发挥作用较好，如道路交通一体化平台、劳动争议纠纷化解、行政争议审前和解中心等。有的行业调解组织作用发挥不充分，“对而不接、联而不动”现象仍然存在，实际化解纠纷情况未达到预期效果。

配套保障不够健全。全市 13 个区县法院中，有 5 个区设立了专项经费，由财政局或政法委拨付，有的区县法院从办公经费中支出调解经费。有的区县争取地方政府支持力度不够，还没有解决专项拨款，人民调解员的待遇难以兑现，一定程度上制约了工作开展。对调解员和调解组织参与诉前解纷工作的激励考评机制不完善，一定程度上制约了其参与诉前解纷工作的积极性。

三、加强矛盾纠纷多元化解的优化路径

市域社会治理是国家治理的基础。党的十九届四中全会要求坚持和发展新时代“枫桥经验”，完善人民调解、行政调解、司法调解联动工作体系，完善社会矛盾纠纷多元预防调处化解综合机制，努力将矛盾化解在基层。结合实践中发现的困难和问题，法院应积极推动建立诉讼与非诉讼相衔接的多元化纠纷解决机制，大力加强诉调对接工作，切实抓出实效，为推进社会稳定和经济高质量发展营造良好的社会环境。

（一）主动融入社会综合治理体系，大力加强诉源治理

党的领导是基层社会治理的最大政治优势和制度优势。人民法院应坚持融入党委领导的社会治理体制，充分发挥我国的制度优势和政治优势，扎实推进多元化纠纷解决机制建设。主动融入党委领导的诉源治理、市域社会治理现代化建设新格局，主动向党委、人大报告诉调对接工作进展情况及存在的困难和问题，听取人大代表的意见建议，积极争取各方面支持。积极推动“无讼村庄”“无讼社区”建设，力争多元化解纠纷工作纳入地方综治考核。探索建立以财政支持为主、社会投入为辅的经费保障体系，拓展经费来源，同时推行有偿调解服务，探索采用多种激励机制，切实提高调解员工作积极性。

（二）健全非诉讼纠纷解决机制，及时化解矛盾纠纷

充分发挥人民调解的基础性作用。人民调解是非诉讼解决机制的重要组织力量，应大力发展人民调解，优化人民调解员队伍结构和素质，结合人民调解员的年龄、知识构成、调解专长，有针对性地开展教育培训，切实帮助人民调解员提升化解矛盾纠纷的能力和水平。适应繁简分流试点改革新要求，加强人民调解协议司法确认工作，进一步完善司法确认程序，特别是常态化疫情防控环境下，大力推广网上调解、网上司法确认的工作方式，实现人民调解司法确认快立快办理。

大力支持人民调解组织、行业性调解组织建设。积极推动有条件的商会、行业协会、民办非企业单位、民事商事仲裁机构等设立商事调解组织，推动工会、妇联、工商联、贸促会、法学会和银保监会等行业协会建立调解组织，做到实实在在有人驻点、有人在线，能实时提供非诉讼解纷服务。以医疗卫生、道路交通、劳动争议、金融借款等矛盾常发多发领域为重点，与相关行业主管部门建立

常态化沟通机制，做到重点行业、重点领域全覆盖。认真落实诉调对接联席会议制度，加大沟通协调力度，主动加强与上述单位的联系，推动行业调解组织成为多元解纷的骨干力量，形成工作合力。

（三）完善程序衔接，健全分层递进的纠纷解决体系

严把案件“入口关”，做好案件分流工作。“多元化解决衔接机制是多元化纠纷解决机制建设中的关键环节，衔接机制既包括主体上的衔接、法律程序上的先后承接，也包括效力上的衔接。”[①]设立专门的程序分流员，对起诉到法院的案件，对矛盾纠纷进行“望闻问切”，对案件的难易程度及调解可能性进行甄别。将诉前分流调解工作纳入全流程管理，编立相应案号，实现调解案件全流程可追溯、可查询、可统计。

落实调解前置程序，做好诉前引导工作。完善案件告知程序和优先选择程序，主动向当事人释明诉讼风险及非诉解纷方式的优势特点，特别是向当事人讲清楚非诉讼在成本、效率、社会关系等方面的优势，讲明白非诉讼与诉讼衔接的权威与法律效力，帮助当事人分析可能面临的诉讼风险、执行风险等，鼓励当事人选择诉前调解方式解决纠纷。重点认真落实省法院出台的民事诉前调解程序的若干规定，对婚姻家庭、交通事故、劳动争议等案件实行调解前置，尽可能将矛盾纠纷化解于诉前。

畅通非诉与诉的衔接，做到流程畅通高效。依托人民法院工作平台，指导人民调解组织、行业调解组织做好非诉调解工作。将诉前调解的矛盾纠纷进行分层处理，诉前调解成功的，根据当事人申请及时进行司法确认，以法律手段确定当事人权益；诉前调解不成功的，及时转入速裁团队，按照速裁程序办理。加强立案与调解、调解与速裁、速裁程序与普通程序之间的有效衔接，积极推进案件“繁简分流，轻重分离，快慢分道”，对诉前调解不成的案件及时立案办理，做到能调则调、当判则判、调判结合、案结事了。

---

① 龙飞：《论多元纠纷解决机制的衔接问题》，《中国应用法学》2019年第6期。

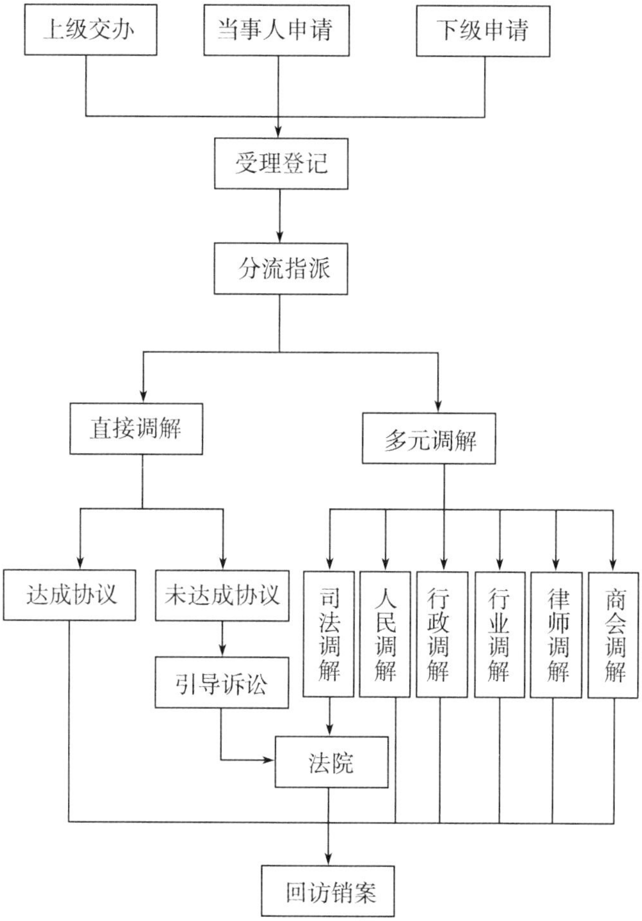

图 4　诉前分流调解流程示意图

（四）加强基层司法宣传和普法教育，营造良好社会氛围

“社会调解优先，法院诉讼断后”的纠纷解决模式，绝不是法院要把矛盾纠纷推出去，而是要打造更优更合理的解纷模式，为人民群众提供更加便捷、多元的解纷选择。我国素有“厌讼”“和为贵”的传统思想，对于中国人来说，追求“天人合一”是一种理想的境界，而在天与人之间的社会规范就是“和”。[①] 这种“和”的观念，往往会成为各种社会关系的基本出发点，也成为人际交往的立足点。基层社会治理主体可以推广无讼理念，加强滥讼理念规制，提升基层群众

① 参见费孝通：《文化的生与死》，上海人民出版社 2013 年版，第 625 页。

的法治意识和法律理念，减少诉源纠纷产生的根源。充分发挥巡回审判的便捷功能，积极开展以案释法、巡回审判、进村普法讲座等法治宣传教育，引导基层群众树立并提升法治意识、规则意识，自觉守法、依法办事。加强多元解纷路径的普及推广，引导人民群众形成理性务实的解纷思维，为诉源治理夯实思想基础。同时，S省作为儒家文化发源地，可以尝试将儒家文化融入基层治理，坚持德法兼治，以道德滋养法治精神，以法治体现道德理念。按照《新时代公民道德建设实施纲要》的要求，把"礼"贯穿到基层治理的各个方面，尊礼学礼守礼用礼，用社会主义核心价值观引领思想，从而推进自治法治德治"三治融合"。

最高法院在深化司法责任制综合配套改革的实施意见中，再次强调各级人民法院要按照一站式多元解纷和诉讼服务体系的要求，健全多元化纠纷解决机制，促进诉前高效化解纠纷。人民法院作为法治的推动者和捍卫者，需要持续推进多元化纠纷解决方式，把经验总结好、把问题解决好，把改革任务落地落实，更好地回应人民群众多元司法需求，为促进国家治理体系和治理能力现代化作出更大贡献。

信息技术在重大公共事件中的应用规制[*]

尹　楠[**]

摘要：新冠肺炎暴发中网络直报、监测预警等系统的作用引起我们对信息技术在重大公共事件防控中的思考。重大公共事件需第一时间全面获取信息的需求与信息技术功能相契合。技术理性高效精准，可以减免人为、外部干扰。但技术决定论并不成立，系统失灵现象不鲜见。信息技术应用也是技术规制的过程，系统应完备，应用主体应配合参与。格兰诺维特的强弱连带理论可以诠释信息技术应用主体关系及应用效果的强弱变换。"代码即法律"隐含着代码与法律具有共性，也昭示代码的价值。信息技术日益重要，法律规制保障代码功能实现是必然进路，中心是对参与主体的规制。

关键词：重大公共事件；系统失灵；技术规制；法律规制

2019年12月，武汉市暴发新冠肺炎并迅速向全国蔓延，面对突发的疫情，党和国家有力应对，疫情有效防控。但关于疫情预警和防控有很多值得我们深思之处。国家卫健委卫生研究中心党委书记、主任傅卫提出，建立监测预警系统，健全网络直报、疫情监测和快速反应体系，加强大数据整合、分析评估使用等具体建议。① 我国《突发事件应对法》第37条规定，国务院建立全国统一的突发事件信息系统。可以看出信息技术在重大公共事件的应对中发挥了一定的作用，并应发挥更大作用。保障信息技术在重大公共事件应对中发挥作用，是法治保障应该关注的问题。

---

* 第十五届环渤海区域法治论坛获奖论文优秀奖。

** 尹楠，济南市中级人民法院高级工程师，法学博士。

① 参见鄂璠：《战"疫"十大思考》，《小康》2020年第9期。

一、重大公共事件中信息技术价值

(一)重大公共事件中信息获取等与信息技术耦合

重大公共事件特别是重大突发事件，对人民生命财产安全、国家安全、公共安全、环境安全或者社会秩序构成重大威胁，其影响持续扩散甚至影响社会稳定和民族命运，是社会治理中要严肃认真对待之事。前事不忘，后事之师，面对未来可能发生的重大公共卫生等突发事件，应第一时间准确全面获取信息，及时预警，作出精准科学的决策。重大公共事件应对涉及主体机构众多，并且地理位置分散，职责责任、目标关注点均不同，提供或获取的信息多元，如何有效获取、汇集利用信息，保持认知同步，科学分析应对十分不易。如同钟书华的研究，科学技术渗透于灾害应对全过程。[①] 信息技术是可以满足重大公共事件信息获取等复杂需求的凭借。

信息技术包含计算机、网络、数据库、中间件、人工智能等，应用在各个领域，实现不同的功能。其强大的处理器能力、高精度以及强逻辑判断等快速高效处理各种数据信息，有利于节省、替代人力，实现数字化。程序流程有序组合一系列业务活动，输入节点要素，程序流程自动检测处理，日常工作活动自动化。计算机和网络技术的结合使得数据信息快速传递，实现资源共享和资源置换，实时互动。按照数据分析算法，对数据进行挖掘分析实现深入精准服务。人工智能在更强的计算处理能力与分析方法支持下，增强分析和预测能力，扩展人类的认知提供智力增强支持[②]，甚至更有效地完成之前人力根本无法完成的任务。[③] “人类的技术史随着人类本身开始。”[④]信息技术持续快速发展，数据运算能力更强，数据传输速度更快，信息技术功能将更加强大。

2004 年 1 月 1 日启用的突发公共卫生事件报告管理信息系统提高了突发公共卫生事件报告的及时性、准确性，增加了透明度，有效地遏制了突发公共卫生事件的瞒报、谎报、迟报和漏报等问题，有助于专业机构和卫生行政部门开展

---

① 参见钟书华:《国家应急科技支撑体系框架构想》,《中国科技论坛》2004 年第 5 期。

② M. H. Jarrahi, "Artificial Intelligence and the Future of Work: Human-AI Symbiosis in Organizational Decision Making," *Business Horizons*, Vol. 61, No. 4, 2018, pp. 577-586.

③ 参见刘玉洁:《基于人工智能视角的政务服务研究》,《信息化建设》2018 年第 8 期;[法]布鲁诺·雅科米:《技术史》,蔓莙译,北京大学出版社 2000 年版,第 12 页。

④ [法]布鲁诺·雅科米:《技术史》,蔓莙译,北京大学出版社 2000 年版,第 12 页。

分析和预警。[①] 通过对突发事件直报系统运行状况调查，报告的最终结果更准确可靠。[②] 随着大数据、人工智能、区块链等新技术的应用发展，信息技术在重大公共事件应对处理中可以有更强大的功能。通过计算建模，把各种复杂的因素结合起来，做到更加敏捷地对每一次传染病的暴发、防控资源配置进行预测[③]，实现对突发公共事件的精准预测和预警、有效施策、高效应对。

（二）技术理性减免信息获取干扰

理性有效指导人类社会活动，尊崇理性是人们解决社会问题应遵循的标尺。德国著名社会学者马克斯·韦伯在对社会行动的描述中提出了“目的合乎理性”的工具理性和“价值合乎理性”的价值理性。“目的合乎理性，即通过对外界事物的情况和其他人的举止的期待，并利用这种期待作为‘条件’或作为‘手段’，以期实现自己合乎理性所争取和考虑的作为成果的目的。”[④]追求工具理性的行动者始终关注行动所指向的手段和附带结果，并理性地衡量手段之于目的、目的之于附带结果。[⑤] 工具理性通过精确计算、手段选择、程序规制等，达成预期目标的实践能力，指向事物的“实然”状态。在近代科学的推动下，工具理性追求规范化、制度化、程序化、定量化、精确化等目标，重点解决“如何做”的问题，即假借外力，以最佳方法、最优路径建构理想与现实之间的桥梁。[⑥]

技术理性由西方马克思主义哲学代表人物马尔库塞作为哲学概念明确提出。技术理性是近代科学技术迅猛发展与理性相结合的产物，是对工具理性的发展。技术理性也包含着思维视角，可以形成理解、判断和推理等思维逻辑，使技术具有普遍的适用性，彰显出更强大的工具力量。传统工作模式主要是靠人力、人工来处理，受人的能力、情绪、素养等影响，也会受到各种外部环境的影响，容易出现纰漏、错误，可能做的是无用功，也可能遭到人为恶意破坏。信息技术在数据计算、信息共享、综合分析、智能化等方面都有优异能力，信息技术

---

① 参见安莹、王晓平、闫世春、高燕：《突发公共卫生事件报告管理信息系统存在问题及建议》，《中国公共卫生管理》2013 年第 3 期。

② 参见肖彤、谭卫星、李丽：《2005～2006 年 6 月宁夏突发公共卫生事件报告管理信息系统运行状况调查》，《宁夏医学杂志》2007 年第 9 期。

③ 参见李春成：《重大公共卫生事件决策科学化原则与能力建设》，《科技中国》2020 年第 4 期。

④ [德]马克斯·韦伯：《经济与社会》上卷，林荣远译，商务印书馆 1997 年版，第 56 页。

⑤ 参见[德]马克斯·韦伯：《社会学的基本概念》，顾忠华译，广西师范大学出版社 2005 年版，第 34 页。

⑥ 参见孟宪斌：《融合工具理性与价值理性：对地方政府绩效管理运行逻辑的反思》，《中国矿业大学学报》（社会科学版）2020 年第 4 期。

发展应用的过程，也是对传统工作方式、工作流程进行优化迭代的过程。信息技术系统不带人类感情色彩，进行的计算、数据分析、复杂处理等，都是客观理性地进行，实现工作主次分明、流程清晰，规范有序，工作质量和效率都划时代提升。当然技术本身也有风险，“我们正处于这样一个社会中，这个社会在技术上越来越完善，它甚至能提供越来越完美的解决办法。但是，与此息息相关的后果影响和种种危险却是受害人根本无法直接感觉到的。”①“以技术形式出现的理性超出了人类的干预或修正。”②不是拥有技术理性就万事大吉，与技术理性对应的价值理性，二者并不是割裂的，而是存在互补关系。我们应用技术理性的优势改善人们的生产生活方式，赋能社会发展进步，而不是要过度崇拜和依赖技术理性。

二、重大公共事件中技术规制及信息技术系统失灵

（一）技术规制必要条件

重大公共事件中通过信息技术获取、加工信息的过程，也是对重大公共事件信息获取等技术规制的过程。技术规制作为一个学术名词，又称“技术导引”或“技术倒逼”，是指预先将某种战略思想内嵌入技术，通过技术设置来迫使人们穿越因习俗、观念及利益造成的现实障碍，最终达到对预设战略思想的主动认知与自觉践行。③ 技术自身也会因倾向性利用而存在安全、侵权等各类风险，可“以子之矛，攻子之盾”，用技术对自身进行规制。

信息技术系统作为技术规制的基础，应有完备的功能。人们总是创设和应用特定的技术来应对特定的问题，实现技术的具体化、规范化和系统化。④ 信息技术系统的建设应用是一个复杂的过程，有应用部门提出需求、公司开发建设、系统测试运行、修改完善等环节，其中应用部门与开发建设单位会有多次的细化沟通。信息技术系统基于特定的情境和需求，技术流程化的过程也是对既

---

① ［德］乌尔里希·贝克：《关于风险社会的对话》，薛晓源、周战超主编：《全球化与风险社会》，社会科学文献出版社 2005 年版，第 10 页。

② ［美］安德鲁·芬伯格：《技术批判理论》，北京大学出版社 2005 年版，第 8 页。

③ 参见刘戟锋、赵阳、石海明：《技术：战略研究的“阿基米德支点”》，《解放军报》2012 年 10 月 25 日。

④ 参见姚茂华、舒晓虎：《技术理性与治理逻辑：社区治理技术运用反思及其跨越》，《吉首大学学报》（社会科学版）2019 年第 6 期。

有工作现状的梳理和改进，最终呈现的系统应可用、实用、好用。对于纵向涉及多单位、横向包含多部门的重大公共事件应对信息技术系统，建设应用更加复杂。在钱学森看来，系统是由相互作用相互依赖的若干组成部分结合而成的，是具有特定功能的有机整体，而且这个有机整体又是它从属的更大系统的组成部分。[①] 信息技术系统也是如此。完善强大的信息技术系统由诸多子系统构成，各自完成部分功能形成一个有机整体。复杂适应系统理论认为，具有适应性的个体在与环境以及其他主体交互过程中不断学习和积累经验，并根据学到的经验改变自身结构与行为方式。[②] 系统正式运行后也需根据实际不断修改完善，以达到系统功能与应用主体彼此适合、互相适应，真正发挥作用。如突发公共卫生事件报告信息系统早期运行存在着与中国疾病预防控制信息系统其他子系统未关联，对一些突发公共卫生事件及相关信息报告的技术要求不统一，误操作、误报告订正手续繁琐，系统信息共享弱，[③]网络直报内容繁琐，主次不清等问题。[④] 发现的问题都应及时修改完善，应用主体有预期的收获，方能保持应用积极性，信息技术系统才能持续具有活力。

实现技术规制关键在于应用主体的配合参与。信息技术应用目前还未达到完全智能不需人员参与的地步。重大公共事件突发具体情况、应对举措等数据信息需要人员实时填报，数据驱动信息技术系统才能正常运转。各流程节点人员需要完成各自的填报、审核、上报、分析等工作，信息技术系统才能发挥其重大公共事件功能作用。在系统完善的前提下，若信息系统出现问题或没有达到预期结果，大部分原因都是由应用主体自身问题引起。

（二）信息技术系统失灵

1. 技术决定论之否定

19 世纪下半叶以来，科学技术在人类征服世界、改造世界的过程中表现出强大能量，产生似乎没有什么社会问题是技术不能解决的幻象，导致“技术决定

---

① 参见宋琦、赵阳辉：《钱学森航天系统工程管理思想与实践》，《辽东学院学报》（社会科学版）2014 年第 4 期。

② 惠娟、谭清美：《重大突发公共卫生事件科技研发应急体系运行机制研究》，《科技进步与对策》2020 年第 9 期。

③ 参见安莹、王晓平、闫世春、高燕：《突发公共卫生事件报告管理信息系统存在问题及建议》，《中国公共卫生管理》2013 年第 3 期。

④ 参见肖彤、谭卫星、李丽：《2005～2006 年 6 月宁夏突发公共卫生事件报告管理信息系统运行状况调查》，《宁夏医学杂志》2007 年第 9 期。

论"出现。如阿伦特(Hannah Arendt)批判所说:"今天'人类'成为一种现实,却并非由于人文主义者们的梦想,也和哲学家们的论证无关,甚至不是、至少首先不是因为发生的政治事件,而几乎完全是因为西方世界中的技术发展。"[①]实际上,至少在目前的信息技术应用发展阶段,技术依然是工具,投入重资用心打造的系统失灵并不鲜见。据公开资料显示,2003年"非典"之后,我国疾控系统打造了"直报系统",据介绍这套网络直报系统"横向到边,纵向到底"。但在疫情初期的武汉,报卡"权限"被不断"提高",业内人士表示新型冠状病毒肺炎疫情暴发前,该系统并没有发挥出预报和预警作用,"原因是多方面的,包括填报方式、流程、技术等"[②]。

"系统失灵"的结果是一致的,即系统没有发挥出预期的效果。但表现多样,如系统因程序瑕疵达不到预期效果,系统部分应用未形成有机联动,系统功能完备但闲置,系统遭虚假填报等人为破坏。重大公共事件中的信息技术系统失灵原因可概括为功能失灵、制度失灵、人为失灵。系统功能缺失或华而不实无法应用,系统启用但没有实际价值是功能失灵。系统虽运行但未根据实际及时完善,适用性不强,缺乏延展性和可关联性,出现突发特殊情况时系统没有处理通道,系统滞后于工作实际等均属于功能失灵。功能失灵导致信息技术系统不能发挥出信息技术价值。制度失灵是指在信息技术系统运行完备的情况下,因没有制度保障信息技术应用,系统没有启用或无效应用。具体包括:缺乏应用的明确规定和相应的流程操作规范标准。前面流程人员没有数据输送等导致后面流程应用无效,系统有而不用,出现重大公共事件时依然沿用传统方式等。人为失灵是在系统完备、保障制度健全的情况下,因各种主观因素导致系统应用错误、无效等。如主管机关或者主要负责人没有有效推动系统应用,应用主体因接受能力差固守传统工作模式,系统应用可能导致既有利益损失而排斥使用,担心应用揭露真相引发不利后果而弃之不用等。如有关不明原因肺炎病例报告情况分析认为,各级地方政府对不明原因肺炎病例的监测、报告的过度关注,给卫生行政部门、疾控机构、医疗机构以及临床医务人员带来压力。[③]压力的存在可能导致需要网络直报时顾虑较多耽搁上报时机。

---

① [德]阿伦特:《黑暗时代的人们》,王凌云译,江苏教育出版社1998年版,第74页。

② 左妍:《网络直报系统为何未发挥预警作用?》,《新民晚报》2020年4月21日。

③ 参见魏芙蓉:《武汉疫情初期,网络直报系统为何失灵?》,2020年3月14日,http://news.ifeng.com/c/7uqH6A5PWt7。

2. 信息技术应用的强弱关系理论

关系是一种具体的过程，指的是在具体的事件过程中，关系主体之间发生的信息和资源流通。关系有赖于具体事件而存在，两者相互联系。① 在社会网络理论中，美国学者格兰诺维特认为社会网络的节点是联结，依据时间量、情感紧密性、熟悉程度和互惠关系等四个维度，将交往关系划分为强连带和弱连带。伯特在《结构洞：竞争的社会结构》一书中提出"结构洞"（Structure Holes）理论。社会网络中的某个或某些个体和部分个体发生直接联系，但与其他个体不发生直接联系或存在关系间断，整体看好似网络结构中出现了"洞穴"。结构洞理论是对强弱关系理论的发展。弱连带能够连接不同的小团体从而带来社会的互动和整合②，具有桥的功能，本质是在不同群体之间建立联系，通过这种联系从群体外带来新的信息。当社会群体中成员拥有的异质性信息较多时，能够提供信息接触和交互的桥梁，帮助信息各方获得更丰裕的信息。格兰诺维特和伯特的理论主要针对个人关系网络，都强调了有效率的网络关系应该与外部建立起联系。强弱连带理论也可以用来阐释信息技术应用中主体关系及应用效果转变。

随着互联网的快速发展，各主体以网络为媒介进行有目的的信息交流，在此过程中产生双重关系网络，互联网物理网络与应用主体关系网络融合在一起。对该双重网络的描述可集中于网络节点和网络关系。参与重大公共事件的各个主体构成网络节点，由各行政机关、社会组织机构等组成，主要由其工作人员代表、参与。网络关系是指各网络节点的关系。现实中各参与主体可能是上级与下级、监督与被监督、配合协作等关系，但从网络结构来说主要是数据信息驱动下的前后程序流程关系。参与主体各自掌握独立有用的信息和资源，信息技术系统初应用时，各应用主体应用少，各节点交互少，网络节点之间表现为弱联系。在制度的约束保障下，各应用主体积极应用，关注各程序节点的动向。上一程序节点传来有效信息，当前节点完成自己的职责分工，数据信息驱动下一节点，整个网络活跃起来，共同完成重要甚至宏大的目标任务。

关系是一种回应，信息技术网络关系并非一成不变，格兰诺维特将关系强

① 参见李继宏：《强弱之外关系概念的再思考》，《社会学研究》2003 年第 3 期。

② 参见[美]格兰诺维特：《镶嵌：社会网与经济行动》，罗家德译，社会科学文献出版社 2015 年版，第 56～77 页。

度等同于交往频率或由交往频率表现的紧密程度。[①] 伯特曾指出结构洞不是静止而是动态变化的。[②] 各应用主体从信息技术系统节点的相互联系中获取信息收益，长此以往，重视彼此间的需要和目标，对信息技术系统形成依赖性应用，就会由初应用时的“冷”关系变成“热”关系，形成良性发展循环。相反应用由多变少，关系也会由“热”变“冷”。可见只有保持信息技术系统的应用状态，才能维持重大公共事件中各主体间的强弱连带关系，在事件突发时应用信息技术系统实现重要信息的及时传递交换，有效应对重大公共事件。

三、重大公共事件中信息技术应用法律规制

（一）规制中心是对人的规制

信息技术已表现出令人惊喜的能力、智能甚至人性，人工智能等信息技术未来可能会发展到令人惊讶的程度，与人类的关系甚至需要从哲学的角度进行分析。但现阶段依然是人类发现和利用科技规律的产物，在人类工具的范畴，让人类追求更好的生活目标，人依然是万物的尺度。信息技术应用的各个流程节点需要人的参与，进行数据输入、审核审批、研究分析等操作。信息技术按照人们的需求运行，只要各个节点准确、及时触发，系统就会按照既有的程序逻辑给出客观理性的结果。正常运行的信息技术系统，出现问题的原因通常是作为参与主体的人没有及时正确操作，信息技术应用规制重点应是对人的规制。通过制度、法律保障信息技术系统应用，确保参与主体完成信息技术系统中的职责任务，并给出明确惩戒举措。

（二）法律规制保障“代码即法律”

1. 代码与法律的共性与互动

劳伦斯·莱西格抽象出“代码即法律”的网络法律格言，代表了网络世界的理论和制度构想。在网络世界可以通过代码来制定规则，法律可以通过改变代码来约束用户行为。“代码即法律”具体表达各有不同，但核心特征是利用代码来定义人们需要遵守的规则。[③] 信息技术在社会生活中日益重要，已经成为我们工作生活的重心，实现我们的工作生活目标已是普遍现象。代码也以各种方

---

① 参见邱泽奇、乔天宇:《强弱关系，还是关系人的特征同质性?》,《社会学评论》2018 年第 1 期。

② R. S. Burt, “Bridge Decay,” *Social Networks*, Vol. 24, No. 4, 2002, pp. 333-363.

③ 参见赵蕾、曹建峰:《从“代码即法律”到“法律即代码”——以区块链作为一种互联网监管技术为切入点》,《科技与法律》2018 年第 5 期。

式调节和管理我们的行为，互联网应用已被反复应用于实现不同的权利和义务，甚至输出价值观，这些都深刻影响改变着社会。“代码即法律”也应赋予其新的解读，如代码如同法律般重要，重要业务的重要信息系统应如同法律般得到遵循执行。

代码和规则在逻辑上具有共性。法律规范的逻辑结构包括行为模式和法律后果，而代码应用的逻辑结构是代码程序和运行结果。代码与法律都有目标指向。法律通过明确的规定正向引导社会行为，代码通过程序导向预期结果。代码和法律都有实现其目标的有力手段。法律通过国家强制力保障依法行为。代码依靠算法和数学模型等，甚至比法律条款更加明确，更加“刻板”。通过事先设定的方式对行为加以限制，甚至可以在人们实施行为之前就能发挥预防作用①，同样具有强制性。

代码本身就是一种规制的力量，信息技术应用表现出法律规则的作用。随着区块链等新技术的发展，法律规则也逐渐向技术规则转化。将法律写入代码，通过软、硬件呈现法律规则，信息技术固化制度或法律规定的重大公共事件应对机制。应用主体按照程序固化的方式工作，即是符合制度或法律规定的方式。制度、法律还可对重大公共事件信息技术应用进行积极的干预，对其目标设定、参与主体、运行程序、运行效果、评价标准等明确规定。对于信息技术的系统运行、职责完成、应用效果等有争议难以定夺之时，可由法律作为有效解释方法，不限于代码所蕴含的内容，从维护社会发展进步的角度给出解释。代码和法律的共性互动以及信息技术的巨大价值使得法律能够也应当保障有益社会的信息技术应用。

2.信息技术应用法律规制

信息技术如今可以实现人类大多数的工作流程，前提是代码有效运行。代码运行局限的背后是制度保障问题。制度保障信息技术应用实现预期目的，包含正式或非正式的规则，效力上更进一步就是法律规则。重大公共事件应对涉及主体较多，首先应在行政体系内通过制度确定信息技术的应用，确定各自的职责分工，对应的惩戒举措等。如重大公共卫生事件的参与主体有各级卫生行政部门、各级各类医疗机构、疾病预防控制机构等。各参与主体各自承担一部

① 参见赵蕾、曹建峰：《从“代码即法律”到“法律即代码”——以区块链作为一种互联网监管技术为切入点》，《科技与法律》2018 年第 5 期。

分功能，各机构负责人应推动、监督应用，通过内部管理手段如通报、批评教育、工作评价、考核晋升等方式确保应用，内部应用制度应尽量细化，如要求数据输入及时准确、及时报送下一节点等，确保信息技术系统应用成效。当然有效应用的前提是信息技术系统应用主体开发建设阶段的参与，测试期间意见反馈，正式运行的专业培训等，确保各相关人员了解系统，熟悉系统操作，需要时能及时正确操作。重大公共事件牵涉重大，信息技术在其中发挥的作用也会越来越重要，特别是在重大事件突发时信息获取方面有无可替代的优势。制度规制的效力和震慑有限，如国家卫生健康委办公厅《新型冠状病毒肺炎防控方案》要求各县（区）首例新冠肺炎确诊病例、聚集性疫情在 2 小时内进行网络直报，但在有突发事件时未必按照要求进行网络直报，因此还需要有法律层面的规制。有了法律的震慑，在日常就会对信息技术应用以足够的重视，猝不及防发生诸如公共卫生事件等重大危机事件时，能够临危不乱让信息技术发挥其作用。

当前我国有关突发公共事件治理的法律规范体系由宪法、刑法、突发事件应对法、各级各类应急预案等构成，但对于信息技术应用方面在法律层面没有明确体现。应将重大公共事件中重要信息技术系统的应用入法，可以笼统规定正确及时应用关键信息技术系统，可以在《突发事件应对法》等公共事件有关的单行法中规定，也可以在逐步完善的信息技术立法条款中规定。古语有云：天下大务，莫过赏罚。对各信息技术应用主体责任履行给出明确的惩戒，是法治的内在要求。对没有有效履行信息技术职责的相关人员，“政府主要领导人和政府部门主要负责人”“直接负责的主管人员和其他直接责任人员”“负有责任的主管人员和其他直接责任人员”等均应明确承担法律责任。[①] 我国《传染病防治法》第 68 条规定，未依法履行传染病疫情报告、通报职责，或者隐瞒、谎报、缓报传染病疫情的给予行政处分甚至追究刑事责任。《突发事件应对法》第 68 条规定，对迟报、谎报、瞒报、漏报有关突发事件的信息的相关人员依法给予处分。可以在该类条款中明确包含对信息技术应用人员的惩戒。有重大公共事件重要信息技术系统应用的制度及法律规定，有未履职人员的明确惩戒，信息技术在重大公共事件中定将发挥出其能发挥出的作用。

---

① 参见蔡金荣：《重大突发公共卫生事件治理的法治思维与方法》，《中共宁波市委党校学报》2020 年第 4 期。